Cregyn Mân y Môr

I Marjorie fy ngwraig am dros hanner can mlynedd diolch
am dy gariad, dy gwmni, a'th amynedd heb sôn am yr
ysbrydoliaeth a'r teulu i gyd – Andrea, Daniel, Simon, Kerrie, Ben,
Anya, Ollie, a Nia y teulu bach sy'n dal i dyfu a'm cadw yn ifanc.

Heb anghofio Margarette a Tony a holl deulu
Hen Dŷ Gwyn Ar Dâf boed nhw'n hen neu yn ifanc.

Hefyd i ddisgyblion ac athrawon yr hen Ysgol Ramadeg, Llandysul
yn ystod y cyfnod 1957 – 1964. Diolch am osod yr hadau.

John Gwynne

Cregyn Mân y Môr

Diolch i aelodau o staff Y Lolfa
am yr holl gefnogaeth a chyngor

Argraffiad cyntaf: 2022

Cynllun y clawr: Y Lolfa
Llun y clawr: Dafydd Saer

Rhif Llyfr Rhyngwladol: 978 1 91960 104 5

Cyhoeddwyd gan Wasg Tŷ Cornel
07831 111369 | jig_369@ hotmail.com

Argraffwyd yng Nghymru
ar bapur o goedwigoedd cynaliadwy gan
Y Lolfa Cyf., Talybont, Ceredigion SY24 5HE
e-bost ylolfa@ylolfa.com
gwefan www.ylolfa.com
ffôn 01970 832 304
ffacs 01970 832 782

1

'Nawr paid a barnu yn rhy gyflym, cofia mod i heb ei orffen e 'to,' trodd y gŵr ifanc tuag at ei wraig, rhwymodd ei fraich o'i hamgylch a'i thynnu yn agosach wrth i'r ddau edrych ar eu cartref newydd. Gobeithiai Omri am ymateb ffafriol i'w ymdrechion i wella cyflwr y tŷ.

'Ond mi fedrwn ni symud mewn iddo yfory, dyna sy'n bwysig,' cadarnhaodd ei gymar wrth iddi ymrwymo ei hunan yn ei erbyn, roedd yn rhy hwyr nawr i ohirio'r symud mewn i'r lle – roedd y paratoadau i gyd wedi eu gwneud, pob dim wedi ei baratoi yn gyflawn.

Safai Eirian Mathews ac Omri tu allan i Dan-y-Graig, nid yn unig eu cartref newydd ond hefyd, ac yn fwy pwysig na dim, eu cartref priodasol cyntaf nad oeddent yn gorfod rhannu gyda unrhyw rhiant. Edrychai'r ddau yn falch iawn arno. Er nad yn dŷ modern, teimlai Eirian fod yna gymeriad iddo. Tŷ cerrig llwyd ydoedd wedi ei adeiladu oddeutu dechrau'r ganrif, tua chwe deg mlynedd yn ôl, un oedd yn nodweddiadol o'r cyfnod ac o'r ardal. Ar eu hymweliad cyntaf i'w weld, gwyddai Omri byddai ganddo dipyn o waith o'i flaen i'w wneud yn gartref teilwng i obeithion y ddau. Er nad oedd wedi llwyr gyflawni eu anghenion, roedd wedi bod yn gymaint o fargen o ran ei faint a'i leoliad, methai 'run o'r ddau wrthod ei brynu.

'Wyt ti eisiau mynd i mewn i weld beth dwi wedi gwneud, te?' gofynnodd.

Cofiai Eirian ei theimladau y tro cyntaf gwnaeth gamu mewn trwy'r drws cefn ar ôl i'r asiant ei agor gyda'r hen allwedd rhydlyd. Teimlodd oerni a thristwch yn treiddio drwy'r adeilad. Er mai diwrnod rhewllyd yng nghanol mis Ionawr ydoedd ar y pryd, a'r asiant bron a chanslo'r ymweliad, roedd wedi disgwyl fymryn o wresogrwydd y tu mewn i'r muriau ond doedd na ddim. Er hynny teimlai'r ddau bod y tŷ yn perthyn iddynt rhywsut, ei fod yn cynnig y cyfle iddynt i wynebu heriau bywyd gyda'u gilydd ac hynny yn annibynnol o unrhyw un arall. Oedd, roedd Dan y Graig yn rhoi y cyfle iddynt rhoi sail i'w bywyd priodasol – er fod na'm craig yn agos i'r lle.

Chwarae teg, gwnaeth Omri dreulio pob awr fedrai, gan gynnwys holl wyliau'r haf, i weithio ar y lle. Gyda help mawr gan rhai o'i ffrindiau cyflawnwyd lawer mwy nag oedd angen er mwyn iddo fod yn barod iddynt symud mewn. Cynlluniwyd, cytunwyd, a chyflawnwyd, y ddau o'r un feddwl i ail fampio a newid pob cnwc a chornel o'r ystafelloedd gwreiddiol drwy'r tŷ. Addurnwyd y lle bron yn gyfan gwbl a'i addasu i'w hanghenion. Felly, ehangwyd y gegin, gwnaethpwyd i ffwrdd a'r hen bantri, a'i moderneiddio'n llwyr gyda unedau a dyfeisiau newydd; blocio drysau fan hyn a chreu rhai newydd fan draw; creu ac addasu ystafelloedd i siwtio eu cynlluniau yn enwedig yr ystafelloedd gwely moethus. Oedd, roedd Omri wedi bod yn lawer mwy prysur nag oedd wedi meddwl y byddai ond roedd dal gwaith ar ôl i'w wneud fel paratoi meithrinfa pan fyddai angen.

Teimlai Eirian fod ysbryd y tŷ wedi codi. O'r tu allan doedd y cerrig llwyd ddim i weld mor llwydaidd ac oeraidd â cofiai. Edrychai'r lle yn fwy urddasol rhywsut, fel pe bai yr hen le wedi codi ei ben mewn balchder.

'Rwy'n sylwi dy fod ti wedi gadael yr ardd heb ei thacluso,' tynnodd Eirian ei goes.

'Gadael hwnna i ti i wneud, er mwyn i ti gadw yn ffit.'

Chwarddodd y ddau gan rhwymo eu breichiau yn dynnach o amgylch eu gilydd a cherdded tuag at y tŷ.

'Wyt ti ishe i fi dy gario dros y trothwy?' cydiodd Omri arni.

'Pam lai!' heriodd ei wraig.

Cododd hi yn un darn, er fod ei gefn bron a thorri, a'i chynnal tu mewn.

'Dwy'n credu bydd ein rhieni yn falch i gael gwared ohonom ni,' dywedodd Eirian wrth rhoi cusan mawr ar wefusau ei gŵr.

'Falle mai dyna pam roeddent mor barod i'n helpi ni i brynu'r lle,' atebodd.

'Reit te, dere i weld beth wyt ti wedi bod yn gwneud,' awgrymodd hithau.

Aethant yn araf o un ystafell i'r llall gan ddechrau i fyny'r grisiau. Cafodd Eirian ei gwefreiddio gan ymdrechion ei gŵr. Gwelai eu syniadau a'u cynlluniau i gyd yn dwyn ffrwyth o'i blaen. Gwyddai mai fach iawn o ymdrech roedd hi wedi gwneud i'r prosiect heblaw am rhoi'r syniadau o'i flaen. Ac roedd Omri wedi ymateb i bob syniad – yn union fel y dymunai.

Edrychodd yn fanwl ar y gegin fodern gan ddychmygu ei hun yn paratoi prydiau blasus yno wrth iddynt wahodd ffrindiau a pherthnasau a'u diddanu. Oedd, roedd y ddau ar ben eu digon wrth fynd o amgylch y lle. Rhedodd Eirian i fyny'r grisiau eto i edmygu maint yr ystafelloedd a dychmygu'r dodrefni, cyn dod i lawr y grisiau yn sbonc. Bron iddi ddawnsio mewn i'r lolfa ffrynt.

Ac yno safodd yn stond, methai synhwyro beth welai o'i blaen.

Roedd mor glir, pam nad oedd Omri wedi dweud unrhyw beth wrthi amdano?

Edrychodd i ffwrdd cyn edrych yr eilwaith. Yn bendant roedd yno, methai ei osgoi. Teimlai'r oerni yn treiddio trwyddi wrth iddi syllu ar y llawr o'i blaen. Yno gwelai amlinell o gysgod du yn ymledu ar ei hyd ar draws y carped newydd yn agos i'r lle tân. Penderfynodd gadw yr holl beth yn gyfrinachol, doedd ddim eisiau amharu ar lwyddiant Omri mewn unrhyw fodd.

Os oedd y ddau wedi mwynhau heddwch Dan-y-Graig y diwrnod cynt, newidiwyd popeth y bore wedyn. Diwrnod y symud mewn oedd hi, ac fel ateb i'w gweddïau roedd y tywydd yn sych ac yn braf.

'Does dim angen, Mam, gadewch i'r dynion wneud ei gwaith mewn heddwch gyntaf – ac wedyn cewch chi a Dad ddod draw â chroeso – Oce?'

Gwyddai Eirian, wrth rhoi'r ffôn lawr, byddai ei mam yn gweld y chwith ond roedd wedi cnoi ei thafod yn hytrach na dweud, 'Mawredd, Mam, gadwch lonydd i ni i wneud beth y' ni ishe gwneud. Nid plant bach ydym ni rhagor – ni wedi gadael y nyth, felly arhoswch nes eich bod yn cael gwahoddiad i ddod draw cyn dod 'ma – Oce?' Yr unig gysur oedd ganddi oedd fod Omri hefyd yn dioddef yr un her wrth ei rieni yntau.

Erbyn canol y prynhawn roedd ei meddwl hithau yn chwildro a'i chefn bron a thorri wrth drefnu ble roedd pob dim yn mynd. Daeth yr anrhegion priodas i'r wyneb, a'r mwyafrif o rheiny heb weld golau dydd ers eu diwrnod mawr ar ôl gorwedd yn guddiedig mewn storfa am dros i ddwy flynedd.

'Shwt wyt ti'n dod mlân?' gofynnodd Omri o'r tu cefn iddi a'i chymryd yn ei freichiau cyhyrog a'i gwasgu.

'Dwy'n credu bod gormod o lestri gyda ni,' sibrydodd Eirian gan bwyso ei phen yn erbyn ei frest.

'Wel, dyweda' i un peth wrthyt – does dim digon o ddodrefn gyda ni i'r lle 'ma,' gwenodd arni.

'Paid dweud wrth dy rhieni, neu fyddan nhw yn mynnu rhoi eu rhai hen fasiwn i ni,' ac wrth weld y siom yn ei lygaid, 'A dw i'n addo peidio dweud wrth Mam a Dad hefyd.' Taflodd chwinciad ato cyn rhoi cusan mawr iddo.

'O leiaf mae'r dorf wedi mynd erbyn hyn,' chwarddodd Omri.

Ym mhob pentref bach cefn gwlad Cymru mae pobol yn hoffi busnesan, ac, os oes rhaid, mae nhw yn fwy na pharod i gynnig help llaw neu, o leiaf, dweud shwt i wneud pethau'n well. Dim rhyfedd, felly, fod amryw un wedi "digwydd" cerdded heibio i Dan y Graig y diwrnod hynny i weld beth oedd yn mynd ymlaen ac, efallai, cael cipolwg ar y bobol newydd a'u pethau. Gan ei bod wedi treulio'r dydd yng nghefn y tŷ, roedd Eirian wedi osgoi yr ymwelwyr lleol, neu'r "dorf", chwedl Omri, ac erbyn iddi fynd i'r ffrynt dim ond un person oedd yn dal yno. Cymerodd Eirian anadl fawr a cherddodd draw tuag ato.

'Dim ond un dyn bach ar ôl, te,' gwenodd yn gyfeillgar.

'Chi sy wedi prynu'r hen le 'ma te, ie 'fe?' edrychodd y dyn arni gan osgoi ei llygaid, 'Braf i weld merch ifanc yn byw 'ma unwaith 'to,' ategodd cyn i Eirian gael cyfle i'w ateb.

Gwenodd arno heb ddweud gair.

'Pwy y'ch chi'n dweud y'ch chi, te?' holodd ymhellach ond heb gyflwyno ei hunan. Clywai Eirian yr union eiriau byddai ei Mamgu yn defnyddio bob amser byddai yn cyfarfod ag unrhyw un nad oedd yn adnabod – ac, wrth gwrs, dilyn gyda, 'A beth yw 'ch oedran chi nawr, te?'

'Eirian Mathews, pennaeth newydd yr ysgol,' cyflwynodd
ei hunan wrth ysgwyd ei law – llaw fawr â'i chroen yn arw
yn erbyn ei llaw feddal hi, arwyddocâd o fywyd caled yr hen
ddyn, 'Ac Omri, fy ngŵr, athro yw e hefyd,' ategodd cyn i'r
dyn bach rhyfedd ofyn – ond rhywsut neu gilydd teimlai bod
yr hen ddyn yn gwbod hyn yn barod.

'Djiw, djiw, sgwlyn arall,' chwarddodd gan ddangos ei geg
di-ddannedd. Sylwodd nad oedd Eirian wedi ei ddeall. 'Ie, ie yr
hen sgwlyn oedd yn arfer byw 'ma, 'chweld,' aeth yn ei flaen,
'O! Mae 'na flynydde ers hynny nawr. Wes, wes. A hithau,
wedyn, yn rhedeg bant ar ôl iddo fe wneud beth wnaeth e a'i
gadael yn aros amdano yn y stesion yng Nghaerfyrddin. Fel
'na daethom ni o hyd iddo.'

'Dwy ddim yn deall,' eglurodd Eirian ar goll yn llwyr yn
nirgelwch y geiriau cymysglyd. Er nad oedd ganddi'r amser,
roedd yn ysu i glywed mwy o'r hanes. Gwrandawodd yn astud
wrth i'r dyn bach rhyfedd fynd yn ei flaen. Teimlai ei cheg
yn sychu ond doedd hi ddim eisiau cael toriad ar y stori heb
gorfod ei wahodd mewn am ddisied o de – roedd yna ormod o
waith tacluso ganddi cyn estyn gwahoddiad i unrhyw un.

'Ond fel wedes i, mae 'na sawl blwyddyn ers hynny nawr,
wes, wes,' teimlai Eirian bod y stori yn dod i ben, 'Dewch
weld, nawr, o'r Mawredd, be' sy'n bod arna i roedd e cyn i'r
hen Frenin farw, felly mae dros ugain mlynedd yn rhwydd.
Djiw, djiw, on'dyw amser yn hedfan, te?' ac ar hynny, cododd
ei law a cherddodd i ffwrdd gan adael Eirian i bendroni a oedd
yn sôn am y blynyddoedd neu'r amser roedd wedi treulio yn
siarad â hi.

'Oeddet ti'n gwbod am hanes y tŷ te, Omri?' gorweddai
Eirian yn y gwely ym mreichiau ei gŵr yn hwyrach y noson
hynny, y ddau wedi penderfynu ar noson gynnar ac heb rhoi

gwahoddiad i unrhyw rhiant i ddod draw, wedi'r cyfan. Blino gormod; esgus cyfleus; cydwybod clir.

'Gwbod bod e wedi bod yn wag am sbel. Gwbod bod 'na uffern o glirio lan i wneud 'ma cyn o'n ni yn galler dechrau gweithio 'ma. Ond na, gwnaeth neb alw i rhoi unrhyw hanes i mi heblaw fod rhyw fenyw wedi rhedeg bant a'i adael fel roedd e.' Teimlai Omri yn swrth a theimlai ei hunan yn cwmpo i gysgu er iddo wneud ei orau i wrando ar beth oedd gan ei wraig i ddweud.

'Wel, mae'n debyg mae cyn-brifathro yr ysgol oedd yn arfer byw 'ma unwaith, dros ugain mlynedd yn ôl – a, meddylia beth, fe wnaeth e grogi ei hunan.'

'Ymhle?' sibrydodd ei gŵr yn gysglyd.

'Yma, rhywle,' aeth Eirian ymlaen i ail ddweud beth roedd yr hen ddyn wedi dweud wrthi, 'Ac mae'n debyg fod ei wraig e wedi bod yn disgwyl iddo ei chasglu o orsaf Caerfyrddin. Roedd hi'n meddwl ei fod wedi anghofio amdani ac felly roedd hi'n gynddeiriog. Mi wnaeth ffonio'r gweinidog lawr y ffordd, ac fe ddaeth e draw i atgofio'r boi a'i ddarganfod yn hongian.' Arhosodd am seibiant, 'Peth ofnadwy, dwyt ti ddim yn meddwl?' Ni chafodd ymateb wrth Omri heblaw am chwyrnad fach ysgafn, gwenodd arno gan rhoi cusan bach tyner ar ei dalcen. Caeodd hithau ei llygaid ac aeth i gysgu wrth ei ochr cyn deffro yn sydyn heb wybod pam.

Hunllef? Nage. Omri yn symud yn sydyn? Efallai. Rhyw sŵn bach o'r tu allan? Bosib.

Ond nid dyna'r unig noson i Eirian Mathews ddeffro gan feddwl ei bod yn clywed sŵn bach rhyfedd tu allan i ddrws eu ystafell wely. Ar y dechrau methai adnabod y sŵn er y gwyddai ei bod wedi clywed ei debyg rhywbryd o'r blaen. Methodd weld unrhyw beth fedrai achosi'r sŵn, chwaith, er iddi godi o'i gwely a mynd allan o'r ystafell i ymchwilio. Daeth yn amlwg fod Omri yn anymwybodol o'r sŵn. Cysgai ef drwy bob dim – cwsg un â'i gydwybod yn hollol glir, fel y dywedai.

Ond clywai Eirian y sŵn yn gyson yn ystod oriau mân y bore er fod gweddill y tŷ yn hollol dawel. Tybiai ei fod yn dod o ben y grisiau ond methai ei leoli yn gywir. Sŵn bach gwan, sŵn oedd yn debyg iawn i ochenaid neu rhywbeth tebyg. Ac yna, yn sydyn un noson, cofiodd ble roedd wedi clywed y sŵn o'r blaen. Aeth ei meddwl yn ôl i'w phlentyndod ac i fferm ei hewythr lle byddai'n mwynhau mynd am dro bob amser. Cofiai rhedeg o amgylch y caeau. Chwarae gyda'r cŵn a'r cathod. Rhedeg ar ôl y ieir. Treulio oriau ar ei siglen.

Sŵn adnabyddus; sŵn cofiadwy; sŵn unigryw; sŵn rhaff, dyna oedd e, sŵn rhaff yn gwichian yn dawel wrth iddi ymestyn yn raddol o dan bwysau.

★ ★ ★

Nos Galan yn Dan-y-Graig â'r teulu agos i gyd wedi ymgynnull i ddathlu'r flwyddyn newydd gyda'u gilydd. Roedd Eirian ac Omri wedi cadw'n ddistaw dros y Nadolig er mwyn torri'r newyddion cyfrinachol i'r ddwy ochr o'r teulu ar yr un pryd.

Safai'r chwech yn y lolfa ffrynt â'i addurniadau yn addas i'r ŵyl heb eu gorwneud a gan fod Eirian wedi gwrthod treulio'r Nadolig mewn unrhyw le arall ond yn ei chartref cysurus ei hunan. Gwyddai ers wythnosau ei bod yn feichiog, a gwyddai'n iawn beth fyddai ymateb ei mam a'i thad – ac yr oedd yn hollol gywir.

Ar ôl i Omri agor botelaid o Siampên a'i ddosbarthu

cynigiodd y llwncdestun, 'I'r babi newydd boed yn grwt neu croten.'

'Mae'n siŵr o fod yn un o'r ddau,' chwarddodd ei dad.

'O! Rho mwy o goed ar y tân, cariad, dwy wedi oeri'n lân,' gwnaeth Eirian erfyn ar ei gŵr wrth iddi deimlo tymheredd yr ystafell yn gostwng yn sydyn.

'Be' sy'n bod arnat ti wir, Eirian, mae'r ystafell yma'n wresog neis,' cyhuddodd ei Mam.

'O, mae'n galler bod yn oer o bryd i'w gilydd,' cytunodd Omri fwy i amddiffyn ei wraig na dim arall, 'Teils mawr cerrig sy' o dan y carped ma, chi'n gweld,' ategodd.

'Rwm Fflags, dyna roeddent yn arfer eu galw yn yr hen ddyddiau,' awgrymodd ei dad.

Ac felly aeth y parti ymlaen yn hwylus nes fod hanner nos yn taro a rhoi bywyd i'r Flwyddyn 1972 gan wneud i bawb weiddi 'BLWYDDYN NEWYDD DDA MIL NAW SAITH DAU!'.

Erbyn hyn roedd Eirian yn fwy na pharod i'w gwely, cydiodd yn llaw ei gŵr a'i arwain i fyny'r grisiau – y ddau yn edrych ymlaen i'r flwyddyn o'i blaenau.

2

Rhai diwrnodau mewn i'r flwyddyn newydd ar yr 8 fed o Ionawr 1972, mewn cell oer, digroeso, y llawr yn galed o dan ei draed, a'r bariau haearn ar y ffenestr fach yn rhy uchel i'w cyrraedd, safai hen ŵr ar goll yn ei hunllef.

'Paid llusgo dy draed, Tomos.'

Clywai lais ei fam yn glir yn gweiddi arno. Roedd am ei hateb, dweud hen eiriau adnabyddus wrthi, edrych a gweld ei hwyneb siriol. Ond doedd ei fam ddim yno. Doedd hi ddim yn agos i'r lle. Doedd ganddo yntau 'run syniad ble' r ydoedd, chwaith

Llusgodd ei draed ymlaen yn araf. Methai gerdded yn gyflym mwyach – cadwynau cudd ugain mlynedd a mwy o garchar wedi cael ei heffaith ar ei gorff ac ar ei feddwl. Dros ugain mlynedd, a phob diwrnod 'run fath â'r llall heb unrhyw amrywiaeth yn uffern ei fywyd. Ddoe, heddiw ac yfory – yr un oedd y drefn. Neb yno yn sylwi ar ei wendid; neb yno i wrando ar ei gwynion; neb yno yn ei ddeall – neb yno yn poeni. Doedd neb eisiau ei glywed, doedd neb yno i weld ei ddagrau. Wnaeth ddysgu hynny yn gynnar iawn er nad oedd yn deall yr iaith a siaradwyd. Geiriau rhyfedd, wynebau estron, acenion gwahanol.

Anghyfiawnder. Creulondeb. Casineb. Unigedd.

'Nid fi wnaeth e,' yr un oedd ei eiriau drosodd a throsodd ar hyd yr amser wrth iddo gael ei symud o un carchar i'r llall ar draws y wlad, yn gaeth yn y gyfundrefn. Pedair wal lwyd, oer, galed; ystafelloedd bach, cyfyng; gwelyau cul, anesmwyth, a ffenestri bach oedd yn rhy uchel iddo fedru gweld allan – os byddai yna ffenestr o gwbl. Ar sŵn unigryw – sŵn y drysau haearn yn cau ac yn cloi ac yn atseinio trwy wagle ei feddwl. Aelwyd wresog cartref ei ieuenctid wedi hen ddiflannu os oedd wedi bodoli o gwbwl.

'Mam?'

Roedd yn hen ddyn ymhell cyn ei amser, ei ysbryd wedi torri. a'i feddwl yn racs. Dros amser diflannodd y creithiau a'r cleisiau corfforol, ciliodd y creulondeb. Boddwyd bywyd Twm Ifans ymysg y muriau caled a'r llif o ddogfennau a gwaith papur – gweinyddiaeth y gwasanaethau carchar. Treulio ei fywyd mewn amryw garchardai oedd y drefn nawr – a phob un yn rhy bell i unrhyw un oedd eisiau i ddod i'w weld. Anghofiodd ei ffrindiau, anghofiodd ei gynefin, anghofiodd ei deulu – dim ond un peth cadwodd yn ei feddwl ar hyd y blynyddoedd.

'Nid fi wnaeth e, Mam,'

Ond, sylwodd, roedd pethau yn wahanol heddiw. Byddai'n hen gyfarwydd â'r drefn arferol, ac ar ôl ugain mlynedd teimlai rhywsut yn gyffyrddus ynddi, ond roedd yna newidiadau wedi cymryd lle y bore yma. Cafodd ei frecwast ar ei ben ei hunan yn ei gell, ac hynny ar ôl ymolchi a gwisgo heb neb yno i'w wylio. Gweld rhyw wyneb newydd yn mynd a'i ddillad arferol i ffwrdd ac yn ei orfodi i wisgo'r dillad arall yma – dillad a theimlai'n rhyfedd, dillad oedd yn lawer rhy fawr iddo – ond eto roedd 'na rhywbeth adnabyddus amdanynt.

'Paid a llusgo dy draed, Tomos!' Dychwelodd llais cyfarwydd ei fam unwaith eto.

Teimlai ddwylo cryf naill ochr yn cydio yn ei freichiau a'i gario yn gyflym tuag at ddrws. Rhaid cael gwared o'r dihiryn dwl cyn i neb archwilio'r achos. Gorau i gyd cyn gynted y byddai'n mynd ymhell o'u gofal. Bron iddo gwmpo ar ei hyd wrth iddynt ei wthio trwy'r drws bychan – allan i'r stryd, allan i'r byd mawr.

Safai ar ei ben ei hunan nawr, tu allan i'r muriau di-groeso mawrion. Clywai'r drws haearn yn cau yn glep tu cefn iddo. O'i flaen gwibiai'r byd heibio iddo. Teimlai'n oer, dechreuodd grynu, teimlai'r glaw yn gwlychi ei ben moel, ni wyddai beth i wneud na ble i fynd. Rhedai dychryn llethol drwy ei gorff bregus a theimlai'r anobaith rheibus yn cronni'r dagrau yn ei lygaid – hen ddyn bach ar goll mewn byd oedd yn hollol estron iddo.

Ar draws y ffordd gwyliai'r wraig ef, ei meddwl hithau hefyd yn llawn ansicrwydd. Safai ar ei phen ei hunan. Teimlai'n oer yn ei chot ddu denau, yr unig got oedd yn berchen y dyddiau yma. Pob ceiniog o'i heiddo a mwy wedi mynd i wneud yn siŵr y byddai yn medru bod yma i gyfarfod yr hen ddyn. Ond ai hwn oedd hi'n ddisgwyl? Doedd heb ei weld am flynyddoedd. Methai fforddio'r pris i fynd i'w weld unwaith dros y blynyddoedd, hyd yn oed pe bai yn gwbod ym mha garchar ydoedd ar unrhyw adeg. Ac yna, yn sydyn, ar ôl blynyddoedd o dawelwch daeth y llythyr. Llythyr swyddogol mewn amlen frown wedi ei gyfeirio i'w mhâm, Missis M Ifans – a hithau wedi bod yn ei bedd ers blynydde. Roedd wythnosau wedi mynd heibio ers i'w bysedd crynedig agor a darllen y llythyr. Heb geiniog goch i'w henw ond gwyddai bod yn rhaid iddi fod yn gryf a gwneud yr ymdrech er byddai'n ornest anodd ac yn siwrne hir.

Clywodd y drysau trwm yn cau gwelodd ef yn camu ymlaen yn ofnus. Un cam ar y tro cyn sefyll yn stond. Hen ddyn bychan, bregus gwelai. Hen ddyn bach na wyddai lle'r ydoedd. Drychiolaeth greulon o'r hyn a fu. Cofiai ef yn ŵr tal, cadarn, cariadus. Cofiai ei wallt tywyll cyrliog, ei lygaid disglair, ei wên yn dyner, yn gyfeillgar.

Ond nid dyna welai heddiw. Llygaid gwelw fel dau golsyn ar y wyneb lwyd, y gwefusau tenau wedi anghofio beth oedd gwên, y gwallt mor denau ac yn hollol wyn, a'r corff wedi torri yn gyfan gwbwl. Hen siwt oedrannus yn hongian yn garpiog amdano. Cawr ei phlentyndod wedi lleddfu ac ar goll. Cymerodd gam tuag ato.

'Dewch, Dada,' dywedodd yn dyner gan gymryd ei fraich yn ysgafn a'i arwain, 'Mae'n amser i ni fynd adref.'

Gwelai yntau wefusau'r wraig yn symud ond methai ddeall yn iawn beth oedd yn ddweud – roedd dros ugain mlynedd ers iddo glywed unrhyw un yn siarad Cymraeg. Plygodd ei ben yn swil, gadawodd iddi ei arwain – plentyn bach diniwed yng ngofal ei fam.

'Nid fi wnaeth e,' dywedodd yn dawel.

Roedd yn saith deg pump mlwydd oed, wedi colli ei holl eiddo a'i feddwl, ond i'r rhai oedd wedi adnabod Twm Ifans yn dda, gwyddent nad oedd erioed wedi bod yn un i ddweud celwydd wrth neb.

3

Craig isel ar draeth euraid, gorweddfan arferol Elisabeth ac
Alun Morgan. Gorweddai'r ddau yn agos iawn i'w gilydd
ar Garreg y Fuwch ar draeth tawel Pwll Gwyn ar arfordir bae
Ceredigion. Carreg y Fuwch, dyma lle byddai'r ddau yn dod i
fwynhau gwres yr haul ac i ymlacio. Yn aml byddai'r ddau i'w
gweld yn gorwedd yno yn hanner noeth – y ddau ar goll yn eu
meddyliau er bod eu cartref, Awel Deg. ond rhyw dafliad carreg
i ffwrdd. Diwrnodau cyntaf mis Mai ydoedd a chyfle i'r ddau
gymryd mantais o'r prynhawn heulog braf mewn heddwch
cyn byddai'r ymwelwyr cynnar yn cyrraedd i dreulio'r Haf
ym Mhwll Gwyn. Heddiw, dim ond rhyw ddyrnaid oedd wedi
mentro draw i'r hafan dawel ac heb ddisgwyl perffeithrwydd
y lle mor gynnar yn y tymor.

'Dwy'n credu fod y ddau fach draw acw yn dathlu eu
penblwydd,' awgrymodd Elisabeth wrth wylio teulu bach
yn cael hwyl gerllaw. Merch fach a'i brawd yng nghwmni
eu rhieni, tybiai, a redai o amgylch eu gilydd yn chwerthin
a gwichal yn hapus wrth iddynt geisio chwifio barcud yn
aflwyddiannus cyn setlo lawr i fwyta eu picnic.

'Pob lwc iddynt wir,' dywedodd Morgan heb godi ei ben,
'Mae'r môr 'na yn rhy oer i mi heddiw – hyd yn oed i fracso,'
ategodd.

'Mae'r wraig 'cw draw fan 'cw wedi bod yn edrych arnom
ni am hydoedd,' sibrydodd Elisabeth yn dawel gan gyfeirio at

un a gerddai ar hyd y traeth yn weddol agos i'w gorweddfan. Trodd tuag ato i osgoi dal ei llygad.

'Mm,' atebodd ei gŵr gan swnio'n gyffyrddus wrth bwyso yn agosach at ei wraig. I bob pwrpas edrychai fel pe bai yn cysgu, neu o leiaf yn slwmbran yn dawel a'i lygaid ar gau.

'O, paid a dangos gormod o ddiddordeb wnei di, Alun,' pwniodd ef yn chwareus ar ei fraich.

'Calon, os ti ishe gwbod, dwi wedi bod yn ei gwylio am sbel, – felly dwed di sori Mister Morgan,' atebodd a'i lais yn llawn direidi.

'O,' gostyngodd Elisabeth ei llais ond daliodd ymlaen i wylio'r fenyw.

Pwll Gwyn oedd eu cartref, eu paradwys. Deng mlynedd ers iddynt briodi a'u cariad heddiw mor ddwfn ag erioed. Er iddynt fod ar wahân am dros ugain mlynedd, gwnaeth y ddau ail gyfarfod dan amgylchiadau rhyfedd, cyn priodi a symud i'r pentref tawel yma. Wedi gadael Llundain am byth, gwnaeth Morgan brynu Awel Deg, y tŷ mawreddog a safai ar y clogwyn uwch ben y traeth â'i olygfa unigryw dros y bae. Dyma'r tŷ roedd y ddau yn dwli amdano ac er ei fod, unwaith, wedi bod yn rhan o'i guddfan ef, roeddent wedi byw yno ar ben eu digon ers hynny. Roedd y ddau dros eu hanner cant erbyn hyn, y ddau yn gwneud y mwyaf o'r ail gyfle yn eu bywyd unol.

'Mae wedi cerdded heibio i ni ddwywaith neu dair cyn cerdded yn araf i lawr i'r môr, aros am eiliad gan edrych ar ei thraed, troi rownd a cherdded 'nôl tuag atom ni ac wedi troi draw tuag at y ffrwd ac....'

'Oce, oce,' plygodd Elisabeth ei phen yn erbyn ei ysgwydd, 'Sut wnes ti sylwi ar hwnna i gyd?'

'Oes rhaid i ti ofyn, Bwts fach?' rhoddodd ei fraich o'i hamgylch a'i thynnu'n agosach tuag ato.

'Wyt ti'n ei hadnabod hi, te?' edrychodd Elisabeth yn slei bach, dros gefn ei gŵr. Ar y dechrau roedd wedi meddwl mae merch ifanc ydoedd ond nawr gwelai ei bod lawer hŷn nag oedd yn disgwyl. Gwallt tywyll yn chwifio yn yr awel, lliw y gwallt yn rhy dywyll i fod yn naturiol ac yn gwneud ei hwyneb i edrych yn wylaidd llwyd wrth iddo chwythu yn yr awel; ei chorff i weld yn esgyrnog a thenau o dan y dillad rhad a'i chot ddu ysgafn yn dangos ei dannedd. Safai yn ddigon agos iddynt erbyn hyn ac, yn bendant, roedd hi yn eu gwylio'n betrusgar.

'Na, erioed wedi ei gweld hi o'r blaen,' atebodd Morgan gan godi ei law i'w chyfarch.

'Alun, be ti'n gwneud?' ceryddodd Elisabeth ef gan rhoi pwniad ysgafn arall iddo.

'Helo, 'na,' gwaeddodd Morgan i'w chyfeiriad eto. Tynnodd Elisabeth ffrog haul amdani i guddio ei noethni yn gywilyddus.

Syfrdanwyd y wraig, safai yn ofnus fel cwningen wyllt wedi ei dal yng ngoleuadau car ar ganol ffordd. Ni wyddai beth i wneud nesaf. Ni wyddai ble i droi, na ble i edrych. Doedd 'na ddim dihangfa iddi. Roedd yn rhy hwyr iddi osgoi ei gyfarch. Ond o leiaf roedd y dyn i weld yn gyfeillgar ac yn ddidwyll. Cymerodd gam yn agosach tuag atynt. Teimlai ei maint yn crebachu o dan gysgod y graig. Doedd heb benderfynu ar y wraig, roedd hi fel pe bai yn cuddio ei hwyneb oddi wrthi. Daliodd lygaid tywyll y dyn. Llygaid onest, tyner, llygaid oedd yn pefrio â chyfeillgarwch.

'Esgusodwch fi,' dechreuodd mewn llais bach gwan, 'A'i Alun Morgan ydych chi?'

Astudiodd Morgan y wraig tra tynnai ei grys T drosto. Gwelodd ei bod yn iau nag oedd wedi penderfynu pan welodd hi gyntaf. Gwelodd hen arwyddion cyfarwydd serch hynny:

arwyddion o fywyd caled; arwyddion o dlodi ac hunan aberth; arwyddion o dosturi a cham driniaeth – roedd wedi dod ar eu traws niferoedd o weithiau yn ystod ei yrfa yn Llundain. Gwyddai yn reddfol fod hon wedi mynd i'r eithaf er mwyn goroesi heriau ei bywyd. Gwyddai ei bod wedi gwneud ymdrech fawr i ddod i'w weld. Gwyddai hefyd ei bod mewn angen, gwelai'r erfyn yn ei llygaid – erfyn am ei gymorth ac hynny heb iddi orfod dweud gair.

'Ie,' atebodd y dyn mawr gan wenu'n groesawgar, 'A dyma fy ngwraig Elisabeth. Beth allai wneud drosoch?'

Cododd hyder y ferch fymryn, cymerodd gam arall tuag atynt – doedd y graig ddim i weld mor uchel erbyn hyn.

'Bronwen Ifans ydw i – merch Twm Ifans,' doedd ddim yn siŵr beth i ddweud, teimlai ei hyder yn cilio unwaith eto, teimlai cywilydd yn cydio ei llais. Cododd Morgan ei aeliau, roedd y datgan yn awgrymu y dylai wybod pwy ydoedd neu, o leiaf, ... ond na, doedd yr enwau yn golygu dim iddo. Edrychodd tuag at ei wraig am gymorth ond doedd dim ymateb o'r cyfeiriad yna chwaith. Trodd ei sylw yn ôl tuag ati, pesychodd yn ysgafn, 'Mae'n ddrwg gennyf ond 'sdim syniad 'da fi pwy......'

'O, na, mae'n ddrwg 'da fi, syr, dylwn i ddim....' dechreuodd y wraig droi i gerdded ymaith ac i guddio y dagrau oedd yn mynnu cronni yn ei llygaid.

'Hey, na, na,' cododd Morgan ac Elisabeth yn un darn gan neidio i lawr o'r graig.

Gafaelodd Elisabeth yn dyner ym mraich y wraig a'i thynnu yn agos tuag ati. 'Hey, dewch rwan, be sy mater?' rhwymodd ei breichiau o'i hamgylch gan sylwi ar y persawr rhad.

Roedd acen y gogledd yn swnio'n rhyfedd i Bronwen Ifans ond o leiaf roedd y wraig, hefyd, yn gyfeillgar erbyn hyn.

Teimlai gymorth gwirioneddol croesawgar ac roedd hyn yn brofiad newydd iddi yn ei bywyd unig, llwm. Ymrwymodd ei breichiau o amgylch Elisabeth gan ymryddhau ei dagrau a chael ei hanwesu. Tro Elisabeth oedd hi nawr i edrych tuag at Morgan am arweiniad i'r cam nesaf, tynnodd yntau wyneb i ddangos ei annealltwriaeth o'r digwyddiad.

'Pam na awn ni lan i'r tŷ am ddisied fach o de, te?' awgrymodd i godi'r pwysedd gan ddechrau cerdded ar hyd y traeth. Arweiniodd Elisabeth y wraig yn araf a phwyllog ar ei ôl â'i braich wedi ei rwymo o amgylch yr hysgwyddau tenau.

4

Doedd Bronwen Ifans erioed wedi bod tu mewn i unrhyw fan tebyg i Awel Deg yn ei bywyd. Yn ei golwg hi roedd yn blasty crand. Er yn ddigon tebyg o ran maint i'r Mans lleol yn ei phentref, teimlai ei hunan yn boddi ym moethusrwydd y cartref yma. Teimlai ei thlodi; teimlai ei bydredd; teimlai cywilydd. Gwyddai nad oedd yn perthyn yn y cwmni yma mewn gwirionedd. Dechreuodd gilio yn ôl i'w chragen, cau ei hunan i ffwrdd tu mewn i'w byd bach cyfrinachol unwaith eto.

'Beth yn y byd wyt ti'n gwneud yn y lle 'ma, Bronwen fach? Pa hawl sydd gen ti i fod yma i rhwystro'r bobl yma? Beth gododd yn dy feddwl i fynd i'r afael â rhain yn y lle cyntaf? Wyt ti'n meddwl am eiliad bydd rhain ag unrhyw ddiddordeb o gwbwl yn dy broblemau di? Wyt ti'n dwp neu beth?' Atseiniau'r lleisiau bychain yn ddi-dor trwy ei meddwl.

'Dewch, Bronwen,' torrodd llais caredig Elisabeth ar eu traws, 'Awn i fewn i'r gegin am banned.' Arweiniwyd hi i mewn i'r ystafell yng nghefn y tŷ, ystafell oedd yn fwy na lolfa ei chartref bychan hi, ystafell a edrychai lawr dros y môr a'r traeth o'r clogwyn uchel. Cymerodd yr olygfa ei hanadl.

'Tynnwch eich cot ac eisteddwch i lawr fan 'na,' brysiodd Morgan i lenwi'r tegell a'i rhoi i ferwi tra fod Elisabeth yn paratoi llestri ar y bwrdd.

'Diolch yn fawr, syr,' atebodd mewn llais bach gwan.

Trodd Morgan ati, plygu lawr a rhoi ei ddwylaw ar ei hysgwyddau a gyda gwen dyner dywedodd ei hen eiriau cyfarwydd, 'Gwranda, paid byth a'm galw i'n "syr"; galwa fi yn Alun, neu Morgan,' a bron iddo ddweud "neu gyf" fel ei arferiad, o'i ddyddiau yn yr heddlu, ond peidiodd, 'Unrhyw beth heblaw am "syr". Nawr te, dwed wrtha i shwt y gallai dy helpi,' eisteddodd wrth ei hochr a chymerodd afael yn ei llaw.

Ond ble i ddechrau?

Cymerodd Bronwen Ifans anadl ddofn, 'Rwy'n dod o Gwmcelyn Coch,' dechreuodd cyn oedi i adael i Elisabeth rhoi mwg o de o'i blaen ac un arall o flaen Morgan yn ogystal a phlâtied helaeth o gacennau a bisgedi.

'Helpwch eich hunan rwan, a pheidiwch a bod yn swil,' gwenodd Elisabeth arni.

'A ble yn union mae Cwmcelyn Coch?' holodd Morgan gan gymryd bisged o'r plât.

'Rhwng Aberteifi ac Abergwaun,' atebodd ei wraig.

'Abergwaun?' cododd Morgan ei aeliau, 'Duw, chi wedi dod ymhell.'

Amneidiodd Bronwen ei phen a chymryd dracht fach o'i the. Gwyddai Morgan nad oedd bws yn dod yn agos i Bwll Gwyn o unrhyw gyfeiriad boed yn Abergwaun neu Aberystwyth,

'Cawsoch chi lifft?' gofynnodd, doedd Bronwen heb ei daro fel rhywun byddai'n medru gyrru nac yn berchen car ei hunan, rhywsut neu gilydd.

'Ym, do .....dyna fe ...... cefais lifft,' atebodd yn swil.

'Oes 'na rywun yn aros amdanoch chi, felly?' gofynnodd Elisabeth.

'Na, na, roeddwn i'n lwcus, mi ddes i ar draws rhywun oedd yn dod y ffordd yma ynglŷn a'i waith,' cymerodd ddracht arall o'i the ac ymestyn yn bwyllog am fisged. Doedd heb fwyta dim ers y noson gynt a hynny yn weddol gynnar cyn rhoi ei thad yn ei wely. Fu bron i Morgan ofyn pwy oedd y cymwynaswr a rhoddodd y lifft iddi cyn iddo sylweddoli fod ei argraff o'r bywyd roedd hon yn dal i ddioddef yn mynd i fod yn waeth nag yr oedd wedi meddwl, bywyd byddai'n hollol estron i fywyd Elisabeth. Gwyddai byddai'r gwirionedd yn dod allan o bryd i'w gilydd ac nid dyma'r amser i dwrio ymhellach. Methai Bronwen rhag helpi ei hunan i fwy o fisgedi a darn arall o gacen, cyn derbyn y cynnig am fygiad arall o de, fel plentyn bach ym mharti penblwydd. Ni wyddai pryd cafodd y fath luniaeth a chroeso gan unrhyw un am flynyddoedd a gwenodd yn wan ar y ddau wrth ei hochr.

'Felly,' torrodd Morgan ar draws ei bwyta, 'Cwmcelyn Coch ger Abergwaun,'

'Wel, na, mae'n agosach i Aberteifi mewn gwirionedd,' edrychodd Bronwen ar Elisabeth am rhyw fath o gymorth.

'Mi wna'i ddangos i ti wedyn yn union lle mae e,' awgrymodd Elisabeth.

Sylweddolai Morgan ei fod wedi torri ar draws Bronwen cyn iddi ddechrau ateb ei ymholiadau. 'Iawn,' gwenodd i ddangos ei fod wedi deall y sefyllfa. 'Felly .....' dechreuodd ei annog i fynd yn ei blaen.

'Dwy'n ferch i Twm Ifans,' edrychodd ar y ddau gan sylweddoli nad oedd enw ei thad yn golygu dim i'r un ohonynt. 'Twm Ifans – y llofrudd,' ategodd.

Disgwyliai Bronwen am yr ymateb cyfarwydd oddi wrthynt – yr ymateb oerllyd roedd wedi dod yn arferiad. Ond ni theimlai unrhyw chwerwder o'i hamgylch fan hyn er i'r ddau ddal llygaid ei gilydd am eiliad. Rhedai ddeialltwriaeth rhyngddynt.

'A beth fedrwn ni wneud drosto ti te, Bronwen?' gofynnodd

Morgan yn gysurlon gan mwytho ei llaw. Teimlai Bronwen y cydymdeimlad yn ei agosrwydd anffurfiol, teimlai bod y cyngor derbyniodd amdano rhai diwrnodau yn ôl wedi bod yn un iawn – rhywsut neu gilydd roedd hwn yn un oedd yn deall ei sefyllfa.

Plygodd ei phen a theimlodd ei dagrau yn dychwelyd wrth i'r ddelwedd o'i thad fflachio i'w meddwl, 'Fy nhad...' dechreuodd.

Gwelai ef eto yn dod allan drwy'r drws bychan ar waelod y giatiau mawr haearn, caeëdig y carchar. Nid y dyn oedd yn ei gofio safai o'i blaen y diwrnod oer, gwlyb hynny bron i bedwar mis yn ôl. Go brin roedd wedi ei adnabod. Sawl blwyddyn galed oedd wedi cymryd eu toll ar ei fywyd? Doedd na'm tegwch na thynerwch wedi dod yn agos i hwn. Doedd na byth faddeuant i rhywun fel Twm Ifans.

Cofiai sylwi ar y siwt a'r got law denau, hen ffasiwn, 'run un a wisgodd i'r llys i sefyll o flaen ei well, yn fwy na thebyg. er bod ei hatgofion o'r cyfnod brawychus hynny yn gymysglyd erbyn hyn. Merch ifanc yn ei harddegau ydoedd ar y pryd – ac roedd hithau hefyd wedi dioddef y gosb mewn amryw ffurf dros y blynyddoedd.

Cymryd drosodd y dyletswyddau i edrych ar ôl ei mam ond hithau yn ei bedd erbyn hyn ar ôl i'r tristwch a'r gofid ei thorri yn llwyr. Heb neb lleol yn barod i'w helpi – dim merch i'r llofrudd. Er ei bod yn ddigon deallus a galluog doedd na ddim gwaith i hon. Dim un o'i chymdogion wedi dangos unrhyw drugaredd tuag ati. Felly, chwilio am waith yn Aberteifi ac Abergwaun, ar y ffermydd a'r pentrefi cyfagos. Tipyn bach fan hyn a fan draw – dim digon i gadw dau ben llinyn ynghyd.

'Dewch, Dada, mae'n amser i ni fynd adref, 'dywedodd gan gymryd ei fraich yn dyner. Roedd y siwrne adre wedi bod yn un hir, ac roeddent wedi bod yn lwcus iawn i ddal y bws diwethaf o Aberteifi i Gwmcelyn. Gwnaeth ei gorau glas i gyfathrebu â'i thad, ei fwydo a'i gadw yn gyffyrddus yr holl ffordd, ac yntau fel rhyw blentyn bach yn ufudd i'w gorchmynion. Heb ysbryd, heb feddwl, dim syniad pwy ydoedd nac i ble roedd yn mynd. Heblaw am un peth. Ei unig ymateb i bob dim ar hyd y siwrne hir oedd yngan y 'run geiriau roedd neb wedi eu deall dros y blynyddoedd,

'Nid fi wnaeth e.'

Tywalltodd yr hanes allan rhwng y dagrau, ei llais yn torri o bryd i'w gilydd, ond wedi gorffen teimlai o'r diwedd fod yr hyn oedd wedi gwasgu ei bywyd bach llwm dros y blynyddoedd, bod y faich oedd bron wedi ei gorchfygu, bod y pwysedd roedd neb wedi bod yn barod i'w rannu, yn dechrau codi. Edrychodd i fyny, gwelodd wyneb siriol Morgan trwy ei dagrau a beichiodd crio.

Daeth Elisabeth ati a rhwymo ei breichiau o'i hamgylch a'i chofleidio unwaith eto. Sylweddolai hithau faint o'i hunan barch roedd hon wedi aberthu dros ei theimladau tuag at ei thad a'i mam, heb sôn am ei hymdrechion dros gyfiawnder. Faint fwy fedrai dderbyn? Edrychodd ar ei gŵr a gwelodd y dealltwriaeth a'r cydymdeimlad cyfarwydd yn ei lygaid. Er ei fod wedi treulio ei fywyd yn ymladd yn erbyn lluoedd grym a digyfraith y wlad ac wedi cyrraedd y brig yn ei yrfa yn y Flying Squad enwog yn Sgotland Iard roedd Morgan wastad wedi bod yn un i ddangos tegwch a dealltwriaeth tuag at ei gyd-ddyn boed nhw'n onest neu yn anonest. Gwyddai fod Bronwen wedi siarad o'i chalon, heb flewyn ar ei thafod. Teimlai'r angerdd yn codi.

'Pwy fu farw a phryd, Bronwen?' gofynnodd yn dawel.

'Merch ifanc o'r pentre 'co, a cafodd fy nhad ei gyhuddo o'r drosedd a'i arestio ar y noson a'i ddwyn i'r carchar – ac mae e wedi bod yno ers hynny – ers mil naw pedwar naw.'

Teimlai Morgan yn reddfol bod anghyfiawnder fan hyn rhywle. Ni wyddai eto beth fedrai wneud ond gwyddai fod yn rhaid iddo wneud rhywbeth yn yr achos – nid lleiaf am fod rhywun, rhywle, os nad Twm Ifans, yn euog o'r llofruddiaeth yma ac wedi cadw ei geg ar gau dros y blynyddoedd.

Esgusododd Bronwen ei hunan i fynd i'r ystafell ymolchi i thacluso ei hunan gan rhoi cyfle i Elisabeth a Morgan ymhelaethu ar y sefyllfa.

'Be wyt ti'n feddwl, Alun?' gofynnodd Elisabeth wrth ddechrau clirio'r llestri o'r bwrdd, 'Mae'r ferch 'ma wedi mynd trwy uffern, a nawr mae'n gorfod edrych ar ôl ei thad hefyd.' Daliodd ei lygad cyn iddo ddweud gair, adnabyddai'r disgleirdeb ynddynt, roedd wedi ei weld o'r blaen, 'Rwyt ti'n mynd i ymchwilio'r mater, onid wyt ti?' dywedodd.

'Meddwl amdano – mae Bronwen angen cymorth. Mae hi'n teimlo fod ei thad yn ddieuog, a does neb arall ....'

'Does ddim angen i ti egluro, Alun, rwy'n cytuno a ti; ond oes na unrhyw beth arall fedrwn ni wneud drosti, ti'n meddwl?.'

'Wel mae gyda fi syniad bach, dwi'm yn siŵr a wyt ti'n cytuno,' ac eglurodd ei gynllun wrthi. Cyn iddi gael y cyfle i ddweud ei barn dychwelodd Bronwen atynt.

'Mae'n well i mi fynd, dwi wedi cymryd gormod o'ch amser chi a diolch yn fawr am wrando.'

'Ond sut wyt ti'n mynd i gyrraedd Gwmcelyn?' gofynnodd Elisabeth.

'Eistedda lawr am eiliad, fe wnawn ni dy hebrwng di adre ond cyn hynny,' seibiodd Morgan am eiliad, edrychodd ar ei wraig a gwelodd y cadarnhad roedd wedi disgwyl yn ei llygaid, 'Dwyt ti ddim yn gweithio'n un man ar hyn o bryd, wyt ti?'

'Ym...wel...na 'dw,' atebodd Bronwen yn dawel.

'Ond sut...' dechreuodd Elisabeth cyn i Morgan dal ei law i fyny i stopio'r cwestiwn.

'Wyt ti wedi gweithio yn nhŷ tafarn erioed?' gofynnodd.

'Erioed,' atebodd Bronwen, 'Fel ddwedes i doedd neb ishe rhoi gwaith i ....'

'Ie, ie, rwy'n gwbod,' torrodd Morgan ar ei thraws, 'Ond mae angen gweithwraig arnyn nhw yn y Ffrwd Wen, y tŷ tafarn yn y pentref ti'n siŵr o fod wedi sylwi arno. Byddet ti'n ffansio'r swydd?'

Sylwodd y ddau ar yr anghrediniaeth wrth i'r dagrau gronni yn y llygaid unwaith eto, 'O! byddwn,' roedd bron yn methu ateb, 'Ond,' cwmpodd y gobeithion o'r wyneb, 'Shwt fedrwn i gyrraedd yma bob dydd a gofalu am fy nhad.' Dyma greulondeb! Pam yn y byd na fyddai wedi cael y cynnig yma yn gynharach yn ei bywyd llwm efallai byddai heb wedi gorfod...... ond dyna fe, fel yna roedd ei bywyd wedi bod erioed.

'Paid a phoeni am 'na,' gwenodd Elisabeth arni, 'Dyna'r fantais gyda'r Ffrwd Wen, mae 'na rhandy tu cefn i'r dafarn, dwy ystafell wely, gegin a lolfa sy'n hen ddigon mawr i ti a dy dad i fyw ynddi dros dro nes dy fod yn penderfynu a ydy'r swydd yn addas i ti.'.

Methai Bronwen gredu y geiriau, 'Ond pam ydych chi'n bod mor garedig i mi?' gofynnodd, cyn mynd ymlaen mewn llais digon distaw, 'Ydych chi heb sylweddoli beth....'

Torrodd Morgan ar ei thraws, 'Dwi'n gwbod, Bronwen, dwi'n gwbod, ond gad i hwnna fod tu cefn i ti nawr – jest dwed dy fod yn barod i ddechrau 'to. Tudalen newydd a phennod well yn dy fywyd. Ac mi wna i edrych mewn i achos anghyfiawnder dy dad i geisio taflu golau arno, ond heb unrhyw addewid.'

Eisteddodd Bronwen i lawr yn gyflym wrth i'w choesau golli'r nerth i'w dal i fyny. Edrychodd eto ar y ddau o'i hamgylch ac yn ddagreuol iawn dywedodd, 'O, diolch.'

Beth arall fedrai ddweud?

5

Pentre bach cyffredin cefn gwlad yw Cwmcelyn Coch sy' wedi ei leoli ar ben pellaf ac yn edrych draw ar hyd Cwm-y-Celyn Coch, un o olygfeydd hyfrytaf gogledd Sir Benfro. Safai'r pentref "rhyw hanner ffordd rhwng fan hyn a fan draw" yn ôl cyfrol ar deithio arfordir Gorllewin Cymru. Does na'm eglwys yn agos ond mae 'na gapel, capel brics coch sef Bethania; mae 'na hefyd siop fach yn y pentref, sy'n cynnwys swyddfa bost, un sydd yn gwerthu pob dim os ydych yn barod i dalu'r prisiau sy'n uwch na'r prisiau yn y trefi; yng nghanol y pentref mae'r ysgol gynradd gyda nifer digon helaeth o ddisgyblion. Mae 'na dŷ tafarn, Y Llwyn Celyn, sydd heb unrhyw rheolaeth ar ei oriau agor; banc rhan amser lleol sydd ond ar agor ar ddau fore o'r wythnos mewn swyddfa sy'n gyfleus i ganol y pentre, ac wrth gwrs mae 'na Neuadd y pentref, Neuadd y Celyn Coch, a gafwyd ei orffen mewn pryd i ddathlu coroni y Frenhines Elisabeth yr Ail yn 1953.

Ond mae Cwmcelyn yn gyfleus iawn i Aberteifi ac heb fod ymhell o Abergwaun, felly mae nifer y trigolion ar eu gynnydd. Mae yna gymysgfa o dai sy'n amrywio o ran maint, ansawdd, a chyflwr, a mwy yn cael ei adeiladu ar y cyrion. Mae 'na ddwy ystâd o dai cyngor un wedi ei adeiladu yn fuan ar ôl yr ail rhyfel byd a'r llall yn fwy diweddar o lawer. Mae Cwmcelyn yn newid er waetha ymdrechion y gymuned i aros yn draddodiadol gul a fach iawn o groeso sydd yno i gyfnewidion y saithdegau..

Na, does na'm byd arbennig am y lle yma i'w gymharu ag unrhyw un o bentrefi bach arall cefn gwlad Cymru. Pa ryfedd, felly, bod Alun Morgan erioed wedi clywed amdano ac wedi dechrau gyrru tuag at Llwyncelyn nes bod Elisabeth yn gofyn iddo, 'I ble wyt ti'n mynd, Alun?'

Strydoedd Llundain oedd yn dal yn gyfarwydd iddo ef; gwyddai pob cnwc a chornel o rheini fel cledr ei law. Ar hyd y rhain roedd wedi tyfu yn ddyn; bachgen ifanc o gefn gwlad Cymru yn dod yn Ditectif Uwch Brif Arolygwr ac is-bennaeth Y Flying Squad enwog a'i phencadlys yn Sgotland Iard. Er fod deng mlynedd a mwy wedi mynd heibio ers iddo ymddeol o'i swydd fawreddog er mwyn dychwelyd i'w gynefin a setlo lawr ym Mhwll Gwyn gyda Elisabeth, roedd yn dal i hiraethu ar brydiau am rhai darnau o'i hen waith – ond cadwai hynny yn hollol gyfrinachol wrth bawb.

'Nid i Llwyncelyn rwyt to isio mynd cofia, ond i Gwmcelyn wrth Cwm-y-Celyn Coch.'

Edrychodd Morgan arni yn eistedd wrth ei ochr ar set flaen y car, gwelai hi y digri yn ei lygaid, 'Wy'n gwbod yn iawn i ble dwi'n mynd paid ti a phoeni,' tawelodd am eiliad, 'Ond dwed wrthai nawr te, shwt wedai .... fel hyn,' seibiant bach arall, 'Unwaith 'mod i'n cyrraedd y ffordd fawr, wel, ydw i'n mynd i'r chwith neu i'r dde, neu mynd ymlaen yn syth?'

Chwarddodd y tri gyda'i gilydd – ryddhad o unrhyw densiwn rhedai rhyngddynt.

Teimlai Bronwen mor gyffyrddus yng nghwmni y ddau yma. Methai gofio y tro diwethaf iddi chwerthin yn rhydd fel yma. Oedd, roedd Ann Rhys, ei hen ffrind ysgol, wedi bod yn llygad ei lle pan wnaeth awgrymu byddai Alun Morgan, o

Bwll Gwyn, yn un fedrai ei helpu gyda phroblem ei thad – ond doedd heb ddisgwyl cael cynnig cyfle i newid ei bywyd a'i ffordd o fyw yn gyfan gwbwl – ac hynny mor fuan ar ôl iddi ei gyfarfod. Ni wyddai sut y byddai'n medru ei dalu'n ôl er fod Ann wedi dweud na fydde yn disgwyl unrhyw dâl. Caeodd ei llygaid wrth iddi ymlacio am y tro cyntaf ers na wyddai pryd ac mewn byr amser cwmpodd i gysgu – a chysgu'n drwm.

Ymrwymodd Elisabeth ei braich ym mraich Morgan wrth i'r ddau glywed Bronwen yn chwyrnu'n ysgafn or set gefn. 'Rwy'n eich caru chi, Alun Morgan,' sibrydodd gan chwythi ei hanadl yn ei glust.

'Paid, fenyw,' gorchmynnodd, 'Nid dyma'r lle i hen bethe fel 'na, wraig, a chithe yn hanner can mlwydd oed,' tynnodd ei choes.

'Ond rwyt ti mor garedig,' cariodd Elisabeth ymlaen i bwyso'n agosach ato, 'Beth wnaeth i ti feddwl am gynnig y swydd yn y Ffrwd Wen iddi?'

'Wel, i ddechrau,' swniodd Morgan o ddifri, 'Mae'r ddau enw yn odli, 'Bronwen' a 'Ffrwd Wen' – Dew, dwi'n dweud wrtho ti mi wna i ennill y gadair 'na rhyw ddydd.'

'Mae'n well i ti ennill hi eleni te, mae'r eisteddfod yn Hwlffordd,' edrychodd ar ei gŵr gan sylweddoli nad oedd ganddo syniad ble 'roedd Hwlffordd chwaith, 'Hwlffordd yn Sir Benfro,' ategodd.

'Agos i Abergwaun?' gofynnodd Morgan.

'Agosach na Abertawe,' gwenodd Elisabeth – y ddau yn cael hwyl â'i gilydd wrth yrru trwy Aberteifi. Gyrrodd ar hyd y strydoedd cul, ac heibio i hen adfeilion y gastell, i lawr y ffordd tuag at y bont a groesai'r afon Teifi ar ei thaith i'r môr. Gwelsant yr ysbyty yn glir ac aeth y ddau yn ddistaw wrth iddynt gofio am yr hunllef personol a ddioddefwyd tu mewn i'w muriau rhai blynyddoedd yn ôl – roedd y digwyddiadau erchyll yn dal yn fyw ym meddyliau'r ddau. Gafaelodd Elisabeth yn dynnach ym mraich ei gŵr, y ddau yn dawel, y 'run atgofion, y 'run meddylfryd.

Cysgai Bronwen ymlaen yn ddi-baid ar y set gefn. 'Truan a hi,' meddai Elisabeth.

'Mae wedi cael bywyd uffernol, cofia,' cytunodd Morgan.

'Rydw i'n methu deall sut mae wedi ymdopi â'i sefyllfa, sut yn y byd roedd hi'n medru byw, dwed?'

'Shwt ti'n feddwl, Bwts?' daliodd llygad ei wraig, 'Shwt wyt ti'n meddwl dalodd hi am y lifft 'na draw atom ni heddiw?'

Yn araf bach daeth yr atebion i Elisabeth, treiddiai'r golygfeydd brawychus trwy ei meddwl, 'O! na. Alun, paid a deud...' tawelodd ei llais wrth ystyried y peth, 'Ond sut wyt ti'n gwbod?' gofynnodd.

'Rwyf wedi gweld cant a mil yn yr un sefyllfa droeon pan oeddwn yn Llundain. Menwod yn union yn yr un sefyllfa â Bronwen boed nhw'n famau, merched ifainc, gwragedd, hyd yn oed hen wragedd ... a'r unig ffordd oedd ganddynt ar ôl i gael arian i fyw, neu i dalu dyled neu ffafr oedd trwy werthu eu hunain i pwy bynnag oedd yn barod i dalu, a creda di fi roedd 'na ddigon yn disgwyl amdanynt.' Mi fyddai wedi medru ymhelaethu ymhellach ond nid dyma'r amser. 'Mae 'na shwt gymaint yn Llundain yn unig, grede ti ddim, a maent ar gael ymhob darn o'r wlad erbyn hyn. Y proffesiwn hynaf yn y byd, fel ma' nhw'n dweud.'

Gwnaeth Bronwen ochneidio'n uchel yn ei thrwmgwsg. 'Ydy hi'n sylweddoli dy fod ti'n gwbod?' holodd Elisabeth y mhellach.

'Mi wnaeth ddechrau cyfaddef wrthai cyn cyrraedd y car,' atebodd, 'Ond mi wnes iddi stopio ac fe ddwedes i wrthi mod i'n gwbod a doedd e ddim yn gwneud unrhyw wahaniaeth i mi.'

'A! ti'n gweld dyna pam rwy'n dy garu di, dwyt ti byth yn barnu heb achos – ac rwyt ti yn mynd i ymchwilio mater ei thad hefyd, onid wyt?'

'Os rhaid i ti ofyn?' gwenodd Morgan arni a rhoddodd hi gusan bach ar ei wefusau er ei fod yn gyrru.

Deffrodd Bronwen cyn iddynt gyrraedd Cwmcelyn a'u cyfeirio tuag at ei chartref. Daeth cywilydd drosti wrth sylweddoli cyflwr ei chartref bychan, llwm. Er i'r tri ddringo allan o'r car, gwnaeth Morgan ac Elisabeth esgusodi eu hunain rhag mynd i mewn i'r tŷ. Gwyddent nad oedd Bronwen wedi paratoi i groesawi'r ddau mewn i'w chartref nac yn barod i gyflwyno ei thad iddynt eto.

'Fe wnâi dy bigo ti lan ar ôl cinio 'fory,' awgrymodd Morgan, 'Rhoi digon o amser i ti a dy dad bacio.' Cymerai yn ganiataol y byddai pawb yn cytuno â'i gynllun.

'Ond nid chi sy'n berchen y Ffrwd Wen, ie fe?' gofynnodd Bronwen.

'O, paid a gofyn, Bronwen fach,' dechreuodd Elisabeth ateb yn ysgafn gyda chwinciad fach a chyn i Morgan gymhlethu pethau ymhellach, 'Mae'r boi 'ma â'i fys ym mhob potes.' Sylwodd ar yr olwg syfrdanol ar wyneb Bronwen, 'Paid a phoeni, mi wnâi egluro popeth i ti yn ei dro.'

Dringodd y ddau yn ôl i'r car, gyrru ymaith a'i gadael ar stepen drws ffrynt ei chartref. Teimlai Bronwen y byddai'n deffro o'r breuddwyd melys yma ar unrhyw eiliad.

Eisteddai ei thad yn ddiddig wrth y lle tân, a'r tân wedi hen ddiffodd heb iddo sylwi. Edrychodd Bronwen yn drugarog arno – oedd yna unrhyw wahaniaeth iddo fe ble byddai'n byw, tybiai? Doedd neb wedi dod draw i'w groesawi adref dros y pedwar mis diwethaf. Doedd neb wedi holi amdano na chynnig unrhyw gysur iddi hi. Na, doedd neb eisiau eu hadnabod yma mwyach. Dim ond hen atgofion chwerw oedd yma iddynt i'w rhannu heb unrhyw gydymdeimlad wrth neb oedd yn byw yn lleol. Byddai, synhwyrodd, byddai yn well i'r ddau ohonynt symud i ffwrdd am gyfnod o leiaf; hyd yn oed am byth? Efallai, wir, wedi'r cyfan byddai neb yn gweld eu heisiau.

Edrychodd o'i hamgylch, gwelodd wir gyflwr ei chartref bach, ei unig gartref gydol ei bywyd, y tŷ a phopeth ynddo yn llwm ac yn hen. Oedd, roedd wedi ymladd ei gorau glas i'w gadw yn gartref taclus a glân ac yn dal i frwydro. Roedd wedi troi yn erbyn ei hegwyddor a gwneud y pethau wnaeth addo i'w hun na fyddai byth yn gwneud. A nawr roedd y dyn mawr ar graith ar hyd ei foch wedi rhoi cyfle newydd iddi, cyfle i gloi'r drws ar ei hen fywyd ac agor un arall. Cofiodd sut y dechreuodd ddweud wrtho beth yr oedd hi, sut yr oedd wedi gorfod ymddwyn; cofiodd sut yr oedd ef wedi torri ar ei thraws, gwasgu ei braich yn dyner a dweud, 'Rwy'n gwbod, Bronwen, paid a phoeni.'

Oedd yr ymladd yn dirwyn i ben? Oedd y rhyfel yn cilio – o'r diwedd? Oedd hi'n rhy gynnar iddi obeithio?

6

Llywiau Ann Rhys ei char yn ofalus ar hyd Stryd Fawr Cwmcelyn er mwyn osgoi y ceir eraill oedd wedi parcio rywsut-rywsut ar ei hyd. Doedd ddim yn barod eto i fynd i mewn i'w swyddfa nac i gyfarfod â neb y bore yma.

"Stryd Fawr"? Roedd yr enw ymhell o fod yn gywir ac yn ymestyn y dychymyg rhywfaint.

Swyddog Banc enwog Rhyngwladol oedd Ann Rhys a phwrpas ei hymweliad heddiw oedd i ddatgan y newyddion fod y banc yn rhoi terfyn i'w wasanaeth rhan amser yn y pentref ac yn cau ei ddrysau. Er y gwyddai fod penderfyniad ei meistri yn un synhwyrol, gwyddai byddai yn amhoblogaidd iawn ymysg y pobol lleol boed nhw yn gwsmeriaid o'r banc a'i peidio. Dychmygai Ann y penawdau yn y papurau lleol yn barod wrth iddynt ofyn y cwestiwn – beth fydd nesaf? Roedd Capel Bethania lawr i un cyfarfod ar y Sul yn barod yn ôl pob sôn. Byddai'r siop fach yn cau? Neu yn waeth fyth byddai'r ysgol fach yn cau? A beth byddai dyfodol y pentref wedyn, ar ôl i'r enaid gael ei sugno allan ohono?

Ac nid Cwmcelyn oedd yr unig bentref bach dan y fath fygwth.

Aeth Ann cyn belled a'r Mans cyn troi ei char o amgylch a mynd i barcio yng nghanol y pentref. Y person diwethaf oedd eisiau ei gweld y bore yma oedd Gwenda Roberts, roedd hon wastad yn barod i gwyno am wasanaeth ofnadwy y banc. Y

Mans oedd cartref Gwenda Roberts ers i'w thad, y Parchedig Goronwy Roberts BA. BD., gweinidog olaf capel Bethania, farw yn sydyn iawn yn y pulpud un nos Sul ugain mlynedd yn ôl ac yntau ond hanner ffordd trwy ei bregeth. Hiraethai pawb am yr hen Mr Roberts, pawb yn gytûn ei fod yn ddyn parchus, wastad yn barod i wneud ffafr dros unrhyw un. Byddai un neu ddau yn cadw i sôn am y bregeth anorffenadwy fel pe bai llawn mor enwog â'r darn o gerddoriaeth clasurol na chafodd ei gorffen.

Nid felly ei ferch. Geiriau anweddus, fel arfer, byddai'n cael eu defnyddio i ddisgrifio Gwenda Roberts – "Hen Bitsh" oedd y mwyaf cyfeillgar o rheiny.

Pan ddeallodd nad oedd gan y Bedyddwyr unrhyw fwriad i benodi gweinidog llawn amser ar gapel Bethania cynigiodd brynu y Mans oddi wrth y mudiad. Trwy dwyll a chelwydd cafodd ei chynnig ei dderbyn – ergyd arall i ddyfodol traddodiadol y pentref wrth i'r Mans ddod yn gartref rhad i'r fenyw sengl.

Gadawodd Ann i'w meddwl grwydro i ladd amser cyn agor y swyddfa. Gwelai'r Capel Brics Coch fel byddai pawb yn adnabod Bethania – ei ddrysau erbyn hyn ar agor i unrhyw enwad ar y Sul er mae dim ond llond dwrn oedd yn ei fynychu yn rheolaidd yn ôl pob sôn. Cofiai Gwenda Roberts o'i dyddiau ysgol, erioed wedi bod yn hoff iawn ohoni. Un o griw Cwmcelyn Coch oedd Gwenda wastad wedi bod ac yn amharod i adael i neb arall fod yn aelod o'r criw yna. Cofiai mai natur creulon Gwenda gwnaeth i'r lleill ddechrau erlid Bronwen Ifans a'i cham-drin – ac nid Bronwen oedd yr unig un.

Teimlai Ann dros Bronwen. Cofiai hi o'r dyddiau ysgol. Un oedd wastad yn gyfeillgar, un hoffus a dawnus ac i weld yn hapus yn ei chwmni ei hunan nes i bawb droi yn ei herbyn a'i herlid nes iddi orfod gadael yr ysgol. Aeth y blynyddoedd heibio yn gyflym a chollodd Ann ei chysylltiad gyda'r ysgol a'r disgyblion ar ôl ymuno â'r banc ac ar ôl symud i fyw i Rhydlewis lle roedd yn byw gyda'i mam.

Ond un diwrnod tua ddiwedd mis Tachwedd, ac heb unrhyw rybudd, daeth Bronwen i'w gweld yn ei swyddfa gan ofyn am benthyciad o'r banc gan bod rhaid iddi fynd ar siwrne bell i gasglu ei thad ar ei rhyddhad o'r carchar. Er nad oedd yn gofyn am swm fawr, roedd rhoi benthyciad i rhywun fel Bronwen Ifans yn hollol wrthwynebol i reolai'r banc ac, yn arferol, byddai'r cais yn cael ei wrthod. Ond, gan ystyried dioddefaint y ferch dros yr ugain mlynedd diwethaf penderfynodd Ann anwybyddu'r egwyddorion cyfyng. Ar liwt ei hunan gadawodd i'r benthyciad fynd yn ei flaen, gwyddai yn ei chalon na fyddai Bronwen yn ei gadael i lawr ac fe fyddai'r ddyled yn cael ei thalu yn ôl, doed a ddelo. Un fel yna oedd Ann Rhys er mai fach iawn o barch oedd yn derbyn am ei charedigrwydd wrth eraill.

Gwnaeth y ddwy gyfarfod unwaith eto yn ddiweddar ar un o'i hymweliadau i'r pentref. Er nad oedd yn adnabod y teulu gwrandawodd â'r hanes torcalonnus am ei thad pan wnaeth y ddau gyfarfod tu allan i'r carchar. Mynnai Bronwen ei fod yn ddieuog ac wedi dioddef anghyfiawnder ac, er nad oedd Ann yn adnabod Twm Ifans, roedd yn barod i'w chredu. Doedd dal ddim yn siŵr a oedd wedi gwneud y peth iawn wrth iddi awgrymu y dylai gysylltu ag Alun Morgan o Bwll Gwyn. Gwyddai y byddai ef yn barod bob amser i ymladd yn erbyn unrhyw anghyfiawnder. Roedd Ann a Morgan wedi cyfarfod deng mlynedd yn ôl pan oedd hi'n gweithio yn y banc yng Nghastell Newydd Emlyn ac roeddent wedi tyfu yn ffrindiau mawr ers hynny er nad oeddent wedi gweld llawer o'i gilydd yn ddiweddar – ond roedd honno yn stori arall.

Tybiai a wnaeth Bronwen fynd draw i Bwll Gwyn i'w weld e dros y benwythnos? Dylai fod wedi ffonio Morgan i'w rhybuddio rhag ofn – rhy hwyr nawr. Gwenodd wrth ddychmygu ei ymateb, gwelodd ei wyneb yn glir yn ei meddwl, y llygaid tywyll chwareus, y wên gyfeillgar, y graith gas yn rhedeg lawr ei foch.

Sylweddolodd bod ei llygaid wedi crwydro i edrych draw ar fynwent llawn capel Bethania. Yno, ym mysg y beddau a'u meini roedd gorffwys-fan arbennig iawn. Yno roedd y bedd lle gorwedd gweddillion merch ifanc, merch a gafwyd ei threisio a'i llofruddio yn ei chartref ei hun dros ugain mlynedd yn ôl a hithau ond yn ddwy ar bymtheg oed.

7

Ymhell o Gwmcelyn ar yr un dydd, teimlai ferch fach naw mlwydd oed bod ei mam yn chwerthin tra'n ei gwylio yn chwarae yn hapus a ddiniwed yn yr ardd y tu cefn i'w chartref. Dychmygai ei hwyneb tlws, tinc ei chwerthiniad, gwelai hi hyd yn oed yn clapio ei dwylo ar ymdrechion ei merch. Ond, mewn gwirionedd, roedd Aisling ar ei phen ei hunan fel arfer – a'i mam ond yn bodoli yn ei meddwl.

Mewn rhanbarth wledig, anghysbell o Dde Iwerddon safai'r cartref heb fod ymhell o'r ffin rhwng y Weriniaeth ar Gogledd. Clywai Aisling leisiau cyfarwydd yn dod o'r sied gyfagos, yr un roedd ei thad wedi adeiladu ychydig ar ôl iddynt symud yno, yr un a'i gelwir "Y Gweithdy" gan bawb. Doedd dim hawl ganddi hi i fynd yn agos i'r sied o gwbl ac felly doedd ganddi'm syniad beth oedd yn mynd mlân tu cefn i'r muriau pren. Ond gwyddai un peth, a hynny yn rhywbeth pwysig – pryd bynnag byddai angen trwsio unrhyw un o'i theganau, i'r sied y byddai ei thad yn mynd i'w drwsio gan gloi y drws ar ei ôl. Gwelai Aisling y lle fel ysbyty i'w doliau.

Aeth y lleisiau ymlaen heb iddi adael iddynt amharu ar ei sgipio hwylus ar hyd y llwybrau cul a'r borderi blodau o'i hamgylch. Llais ei thad oedd un o'r lleisiau clywai. Llais dwfn, cryf, ond un oedd yn llawn cariad i'w chlyw; a llais ei modryb, Anette, oedd y llall ac acen Iwerydd yn dew ar dafodau'r ddau. Swniai'r wraig ar ben ei digon gan fod Sean

Nulty wedi trwsio yr hen cloc oedd wedi bod yn eiddo i'w thadcu ers bod cof ganddi, yr un, yn ôl pob sôn roedd wedi arfer cuddio tu mewn iddo pan oedd ond yn blentyn. Felly roedd y cloc yn drysor gwerthfawr ac yn rhan o'r teulu ers blynyddoedd. Ond yn sydyn, ac heb neb yn gwbod pam, tawodd yr hen gloc. Arwyddocâd byddai marwolaeth yn y teulu cyn hir oedd y si ym mysg y cymdogion yn enwedig os byddai'r teulu yn methu a chael y cloc i redeg eto – ac hynny mewn fyr amser. Cofiai Sean yr hen gred yn iawn ond gwnaeth ei hanwybyddu wrth iddo gysuro Anette, ei chwaer yng nghyfraith. Rhedai teimladau agos iawn rhyngddynt, hithau yn sengl ac yntau yn ŵr gweddw ers i'w wraig farw pedair blynedd ynghynt.

Clywai Aisling ei thad yn chwerthin yn uchel wrth i Anette wichial yn syfrdanol. Chwiliodd eto am ddrychiolaeth ei mam ond roedd wedi diflannu i'r gofod – am nawr.

'O, diolch i'r Nef,' bloeddiodd Anette, 'O. Sean mae gen ti'r ddawn!'

Chwarddodd Sean eto, yn uwch y tro 'ma, gan godi calon Aisling yn uwch fyth. Roedd ei thad yn berson hollol wahanol pan oedd yn hapus ac roedd Aisling wedi sylwi ei fod e wastad yn hapus yng nghwmni Anette. Roedd 'na debygrwydd agos rhwng Anette a'i chwaer, yn eu golwg ac yn eu ffyrdd er fod Anette ddwy flynedd yn iau na Sinead, ac roedd ei chariad tuag at Aisling yn famol.

Daeth ei modryb ati a'i chymryd yn ei breichiau cyn dawnsio gyda hi rownd yr ardd. 'O, mae dy dad yn ddyn clyfar, wyddost? A paid ti a gwrando ar neb sy'n dweud yn wahanol.'

Edrychodd Aisling ar ei thad, gwelai'r hapusrwydd yn ei wyneb, roedd yn gwenu o glust i glust wrth gario'r cloc yn ofalus tuag at ei fan fach. 'Ond ble yn y byd wnes ti ddysgu sut i drwsio clociau mor ddestlus?' gwaeddodd Anette ar ei ôl.

Anwybyddodd Sean y cwestiwn, nid Anette oedd yr unig un i wbod fod ganddo'r ddawn.

'Wyt ti am gerdded gyda fi i'r pentref tra fod dy dad yn dychwelyd y cloc i Tad-cu?' gafaelodd Anette yn llaw fach Aisling, 'Ac mae'n siŵr fe ddawn ar draws rhyw siop hufen ia ar ein ffordd.'

'O, ydw, plis,' neidiodd Aisling yn gyffrous yn ei hunfan. Cydiodd ym mraich ei modryb a'i harwain lawr y llwybr i'r ffordd fawr.

Eiliadau'n hwyrach gwnaeth car mawr du stopio o flaen y cartref. Eisteddai dau ddyn cyhyrog ynddo, edrychodd y ddau ar y tŷ cyn dringo allan yn araf. Gwelai Sean y ddau ddyn yn ei cotiau du, lledr. Edrychai'r ddau yn galed arno heb ronyn o gyfeillgarwch ar ei hwynebau. Gwyddai Sean, yn iawn, pwy oeddent; rhoddodd y cloc yn ofalus yng nghefn y fan fach cyn cerdded yn ôl tuag atynt a'u cyfarch.

Gwyddai pwrpas yr ymweliad. Gwyddent hwythau fod Sean Nulty yn feistr ar ei grefft. Cyfarfod digon byr cafodd y tri. Dim ond cynllun, sicrhau argaeledd, argymell amseriad, lleoliad bras, a'r dull, dyna oedd pwrpas y cyfarfod yma – byddai eraill ar gael i baratoi y mân bethau. Er iddo gael ei synnu gyda'r cynllun uchelgeisiol, doedd gan Sean 'run smic o amheuaeth y byddai'r ymdrech yn werth ei gwneud. Byddai ganddo ddigon o amser i baratoi ei ran ef ar ei chyfer a sicrhau llwyddiant i'r cynllun mentrus.

Cerddodd y tri allan o'r sied ac i lawr y llwybr tuag at y ffordd. Neidiodd y dau ddyn i mewn i'r car a gyrru ymaith. Siglodd Sean ei ben gan ddychwelyd i'r "Gweithdy" – roedd ganddo baratoadau manwl i wneud. Fach iawn o bwysigrwydd

rhoddai i wleidyddiaeth a rhyddid y dyddiau yma, doeddent
ddim yn rhan o'i fyd mwyach. Dim ond un rheswm oedd
ganddo am chwarae rhan yn yr ornest – a'r rheswm hynny
oedd dialedd.

Anghofiodd yn llwyr am y cloc.

8

'Sarjant Jones,' seibiant bach cyn dweud yn ddigon naturiol, 'Shwt gallai'ch helpi chi?' Geiriau mor gyfarwydd, hen arferiad methai'n lân cael gwared ohoni. Treuliodd John Jones dros ddegawd yn swydd y rhingyll yng ngorsaf heddlu Aberteifi ac hynny ar ôl y blynyddoedd eraill yno cyn ei ddyrchafiad. Rhain i gyd cyn iddo ymddeol yn gynnar ar draul afiechyd yn ôl cyngor ei feddyg yn ogystal a meddyg swyddogol yr Heddlu eu hunain. Ond roedd hynny wyth mlynedd yn ôl a daliai'r geiriau i redeg heb rheolaeth bob tro yr atebai'r ffôn. Siwsan, ei wraig, byddai'n ateb y ffôn fel arfer, ond nid heddiw. Sylweddolodd John Jones beth oedd wedi dweud a diolchodd mae ei hen ffrind, Alun Morgan, oedd ar y pen arall o'r lein. Dychmygai ef yn gwenu ar y camgymeriad.

Gwahoddiad i fynd draw i Bwll Gwyn oedd neges yr alwad ac roedd yntau nid yn unig yn fwy na pharod i dderbyn y cynnig gan edrychai ymlaen at rhannu meddyliau dros myged o goffi, gwyddai hefyd fod coffi ei ffrind yn un arbennig – un oedd lawer mwy blasus na'r coffi rhad arferai Siwsan brynu.

Roedd cwpwl o ddiwrnodau wedi pasio ers i Bronwen a'i thad symud mewn i'r tŷ bychan dros dro wrth ymyl tafarn y Ffrwd Wen. Roedd y Comander wedi bod ar ben ei ddigon gyda syniad Morgan i'w chyflogi i weithio yno. Er ei fod ef a'i wraig, Dorothy, wedi ymddeol yn ddigon cynnar a symud i fwynhau tawelwch Pwll Gwyn, roedd y ddau yn dechrau teimlo eu hoedran erbyn hyn. Rhedeg tŷ tafarn oedd breuddwyd y ddau am flynyddoedd ond erbyn hyn roeddent yn dechrau poeni â fedrent ymdopi â'r Haf prysur roedd o'i blaenau. Er nad oedd un o'r ddau yn gwbod dim am Bronwen, roedd cyn rheolwr y Flying Squad wedi datblygu perthynas agos iawn gyda Morgan yn ystod y blynyddoedd treuliai'r ddau yn Llundain, ac roedd yn barod i'w drystio gyda'i fywyd os byddai angen – ac wedi gwneud hynny sawl gwaith cyn hyn.

Casglwyd Bronwen a'i thad o'u cartref a'u cludo i Bwll Gwyn yn brydlon i wneud yn siŵr ei bod yn setlo mewn i'w cartref newydd cyn ei bod yn dechrau ar ei swydd newydd. Er ei bod hi wedi ei gwefreiddio gyda'i sefyllfa newydd, fach iawn o ymateb dangosai ei thad ar unrhyw beth, roedd Twm Ifans yn dal ynghlwm yn unigedd ei fyd bach ei hunan. Er iddo egluro i'r Comander y cefndir i'r hanes a'i fwriadau ynglŷn a'r achos, yr unig gysur cafodd Morgan wrth ei gyn-feistr oedd y cadarnhad bod ganddo "uffern o her o dy flaen".

Felly gwelodd ymweliad John Jones fel ei gam cyntaf i oresgyn yr her gan obeithio byddai ei hen ffrind yn medru taflu rhywfaint o olau dydd ar yr achos. Mae yna ddwy ochr i bob stori a gobeithiai Morgan gael crynodeb teilwng o'r achos o safbwynt yr Heddlu i'w gymharu â'r hyn roedd Bronwen wedi dweud wrtho. Ond, y tro 'ma, teimlai yn hollol anghysurus yng nghwmni John Jones. Clywai rhyw ffug anfad i'w ymatebion i unrhyw sôn am Twm Ifans a'r llofruddiaeth yng Nghwmcelyn. Ymatebion nad oedd yn gwneud unrhyw synnwyr iddo.

'Faint wyt ti'n cofio am yr achos 'ma, 'te?' gofynnodd wrth ymestyn am y coffi du cryf.

'Fi?' edrychodd John Jones yn syn arno.

'Ond nid ti oedd yn gyfrifol am....?' dechreuodd eto cyn i John Jones dorri ar ei draws,

'Yn gyfrifol? Fi? B-b-be ti'n feddwl yn gyfrifol? Yn gyfrifol am beth....am pwy?' gofynnodd hwnnw yn frysiog,

'Wel, yn gyfrifol am redeg yr ymchwiliad? Diawch, John, beth oeddet ti'n feddwl o'n i'n feddwl?'

'O, ie, dwi'n gweld beth ti'n feddwl, wel ie,,,,,hynny yw..... nage.....wel ie... mewn ffordd 'falle.....wel...,'

Unwaith eto daeth yr amharodrwydd a'r ansicrwydd i'r wyneb. Dechreuodd Morgan chwerthin i leddfu'r awyrgylch trwm oedd yn dechrau gostwng rhwng y ddau.

'Mawredd, John, paid a drysu, dim ond bod yn chwilfrydig ydw i, bachan.'

'Ie, wel, fi ddyle fod wedi bod, ti'n gweld, Morgan, fi ddyle fod wedi bod yn gyfrifol...ond 'na fe, wrth gwrs cwnstabl bach ifanc oeddwn i ond, ti'n gweld, roedd hi'n gyfle i mi wneud enw i'm hunan ac .... wel......' arhosodd i ddal ei wynt am eiliad, 'Ond 'na fe, doedd e ddim i fod, a rwy'n dal yn grac am y peth.' Cymerodd lwnc helaeth o'r coffi.

'Beth ddigwyddodd, te?' trïodd Morgan unwaith eto i'w holi yn gwbwl anffurfiol – rhan o gyfathrebiad ysgafn yn hytrach nag ymholiad dwys. Roedd ganddo'r ddawn i ofyn cwestiynau digon syml yn hytrach na chwilysoedd caled, y ddawn i ymlacio awyrgylch. Gwyddai yn iawn pa wybodaeth roedd eisiau allan o'r sefyllfa – ond roedd ymddygiad ei gyfaill yn ei boeni.

'O diawl, Alun bach, dwi ddim yn cofio yn iawn. Sawl blwyddyn sy' wedi mynd heibio ers hynny?'

'Tair ar hugain,' atebodd Morgan yn blwmp.

Daeth seibiant am eiliad, 'Ie ti'n iawn, mil naw pedwar naw,' syllodd i'r gofod a newidiodd gwedd ei wyneb fel pe bai yn wir hel ei atgofion cyn troi at Morgan a gofyn, 'Wyt ti'n cofio beth ddigwyddodd yn dy fywyd di ym mil naw pedwar naw, te?'

Gwenodd Morgan arno heb ddweud gair, ond oedd, roedd yn cofio'n iawn pob dim oedd wedi ei gwmpasu gydol ei fywyd – ac yn union pa bryd ac ymhle. Roedd ganddo gof anhygoel, un oedd wedi syfrdanu sawl un dros ei yrfa ac yn dal i wneud ar brydiau.

'Wel, beth wedai,' roedd yn amlwg i John Jones erbyn hyn na fyddai yn medru osgoi ateb cwestiynau ei gyfaill ac felly penderfynodd rhoi terfyn ar bethau ar frys,

'Merch fach ifanc yn ei harddegau oedd hi, ei mam a'i thad wedi mynd mas am y noson ac yn dychwelyd i'w darganfod yn gorwedd ar lawr yn farw. Roedd wedi ei threisio a'i llofruddio a dim sôn am unrhyw enaid byw yn agos i'r lle heblaw am un.'

'Roeddet ti yno, te?'

'Fi?' edrychodd Jones i fyny yn syn, 'Fi? Be ti'n feddwl?' Seibiant bach tra roedd yn casglu ei feddyliau, 'O! Fi..... yn Cwmcelyn ti'n meddwl? Wel oeddwn wrth gwrs, o'n, o'n. Gorfod i fi fynd draw ar fy meic achos fod 'na rhyw anghydfod wedi bod yn y tŷ tafarn y noson honno, uffern o siwrne yw hi hefyd. Ac felly roeddwn i yno, yn y fan ar lle, fel pe bai, ar y pryd.'

'Ond pam arestio, Twm Ifans?'

'Pwy?' gofynnodd fel pe bai'r enw'n golygu dim iddo, 'O! Ie, Twm Ifans, y boi laddodd hi. Do, do, rwy'n cofio nawr, wnaeth e gyfaddef, ti'n gweld. Do, do, dim amheuaeth, fe oedd y dihiryn.'

'Felly. ti wnaeth ei arestio, te?'

'Fi? Duw, Duw nage, cwnstabl bach ifanc o Pontyberem? Dere nawr. Na, na, ro'dd rhywun wedi ffonio'r stesion, t' weld, a mi ddaeth y Sarj ar y pryd a dau arall draw yn y car. Wnaethom ni chwilio rownd o gwmpas ac mi ddaethom ni ar draws y boi 'ma yn gorwedd yn y clawdd heb fod ymhell o gorff y ferch fach. Iesu, roedd e'n feddw dwll ac yn faw i gyd. Roedd e pallu dweud gair wrthon ni ac felly fe wnaeth y Sarj ei arestio yn y fan ar lle.'

Doedd Morgan yn dal heb ddeall sut cafodd Twm Ifans ei ddyfarnu yn euog o dan yr amgylchiadau roedd John Jones wedi egluro iddo. Ond roedd hefyd yn amlwg i Morgan nad oedd ei gyfaill yn rhy awyddus i sôn lawer mwy am yr achos chwaith. Yn bendant roedd 'na ddirgelwch man hyn a gwyddai byddai'n rhaid iddo ei ddatrys ar ei ben ei hunan cyn dod o hyd i'r gwirionedd. Gwyddai'n iawn mae celwydd golau clywai yng ngeiriau John Jones. Gwyddai bod na'm llawer o ddiben cario 'mlaen â'r cwestiynu,

Ond beth oedd tu cefn i'r anesmwythder a'r celwydd? Cywilydd efallai? Sylweddoli bod person di-euog wedi ei arestio, ei farnu, a'i garcharu yn anghyfiawn?

'Mae Twm Ifans wedi ei rhyddhau o'r carchar ac wedi dod adre,' dywedodd wrth i John Jones wneud rhyw esgus i adael.

'Shwt ti'n gwbod?' edrychai ei ffrind yn syn arno unwaith eto.

'Rwyf wedi bod yn siarad â'i ferch,' eglurodd Morgan.

'O, diawl, paid coelio gair mae hi'n ddweud. Ti'n gwbod beth yw hi, nag wyt?'

Gadawodd Morgan i'w gyfaill fynd yn ei flaen i farnu Bronwen, 'Mae'n ddigon parod i agor ei choesau i unrhyw un sy'n barod i'w thalu, ac yn ôl pob sôn mae'n ddigon rhad hefyd.'

'Mawredd, John, rwyt ti'n swnio'n arbenigwr arni,' heriodd Morgan.

'Alun, bach, gofyn di i unrhyw un yn Aberteifi neu Abergwaun amdani ac fe fyddan nhw i gyd yn dweud yr un stori.'

'Mae'n swnio reit poblogaidd te, John' gwenodd Morgan arno wrth dynnu ei goes ond yn y gobaith i gael fwy o fanylion mewn gwirionedd, 'Calon dda gyda hi mae'n siŵr.' Sylweddolai John Jones nad oedd ei gyfaill yn ei gymryd o ddifri, a gan nad oedd eisiau cael ei holi ymhellach trodd i adael.

'Diawl, Morgan bachan, gad i fi feddwl am y peth a trio cofio digwyddiadau'r noson yn iawn ac mi fedrai ateb dy gwestiynau di wedyn.' Ffarweliodd y ddau â'u gilydd ac aeth John Jones am adref gyda'r teimlad fod hen grachen wedi cael ei chrafu.

'Wyt ti'n cofio unrhyw beth am achos Twm Ifans te, Bwts?' Eisteddai Morgan ac Elisabeth yn lolfa foethus Awel Deg fel oedd eu harferiad erbyn nos. Ymlacio yng nghwmni eu gilydd, hithau efo gwydraid o win gwyn ac yntau efo gwydraid o wisgi.

'Dim llawer, roedd e'n mhell cyn i mi ddychwelyd i ddysgu yn Llandysul. Rwy'n cofio darllen am ferch ifanc oedd wedi cael ei threisio a'i lladd yn Cwmcelyn a bod y Parch Goronwy Roberts yn pledio bod y troseddwr oedd yn y ddalfa yn ddieuog, dyna i gyd.'

'A dyna i gyd wyt ti'n ei gofio?'

Unwaith eto roedd Morgan wedi ei synnu gyda'r ymateb i'r digwyddiadau erchyll ond, digon gwir, doedd Elisabeth ddim yn yr ardal ar y pryd, ac yn fwy na hynny roedd ganddi ofidiau lawer mwy pwysig yn ei bywyd.

'Fel wedes i, roeddwn i'n cofio darllen neu clywed sôn am ymdrechion Goronwy Roberts i ymladd yn erbyn

anghyfiawnder, roeddwn i'n ei adnabod e ti'n gweld......,'
dechreuodd egluro.

'Shwt?' torrodd Morgan ar ei thraws a'i syfrdanu.

'Wiw, Alun, cymer bwyll.'

'Na, na,' sylweddolai fod y ffordd yr oedd wedi ei holi yn
annheg, 'Sori, cariad,' ymddiheurodd gan rhoi cwtsh iddi cyn
rhoi cusan tyner ar ei gwefusau.

Gwyrodd Elisabeth ei chorff tuag ato, 'Dyna welliant,'
sibrydodd. 'Rwan te,' doedd Elisabeth heb golli ei thafodiaith
gogleddol yn llwyr ond, erbyn hyn, roedd Cymraeg y ddau
ohonynt wedi mynd yn gymysgedd iawn o iaith y de a'r
gogledd.

'Cofia, merch i weinidog ydw i ac felly roedd fy nhad yn
adnabod Goronwy Roberts yn iawn, yn enwedig gan fod
Cwmcelyn yn ddigon agos i lle roedd e'n gweinyddu unwaith.
Mi fyddem yn mynd i fyny yno o bryd i'w gilydd. Roedd
ganddo ferch oedd yn iau na mi ond faswn i byth yn dweud ein
bod yn ffrindiau – roedd 'na rywbeth amdani, hwyliau da un
funud a'r nesa' byddai'n troi yn llwyr, wastad yn genfigennus
ac yn barnu eraill – wel, ti'n gwbod y fath. Gwenda Roberts
oedd ei henw – aeth hithau yn athrawes rhywle.'

Llyncodd gweddill ei gwin, ochneidiodd, 'Felly dyna'r unig
wybodaeth sy' gennyf i chi, syr...wps gyf,' cofiodd ymateb
Alun i'r teitl mewn pryd. Chwarddodd y ddau, rhwymo eu
breichiau o amgylch eu gilydd cyn cwmpo yn un darn i'r
llawr.

9

'Rwyt ti'n siŵr nag wyt ti isio i fi ddod efo ti?' gofynnodd Elisabeth am y trydedd tro gan ei bod yn ysu i fynd gyda'i gŵr i Gwmcelyn, ac am y trydedd tro gwrthodwyd y cyfle. Gwyddai Morgan mai dull ei hen ddyddiau byddai'n datrys achos Twm Ifans gan ddechrau yn y pentref lle wnaeth y digwyddiadau hunllefus gymryd lle. Fel arfer byddai yn falch o gwmni ei wraig ond roedd y mater hyn fel rhan o'i gyn-waith a doedd Elisabeth heb fod yn rhan o'r gwaith hynny. Wedi'r cyfan roedd wedi treulio dros ugain mlynedd yn ymchwilio ddrwgweithredau yn Llundain ar ei ben ei hun, ond yn fwy na hynny yn ei ffordd ei hun; ac roedd achos Twm Ifans wedi ei ysbrydoli a thywys ei reddf yn ôl i'r rhan yna o'i fywyd.

Rhedai'r ffordd i Gwmcelyn uwchben y cwm ac edrychodd Morgan lawr ar hyd Cwm y Celyn Coch. Doedd dim byd i weld yn goch ynddi ar hyn o bryd ond roedd Elisabeth wedi egluro iddo fod 'na rhyw ffenomenon yn bodoli a achosai'r cwm newid ei liw o bryd i'w gilydd pan byddai'r haul yn machlud ac yn gorwedd yn isel yn yr awyr'. Cyfaddefodd wrtho nad oedd hi ei hunan erioed wedi ei weld er iddi erfyn ar ei thad i fynd a hi droeon yn ei gar bach ar nosweithiau haf ond ofer bu'r orchwylio.

Gyrrodd Morgan yn araf drwy'r pentref nes cyrraedd y pen pellaf lle safai capel Bethania. Gwyddai yn barod fod na fedd arbennig ym mynwent yr hen gapel – lle priodol i ddechrau ar ei dasg. Sylwodd fod y giatiau rhydlyd heb eu cloi ac agorodd un yn ofalus a chamu ar hyd y llwybr caregog. Gwelai'r chwyn yn tyfu ar draws pob man heb unrhyw feistrolaeth – roedd yn amlwg nad oedd gofalwr llawn amser yn gweinyddu yma.

Teimlai'r oerfel wrth gerdded heibio i'r beddau amrywiol. Tynnodd ei got ysgafn yn dynnach amdano. Pam oedd pob mynwent yn teimlo mor oer, mynwentydd a gorsafoedd trenau – y ddau le wastad yn oer? Cwestiwn digon twp, Morgan, ceryddodd ei hunan, nid dyna pam wyt ti yma!

Cerddodd yn araf i'r pen pellaf cyn dod ar draws y man lle safai dwy garreg fedd ar eu pennau eu hunain yn agos i'r wal gerrig ar draws cefn y fynwent. Ar un garreg ddu, fawreddog, rhedai, mewn llythrennau aur, yr ymadrodd:

Er Serchus Gof am
Eira Owena Huws
cymerwyd wrthym pan ond yn 17 oed.
'Trysor annwyl na chafodd y fraint o fyw.'
23ain Hydref 1949

Carreg fedd lwyd oedd y llall, roedd lawer yn llai ac arni rhedai'r ymadrodd du,

Er cof am
Edward Daniel Huws
Gŵr ffyddlon i Rhiannon a thad i'w annwyl Eira
'Colled a dorrodd ei ysbryd a'r tristwch a'i orchfygodd'

Yn ôl y dyddiadau fu'r tad farw blwyddyn yn union ar ôl ei ferch ond, er iddo chwilio o amgylch, doedd na'm bedd i'r fam nac unrhyw arwydd ohoni.

'Trychineb,' teimlai Morgan rhywun yn agosáu o'r tu cefn iddo cyn i'r llais cryglyd dorri ar draws y distawrwydd. Trodd i weld hen ŵr bychan yn sefyll yn agos iddo. Edrychai'r dyn i fyny ar Morgan, ei wyneb crwn yn goch a'r gwythiennau toredig ar ei draws fel map, llygaid bach gwaetgoch dagreuol, a'i geg heb un dant yn amlwg. Arwyddion bod hwn yn hoff iawn o'i ddiod, teimlai Morgan. Gwisgai gap fflat oedd wedi tywyllu dros y blynyddoedd, gosodiad arhosol ar ei ben a phe byddai honno yn cael ei thynnu i ffwrdd byddai'r benglog yn foel ac yn wyn oddi tano.

'Oeddech chi yn eu hadnabod?' gofynnodd Morgan.

'Yn eu 'nabod nhw, wedoch chi? Duw, Duw oeddwn. 'Nabod y teulu yn iawn....cofio Eira fach yn cael ei geni tua chwe mlynedd ar ôl i'r ddau symud 'ma. Fe, 'chweld, oedd y sgwlyn ac Eira, wel, hi oedd cannwyll ei lygad. Methodd fyw hebddi, druan, ac o fewn blwyddyn ar ôl ei cholli na'th yntau hongian ei hunan.'

Cyn i Morgan ddweud gair aeth yr hen ddyn ymlaen, 'Do, do, crogi ei hunan tra fod ei wraig bant yn Llundain gyda'i chwaer. Hy! Hithau'n aros amdano ar y platfform yng Nghaerfyrddin ac yntau, meddyliwch, yn hongian yn eu cartref.'

Amneidiodd Morgan ei ben yn araf mewn cydymdeimlad, 'Chi sy'n edrych ar ôl y beddau, te?' gofynnodd.

'Dim ond y ddwy yma ac un draw fan 'co lle mae aelodau o'r teulu wedi eu claddu,' pwyntiodd draw i ganol y fynwent. 'Clifford ydw i, gyda llaw, pawb yn fy adnabod fel Cliff Caib a Rhaw – wên i'n arfer gweithio dros y cownsil, chweld, gweithio ar yr hewl. Duw, gwaith caled pryd hynny am arian bach.'

'Wela i,' amneidiodd Morgan ei ben yn araf unwaith eto, 'Felly beth yn union ddigwyddodd, te?' Gobeithiai ei fod wedi dod ar draws tyst i'r erchyllter ond....

'Wel, mae'n anodd dweud, i ddweud y gwir,' dechreuodd Cliff ar ôl arwain Morgan i eistedd ar sedd bren gerllaw. Cododd ei ben a daliodd yr olygfa ei lygaid gan ei wefreiddio. Edrychai draw ar hyd y cwm hyd at y môr glas llonydd ar y gorwel pell a chafodd ei syfrdanu – doedd na ddim byd i amharu ar y prydferthwch naturiol, dim adeiladau, dim polion trydan, dim byd ond awyr las â'r cwm gwyrddlas, llonydd.

'Trychineb fawr, chweld,' torrodd llais croch Cliff Caib a Rhaw ar draws ei feddyliau unwaith eto. Daliodd Morgan lygaid ei gydymaith ond doedd na'm unrhyw beth newydd i'r hyn roedd wedi clywed yn barod.

'Chweld, Twm Ifans oedd yn arfer edrych ar ôl yr hen fynwent yma. Dew, roedd e yma bron bob dydd yn tacluso'r beddau, chwynnu o'i hamgylch, torri beddau newydd yn barod i angladde. Ei wraig, Myfi, wedyn oedd yn glanhau'r capel, a'r Mans. Rhyfedd shwt mae pethe wedi gweithio mas on' te fe te?' Taniodd Clifford sigarét a chymryd llwnc o fwg yn ddwfn i'w ysgyfaint cyn peswch yn gas, a mynd yn ei flaen. 'Ie, fe fydde'n edrych ar ôl bedd Eira fach a'i thad oni bai....ond dyna fe. Rhyfedd, chweld.' Cymerodd lwnc arall o fwg, 'Oedd, oedd, roedd yr hen le ma yn werth ei weld pan roedd Twm yn edrych ar ei ôl – ond 'na fe, mae'r pethe 'ma 'n digwydd.'

'Pam ydych chi yn meddwl wnaeth e ladd a threisio'r ferch?' gofynnodd Morgan.

Edrychodd Clifford yn syn ar Morgan, 'Gwrandwch 'ma, machgen i, fe wnaeth Twm a fi dyfu lan gyda'n gilydd, mynd i'r un ysgol, y 'run ysgol Sul, gwneud pob dim gyda'n gilydd – doedd na'm llawer ohonom ni yn y pentref y dyddiau hynny felly....' aeth yn dawel fel pe bai yn clymu darluniau o'r hen ddyddiau yn ei feddwl. Dechreuodd eto, 'Faint sy' ers y digwyddiad dwedwch, dros ugain mlynedd, a dw i yn dal ddim yn barod i gredu mai Twm wnaeth e.' Cymerodd lwnc arall o'i fwgyn cryf, 'Mae'n ddigon anodd credu fod Twm wedi lladd unrhyw un,' daliodd lygad Morgan, 'Ond ei threisio? Twm Ifans? Dim byth, nefer, gw boi.'

Doedd na'm unrhyw amheuaeth ym marn Clifford,

'Ond,' atebodd Morgan, 'Fe wnaeth e gyfaddef i'r holl beth.'

'Ie, wel do, yn ôl y Sais 'na, chi'n gwbod, y ditectif mawr 'na o Gaerfyrddin. Ond pwy oedd yn dyst i'r holl beth? Neb, a dyna'r gwir gwirionedd. Diawl erioed,' roedd gwrychyn Cliff wedi codi erbyn hyn, 'Doedd Twm ddim yn galler siarad Saesneg, bachan, a dwi ddim yn rhy siŵr faint o'dd e'n deall chwaith.'

Roedd hyn yn ochr newydd.

'O ble i chi'n dod, te?' gofynnodd Cliff yn blwmp gan newid y pwnc cyn i Morgan gael cyfle i ddweud dim.

'Diawch erioed,' ebychodd pan glywodd yr ateb, 'Ydy'r hen Gapten Williams yn dal o biti'r lle?'

'Na, na, mae'r hen Gapten wedi mynd ers deng mlynedd erbyn hyn,' synnodd Morgan ei hun wrth iddo sylweddoli faint o amser oedd ers i'w hen ffrind farw. Roedd yr hen ddyn yn parhâi i fod mor fyw yn ei feddwl.

'Hen foi iawn oedd y Capten,' edrychai Clifford i'r gofod rhywle tu cefn i Morgan, 'Mi es ar ddwy fordaith gydag e – Duw, dyna i chi forwr. Mi fyddwn wedi cael fy lladd sawl gwaith, fi a'r criw, oni bai amdano fe. Roedd e'n alluog, chweld, yn deall y môr, yn fentrus ac yn barod i ymladd y tonnau, a'r gwynt, yr elfenne i gyd – brwydro yn eu herbyn, chweld, ac ennill bob tro. Do, do, rownd y byd dwywaith ac yntau wrth y lliw a phan ddaeth yr amser iddo ymddeol, wel, mi wnes i rhoi fyny hefyd.'

Amneidiodd Cliff ei ben yn araf ar goll yn ei atgofion am yr hen ddyn, un oedd wedi bod yn lawer mwy na ffrind i Morgan.

'Tipyn o wahaniaeth rhwng bod yn forwr a gweithio ar y ffordd,' awgrymodd Morgan.

'Dau fyd gwahanol, hollol gwahanol. Wel, mae'n rhaid i mi fynd neu fydd y wraig yn gweiddi arna i.' Cododd Clifford ac ysgwyd llaw Morgan, 'Os i chi ishe rhagor o wybodaeth cerwch i weld Gwenda Roberts yn y Mans, wnaeth ei thad gymaint a galle fe i amddiffyn Twm,' trodd am y mynediad, 'Ond byddwch yn ofalus, hen bitsh yw hi, cofiwch,' ategodd.

10

Gwenda Roberts, unig blentyn y diweddar Barchedig Goronwy Roberts BA BD a'i wraig Iona – y ddau yn eu beddau ers sawl blwyddyn erbyn hyn. Doedd bod yn ferch i weinidog parchus heb fod yn rhan o natur Gwenda, roedd yn debyg iawn i'w mam yn hynny o beth. Roedd ysbryd Gwenda wastad wedi chwilio am y rhyddid nad oedd ar gael yn ei chartref traddodiadol, crefyddol, cul. Yn hytrach na bod gyda merched eraill o 'run oedran â hi, roedd Gwenda yn fwy parod i chwilio am gwmni bechgyn hŷn. Un fel 'na oedd Gwenda Roberts wedi bod erioed – amharch tuag at ei thad, amharch tuag at y capel, amharch tuag at ei chynefin. Fel disgybl yn yr ysgol uwchradd, drwy'r coleg, a thrwy ei gyrfa fel athrawes, un peth oedd ar ei meddwl ac roedd yn wyrthiol nad oedd wedi dychwelyd adre yn feichiog ar unrhyw adeg. Ond caewyd sawl drws yn ei hwyneb unwaith bod y nifer o ddynion wedi cael eu ffordd ganddi. Mi ddychwelodd i Gwmcelyn yn ferch sengl, grebachlyd a chwerw, i rhannu cartref ei rhieni ar ôl colli ei swydd fel prifathrawes un o ysgolion Sir Caerfyrddin. Teimlai hyd heddiw bod bywyd wedi bod yn annheg, er mai dim ond yn ei phedwar degau cynnar yr oedd hi.

Felly, rhedai ansicrwydd trwyddi pan glywodd rhywun yn curo yn drwm ar ddrws ffrynt ei chartref. Estron heb ddowt. Dim ond estroniaid daethai i'r drws ffrynt. Byddai unrhyw un o'r pentref yn dod i'r drws cefn – hen arferiad ers pan oedd ei thad a'i mam yn byw yno ac yn barod i estyn croeso i unrhyw un i alw mewn ar unrhyw bryd. Nid un fel hynny oedd ei merch. Fach iawn o groeso oedd yn y Mans wedi i'w thad farw, a llai fyth ar ôl dyddiau ei mam. Cilagorodd y drws gan weld ei bod wedi bod yn iawn – neb o'r pentref; neb roedd hi wedi ei weld erioed o'r blaen.

Dyn tal, cadarn, cyhyrog, deniadol; gwallt trwchus, cyrliog a hwnnw'n britho, llygaid tywyll cyfeillgar; craith gas ar hyd ei foch; rhywun a wisgai ddillad hamdden smart – drud. Na, roedd yn siŵr nad oedd erioed wedi ei weld o'r blaen – ond eto.........

'Pwy ydych chi?' gofynnodd.

'Gwenda Roberts?' atebai'r cwestiwn gyda chwestiwn.

'Pwy sy'n gofyn?' cwestiwn arall cyn agor y drws fymryn yn fwy i gael gwell golwg ar y dieithryn. Atebwyd y cwestiwn gyda ymddiheuriad am darfu ar ei hamser. Sylwodd ar y llais cryf, dwfn, dynol, wrth iddo ddweud pwrpas ei alwad. Egluro ei ymdrechion i ddarganfod y cefndir i hanes Twm Ifans,

'Rwy'n deall bod eich tad wedi gwneud tipyn i'w amddiffyn rhag cael ei gosbi gan ei fod yn teimlo ei fod yn ddieuog.'

'Mae'n well i chi ddod i mewn, te,' awgrymodd Gwenda. Byddai Morgan byth yn sylweddoli pa mor freintiedig ydoedd i gael y gwahoddiad arbennig yma wrth iddo gael ei arwain i mewn i'r lolfa ffrynt a chael cynnig disied o de yn ogystal. Edrychodd o'i amgylch. Ystafell digon cyffyrddus oedd hon er bod y dodrefn yn hen fasiwn. Soffa a dwy gadair freichiau, piano â stôl fach perthnasol, cwpwrdd gwydr a hwnnw'n llawn llestri, nyth o fyrddau bach pren tywyll – a llwyth o ffotograffau a rheiny i gyd yn luniau o Gwenda ar wahanol oedrannau. Doedd na'r un ohonynt yn lun ddiweddar.

'Pwy ddywedodd wrtho chi am fy nhad?' gofynnodd

Gwenda gan wneud i Morgan deimlo ei bod yn cyhuddo rhywun o dorri cyfrinach, Plygodd lawr o'i flaen i rhoi'r disied o de ar y bwrdd bach o'i flaen gan wneud yn siŵr y byddai yn cael golwg dda o'i bronnau er eu bod yn rhwymedig – hyn i gyd ar ôl iddi drefnu'r byrddau bach i ddal y llestri priodol a'r bisgedi. 'Fi sy'n gyfrifol am ysgol y pentref,' ategodd gan edrych i fyny a dal ei lygad a'r balchder yn amlwg yn ei llais, 'Felly dwi'n adnabod pawb yn yr ardal 'ma.'

'Mae 'na un neu ddau wedi dweud wrtha i,' atebodd Morgan yn ysgafn gan ddal ei llygad, 'Ond does gen i ddim syniad pwy ydyn nhw – pob un yn cyfeirio atoch chi, Miss Roberts.'

'O, galwch fi yn Gwenda, 'mwyn Duw, dyna beth mae pob un arall yn fy ngalw,' chwarddodd Gwenda.

Nid dyna beth dwi wedi clywed meddyliodd Morgan heb ddweud gair ond taflodd wên gyfeillgar i'w chyfeiriad – digon cyfeillgar i doddi unrhyw galedrwydd yn ei hagwedd tuag ato.

'Ond am yr hen Twm Ifans 'na, chi'n iawn, fe aeth fy nhad dros ben llestri i amddiffyn yr hen fochyn brwnt er bod sawl un wedi dweud wrtho am beidio, gan gynnwys fi a mam.' Arhosodd i gymryd llwnc o'i the cyn mynd ymlaen, 'Wrth gwrs, chi'n gweld, Mr Morgan, doeddwn i ddim yn byw adre ar y pryd, wen i'n byw bant – yn un o'r trefi mawrion, dwi'm yn siŵr pa un......'

Gadawodd Morgan iddi fynd yn ei blaen gan rhoi'r argraff ei fod yn gwrando yn astud ar bob gair oedd hi'n ddweud ond sylweddolodd yn gyflym mai fach iawn oedd yn berthnasol i Twm Ifans – doedd Gwenda ddim o blaid Twm na'i deulu ond yn ddigon balch i ganu ei chloch ei hunan.

'Wrth gwrs mae 'na groeso i chi fynd drwy'r dogfennau os liciwch, does neb arall wedi ei cyffwrdd ers oes Adda.'

Cytunodd Morgan y byddai wrth ei fodd yn mynd drwy'r papurau.

'Ond pam – nid newyddiadurwr ydych chi, ie fe?'

'Nage, nage,' chwarddodd Morgan, 'Wedi addo gwneud cymwynas dros rhywun ydw i, dyna i gyd.'

'Pwy?' gofynnodd Gwenda yn blwmp ond dim ond gwenu arni wnaeth Morgan.

Roedd yn amlwg o'r twmpath o ffeiliau trwchus pa mor ddiwyd oedd yr hen weinidog wedi bod yn yr achos. Gwyddai Morgan yn iawn na fedrai fynd trwy'r holl ddogfennau mewn byr amser. Gofynnodd a oedd yna unrhyw strwythur i'r nodiadau – ond chwerthin yn faleisus gwnaeth hi.

'Gwnaeth gasglu pob cetyn o wybodaeth mas o bob papur boed nhw yn bapurau dyddiol Lloegr neu yn bapurau lleol; mae wedi gwneud ei nodiadau ei hun yn enwedig ynglŷn ar achos yn y llys – fe aeth yr holl ffordd i fyny i Gaer ac....'

'Pam i Gaer?' gofynnodd Morgan.

'Wel, yn y Llys yng Nghaer oedd yr achos,' atebodd Gwenda yn ddifater.

Methai Morgan ddeall hyn, 'Yng Nghaer?,' ynganodd eto, 'Ond pam Gaer yn hytrach na Abertawe neu Caerdydd?'

'O hwfft! Peidiwch a gofyn i mi, shwt y' chi yn disgwyl i mi ddeall y pethau 'ma dwedwch? Doeddwn i ddim adre ar y pryd.' Teimlai Morgan ei bod yn ceisio cuddio ei heuogrwydd gan nad oedd wedi bod yn fwy cefnogol i ymdrechion ei thad. 'Cerwch a'r dogfennau gyda chi os chi'n mo'yn, cadwch nhw. I ddweud y gwir fe fydda i'n falch o gael gwared ohonyn nhw ac i gael yr ystafell yn ôl ac yn daclus unwaith eto.'

Felly dyna un arall oedd ddim eisiau siarad am yr achos neu ddim eisiau i'r mater ail agor. Roedd yr awyrgylch yn y Mans wedi bod yn un drwm iawn ac er iddo wneud ymdrech i'w ysgafnhau trwy dderbyn y cynnig o ddisied o de a bod yn ddigon cwrtais, gwyddai yn reddfol y byddai yn gwneud pob ymdrech i osgoi Gwenda Roberts – yn ogystal a'i bronnau swmpus. Gwenodd wrth ei hun gan ddychmygu ymateb Elisabeth pan fyddai yn dweud wrthi am y sioe ddigywilydd.

Gwyliodd Gwenda ef yn gyrru ymaith, throdd ac aeth yn ôl mewn i'r tŷ. Roedd y dyn wedi codi teimladau rhyfedd ynddi – teimladau doedd heb deimlo am hydoedd ond teimladau roedd yn dal i gofio. Methai cael ei wyneb allan o'i meddwl, roedd yn dal i deimlo ei gorff yn agos iddi wrth iddo blygu dros y papurau i'w codi i fyny, yn dal i wyntio ei naws dynol. Sylweddolodd yn sydyn nad oedd wedi rhoi llawer o wybodaeth iddi amdano ei hun – mewn gwirionedd, doedd ganddi 'run syniad pwy ydoedd.

Safai Dan-y-Graig yn ôl o'r ffordd fawr gyda rhan fawr o'r tŷ wedi ei guddio tu cefn i glawdd uchel o amryw lwyni deiliog gwyrdd. Synnodd Morgan pa mor agos oedd lleoliad y trychineb i'r Mans ac i'r pentref. Am rhyw reswm roedd wedi dychmygu tŷ yn sefyll ar ben ei hunan ymhell o unrhyw fan yn hytrach na beth welai. Roedd y tŷ i weld yn un ddigon crand.

Arweiniai rhodfa o'r ffordd tuag at y drws ffrynt a honno'n ddigon llydan i dderbyn dau gar; rhedai lawnt naill ochr i'r rhodfa, y ddwy gyda borderi blodau lliwgar gwanwynol yn rhedeg ar hyd eu hochrau. Doedd na ddim amheuaeth fod pwy bynnag oedd yn byw yno nawr yn ei werthfawrogi ac yn edrych ar ei ôl.

Pob dim yn dwt ac yn daclus; Pob dim yn dawel – mor dawel â'r ......Anodd dychmygu mai fan hyn cafodd merch ddwy ar bymtheg ei threisio a'i lladd. Anodd dychmygu mai fan hyn cafodd Twm Ifans ei arestio.

Teimlai Morgan gwefrau cyfarwydd yn deffro, gwyddai fod na ddirgelwch cymleth o'i amgylch.

11

'Reit te, beth mae pawb ishe?' gofynnodd Elisabeth ar ôl i'r dair, sef Dorothy, Siwsan, a hithau gyfarfod am ei coffi wythnosol. Lolfa moethus gwesty'r Cwrwgl yn agos i Llechryd, tu allan i Aberteifi, oedd y lleoliad y tro 'ma. Byddai'r dair yn cyfarfod yn rheolaidd mewn gwahanol westai, neu llefydd bwyta da, unwaith yr wythnos naill i gael pryd o fwyd, te ysgafn neu, fel heddiw cyfarfod am goffi. Y pwrpas? Clonc a sgwrs, rhoi'r byd yn ei le a mwynhau cwmni eu gilydd i ffwrdd o'i cartrefi – a'i gwyr.

Roedd y cyfeillgarwch rhwng y dair wedi tyfu dros y ddeng mlynedd ddiwethaf ac erbyn heddiw roeddent yn ffrindiau agos iawn – er mai Saesneg byddai iaith y sgwrsio gan fod Cymraeg Dorothy yn dal yn rhy wan.

'O! dwi mor falch dy fod ti a Morgan wedi dod o hyd i Bronwen a'i themtio i ddod i weithio drosom ni,' gwenodd Dorothy.

'Pwy yw Bronwen, te?' holodd Siwsan.

Rhoddodd Elisabeth fraslun byr o ddigwyddiadau'r benwythnos gan atgofio Siwsan am hanes Twm Ifans a Cwmcelyn Coch. Yn raddol cofiodd Siwsan pwy oedd Twm Ifans a beth oedd ei drosedd a phwy oedd Bronwen.

'Na, merch ifanc oeddwn i pryd hynny,' dywedodd yn swil gan nad oedd yn cofio llawer am y digwyddiad ond teimlai y dylai. 'Roeddwn i'n dal yn byw yng Nghapel Iwan a heb hyd yn oed cyfarfod a John pan ddigwyddodd e. Ond, os mai'r un Bronwen yw hi a'r un dwi'n feddwl am, wel, mae 'na enw gwael iawn ganddi yn Aberteifi. Ydych chi'n sylweddoli ei bod hi'n....hynny yw mae hi'n.....' sylweddolai Siwsan fod ei ddwy ffrind yn edrych yn chwyrn arni a thawelodd, 'Beth?' ategodd.

Plygodd Elisabeth ymlaen, 'Gwranda, Siwsan, paid a'i barnu yn rhy hallt. Doedd neb yn y pentref yn barod i faddau i'r teulu am drosedd y tad ac felly cwmpodd y fyrdwn ar ei hysgwyddau hi, a hithau ond yn ifanc. Methai cael unrhyw waith yn unman, neb yn barod i'w derbyn na'i helpi, ond roedd yn rhaid iddi cael arian o rhywle er mwyn cynnal a chadw ei mam a'r cartref. Beth arall galle hi wneud, dwed?'

'Mae 'na lawer gwaeth na hynna yn digwydd yn Llundain creda di fi,' cadarnhaodd Dorothy, 'Ac mae'n gwaethygu bob dydd yn ôl pob sôn. Ond mae Bronwen mor weithgar ac mae Edgar yn hapus iawn efo'i hagwedd tuag at y lle a'r gwaith.'

Teimlai Siwsan braidd yn euog dros ei hymateb gwreiddiol, methai ddeall shwt fedrai unrhyw un rhoi ei hunain i nifer o wahanol ddynion dro ar ôl tro yn yr un modd â Bronwen neu unrhyw butain arall mewn unrhyw sefyllfa. Tawelodd gan gadw ei theimladau i'w hun.

Ceisiodd newid y pwnc yn gyfan gwbwl wrth gofio hysbyseb roedd wedi gweld ar y ffordd mewn i'r gwesty, 'Oeddech chi'n cofio bod yr Eisteddfod yn Hwlffordd eleni, ferched? Unrhyw un yn ffansio mynd?' gofynnodd yn gyffrous.

'O mae 'na flynyddoedd ers y bues i i'r Genedlaethol,' atebodd Elisabeth.

'Wel dwi erioed wedi bod,' atebodd Dorothy, 'Ydy e werth mynd?'

'Werth mynd?' atseiniodd Siwsan, 'O, Dorothy fach, rwyt ti heb fyw os nag wyt ti wedi bod i'r Genedlaethol!'

'Er mai Saesnes ydw i?'

'Mae 'na hwyl i bawb.' cadarnhaodd Elisabeth.

'Beth am hurio carafán a'r dair ohonom ni'n cael wythnos i ffwrdd ar ben ein hunain?' awgrymodd Siwsan.

'Mm, dwi'm yn siŵr,' atebodd Elisabeth er fod y syniad yn apelio methai ddychmygu beth fyddai ymateb Morgan, nac, mewn gwirionedd, oedd hithau yn barod i dreulio wythnos gyfan heb ei gwmni er fod Hwlffordd yn ddigon agos i'w cartref. Efallai byddai Morwenna ac Anwen yn croesawi'r cyfle hefyd. O leiaf roedd yn rhywbeth i feddwl amdano.

* * *

Cwestiynau, cwestiynau, ac wedyn mwy o gwestiynau di-ri' rhedai trwy feddyliau Morgan – heb unrhyw ateb synhwyrol i'r un ohonynt.

Felly, os oedd yna anghyfiawnder, os nad Twm Ifans oedd wedi cyflawni'r drosedd – codai'r cwestiwn syml "pwy arall wnaeth e"?

'Dere nawr, Morgan,' ceryddodd ei hunan, 'Tyn dy fys mas, a dechreua ystyried y peth o ddifri, wnei di?'

'Felly, beth wyt ti'n mynd i wneud, te?' torrodd Elisabeth ar draws ei feddyliau ar ôl iddo ymuno â hi yn y gegin. Gwyddai wrth ei olwg ei fod yn poeni am yr holl beth. Er bod yn briod ag ef am dros ddeng mlynedd, gwelai o hyd y bachgen bach swil wnaeth gyfarfod gyntaf yn Ysgol Aberteifi bron ddeugain mlynedd yn ôl pan ddaethant yn ffrindiau agos cyn i'r cyfeillgarwch dyfu yn gariad ddwfn.

'A beth oedd gan Sal i ddweud, te?' newidiwyd y testun.

Ar ei ffordd adre' o'r Cwrwgl roedd Elisabeth wedi penderfynu galw draw gyda Sal i weld beth oedd ei hatgofion hi am y digwyddiadau yng Nghwmcelyn. Er fod blynyddoedd wedi mynd heibio ers hynny, gwyddai fod cof arbennig gan Sal ac ei bod yn un am gasglu a cofio clonc yr ardal. Papur bro cynnar oedd Sal.

Er nad yn berthynas trwy waed, roedd Sal yn rhan o deulu Morgan – yr unig un oedd ar ôl erbyn hyn. Ffrind hynaf iddo, roedd wedi dod i fyw i ffarm Dan 'r Allt yn ferch ifanc iawn i weithio fel morwyn fach o amgylch y tŷ pan oedd yntau ond yn grwt bach ac hithau yn ei harddegau cynnar. Felly roedd fel chwaer fawr iddo â'r ddau yn agos iawn i'w gilydd. Ar ôl i Morgan ddiflannu i Lundain, priododd Sal y cawr o ddyn o wlad Pwyl, un o'r gweision a weithiau dros ei dad. Da oedd y gweithiwr gorau yn y fro, a sawl ffarmwr lleol eisiau ei wasanaeth gwerthfawr o bryd i'w gilydd. Felly roedd e byth yn brin o waith er nad oedd yn barod i glymu ei hunan i unrhyw feistr arall ar ôl tad Morgan. Roedd y ddau erbyn hyn yn byw yn Beulah mewn tŷ gwyngalchog gyda'u hunig fab, Gwynfor, oedd hefyd yn gawr o ddyn fel ei dad nid yn unig yn gorfforol ond hefyd ym meddyliau Morgan ac Elisabeth yn ogystal.

Ymledai rhwydwaith Sal o Beulah ar draws ardal eang i fyny ac i lawr arfordir Sir Aberteifi gan gynnwys pob cnwc a chornel. Unwaith wnaeth y teleffon gyrraedd y cartref bach, doedd na'm terfyn ar y rhwydwaith.

'O, roedd hi'n cofio'r digwyddiad yn iawn, ond fel 'wedodd hi roedd y mater drosodd yn gyflym iawn. Twm Ifans wedi cyfadde a'i gosbi, y ferch wedi ei chladdu, y tad wedi crogi ei hunan, y cartref wedi ei werthu a phawb fel pe baent wedi anghofio am yr holl beth.'

'Rhyfedd, te, mur diadlam arall,' synhwyrodd Morgan.

'Mm,' cymerodd Elisabeth ddracht arall o'i the a byseddu darn arall o'r deisen lap roedd Sal wedi mynnu rhoi iddi gan ei bod yn gwbod pa mor hoff roedd Morgan ohono. 'Yn rhyfedd iawn roedd wedi anghofio enw Twm Ifans er ei bod yn cofio bod gan ei ferch enw digon drwg, er wnaeth hi ddim o'i barnu.'

'Dyw Sal ddim yn un am farnu – ond mae heb ei hail am gasglu clonc,' chwarddodd Morgan.

'O ie, roedd hi hefyd yn cofio fod gweinidog y pentref wedi ymladd yn galed ar ran Twm Ifans er bod ei wraig a'i ferch wedi bod yn garn yn erbyn hynny. Roedd 'na ffrae fawr mae'n debyg ac aeth y ferch....'

'Gwenda Roberts,' ategodd Morgan.

'Gwenda Roberts, wel, mi wnaeth hi adael adre a mynd bant i'r coleg ac roedd hi bant am flynyddoedd heb ddychwelyd i'r ardal nes bod ei thad wedi marw a'i mam ar ei gwely angau.'

'Medde nhw,' gwenodd Morgan wrth atseinio hen eiriau cyfarwydd Sal wedi iddi ddiwedd hanes.

'Medde nhw,' ategodd Elisabeth, chwarddodd y ddau wrth iddynt ddynwared Sal – ond heb unrhyw faleisus o gwbl.

'Yn anffodus Twm Ifans yw'r unig un sy'n gwbod y gwir ynglŷn a beth ddigwyddodd iddo'r noson honno. Pam wnaeth e ymosod ar ferch ifanc a'i lladd? Wnaeth e ymosod arni? Pam oedd e yn ei chartref yn y lle cyntaf? Beth welodd e? Pwy welodd e? Dim ond fe gall ateb y cwestiynau hyn ond......'

'Ond?'

'Ond gyda'r ffordd ma ei feddwl wedi dirywio, efallai fydda i yn agor nyth cacwn wrth ymchwilio.'

'Wyt ti'n mynd i ddefnyddio rhyw fath o swyngwsg arno i agor ei feddwl?' gofynnodd o ddifri.

Rhwymodd Morgan ei freichiau o amgylch ei wraig, 'Calon,'

dechreuodd, 'Rwy'n credu dy fod ti wedi gwylio gormod o'r hen ffilmiau ddu a gwyn yna.'

'Oes na rhywbeth fedra i wneud yn y cyfamser?' gwenodd arno.

Daliodd ei llygaid twyllodrus, gwelodd y temtasiwn ynddynt. Oedd, roedd ei wraig yn dal yn fenyw brydferth iawn, yn llawn mor ddeniadol ag erioed. Er ei bod dros hanner can mlwydd oed, gwelai Morgan yr adlewyrchiad o'r ferch wnaeth gyfarfod gyntaf. Roedd y gwallt dal yn olau, y llygaid dal yn las, a'i hwyneb di-golur yn naturiol brydferth. Ond yn fwy na hyn i gyd, hi oedd ei enaid ac wedi bod erioed,

'Wna i feddwl am rhywbeth, rwy'n siŵr, rho eiliad fach i mi,' tynnodd hi yn dyner tuag ato.

12

Heb os nag oni bai roedd Bronwen Ifans wedi disgyn ar ei thraed ac ar ben ei digon yn ei sefyllfa newydd. Traws newidiwyd ei meddylfryd wrth gael y swydd yn y Ffrwd Wen, byd newydd, bywyd newydd, a theimlai haul ar fryn am y tro cyntaf ers ei phlentyndod. Teimlai, or diwedd, ei bod wedi cyrraedd hafan dawel a phenderfynodd na fyddai byth yn gadael i'r cyfle yma fynd o'i gafael. Er nad oedd y llety dros dro yn fawr roedd na ddigon o le ynddo iddi hi a'i thad a'r cyfan wedi ei ddodrefnu yn ddigonol – a'r olygfa fendigedig o'r traeth a'r môr yn pwysleisio'r breuddwyd melys.

Cymerodd at ei gwaith cyn gynted ag y dechreuodd. Teimlai bod Edgar, neu'r Comander fel ei gelwyd, a Dorothy, ei wraig, o'r un stamp â Morgan ac Elisabeth yn eu cyfeillgarwch a'i caredigrwydd. Teimlai ei bod nhw hefyd wedi cymryd ati hi, nid yn unig fel gweinyddes oedd yn barod i droi ei llaw at unrhyw dasg, ond, yn fwy pwysig nag hynny, eu bod wedi cymryd tuag ati hi fel person.

Doedd neb yn y pentref lle roedd wedi ei geni a'i magu wedi bod yn barod i faddau i'r teulu am drosedd y tad.

Y pentref lle roedd wedi chwarae yn blentyn yng nghwmni ei ffrindiau; yn y pentref lle'r aeth i'r ysgol, yr ysgol fach lle byddai pawb yn adnabod ei gilydd. Y pentref bach lle wnaeth pawb droi eu cefnau arni.

Pob un o'i chymdogion yn fwy na pharod i wrando ar eiriau

haerllug Gwenda Roberts a'i chriw wrth iddynt ei gwatwar a'i herlid. Ond doedd ganddi 'run man i ddianc iddo. Beth fedrai wneud, ble fedrai fynd a hithau ond 'run oedran ar ferch oedd yn gorwedd yn ei bedd ym mynwent Y Capel Coch?

Y digwyddiadau a'r bygythiadau yn ei gorfodi i adael yr ysgol uwchradd er ei bod yn ddisgybl disglair yno. Na, doedd Bronwen Ifans ddim yn dwp o bell ffordd, roedd hi'n fwy galluog nag amryw un o'i chyd-ddisgyblion cyn i'r bwlian creulon ddechrau – ond doedd na'r un athro yn barod i'w hamddiffyn nac i ymladd drosti.

Y plant eraill,,,,,,, y rhegi a'r mocian,,,,, y bechgyn....... ar y ffordd adre o'r ysgol....... ymosodiadau........ ei dillad yn rhwygo,,,,,,,,,, y dwylo cas ar ei chorff .... y byseddu...... a Gwenda Roberts yn chwerthin yn uchel ac yn groch ar yr holl beth.

Na, doedd na'm cymorth yn unman, neb yn barod i gynnig gwaith i ferch Twm Ifans o Gwmcelyn Coch. Ond roedd dynion Aberteifi ac Abergwaun yn ddigon parod i dalu am ei chwmni a'i gwasanaeth – bob amser. Trwy werthi ei chorff ifanc daeth i ben a chadw dau ben llinyn ynghyd, cadw ei chartref llwm i fynd, cadw ei mam yn fyw. Yn araf bach ciliodd y tynerwch allan o'i chalon wrth i'r diffrwythder cymryd ei le.

Ond teimlai nawr fel pe bai Elisabeth a Dorothy wedi ei mabwysiadu, gwyddai na fedrai byth dalu'r ddyled am ei rhyddhad mewn unrhyw ffordd heblaw trwy ei theyrngarwch tuag atyn nhw a'u teuluoedd. Gobeithiai'n dawel na ddeuai neb i'r dafarn oedd yn ei hadnabod fel y butain yr oedd wedi bod. Diolchai yn dawel bach bod neb wedi bod yn siŵr o'i henw iawn. Ceisiodd newid ei golwg, gofyn am gyngor Dorothy ac Elisabeth – hwythau yn trin ei gwallt mewn ffordd gwahanol, defnyddio colur ysgafn ar ei hwyneb, ei gwisgo mewn dillad benthyg smart, ac yn raddol gwelodd newydd wedd yn tyfu yn ei golwg ac yn ei hunan barch. O'r diwedd roedd yn medru gwenu wrth weld ei hadlewyrchiad yn y drych yn yr ystafell ymolchi.

Ond yr un oedd cyflwr ei thad. Derbyniodd y symud i fyw yn y llety dros dro heb fod yn ymwybodol ei fod wedi gadael ei gartref gwreiddiol yng Nghwmcelyn. Iddo ef, roedd yn dal i gael ei symud o un carchar i'r nesaf er ei fod heb weld y dynion yna – y dynion creulon, y rhai oedd yn gweiddi arno, y rhai oedd yn poeri arno, y rhai oedd yn ei wthio, a'i fwrw – y rhai oedd byth yn barod i wrando arno. Ond roedd 'na wraig wedi cymryd eu lle, ei llais yn dyner, ei gwên yn gyfeillgar, ei dwylo yn feddal wrth iddi ei arwain o amgylch ei gell newydd – cell heb furiau oer, llwyd; cell oedd lawer mwy cyffyrddus, gwely meddal, cadair esmwyth, bwrdd tawel a bwyd oedd yn fwy i'w flas. Sylwodd fod ei ddillad yn wahanol er nad oedd ganddo unrhyw syniad beth oedd wedi digwydd iddo.

Ai breuddwyd oedd hyn i gyd? Byddai'n deffro yn sydyn 'nôl yn yr hen drefn?

Eisteddai'r ddau wrth y bwrdd brecwast. Gwyddai Twm Ifans fod y wraig wedi rhoi y bwyd o'i flaen ac ei bod yn eistedd gyferbyn ag ef ac yn bwyta. Cofiai ei bod wedi rhoi gorchymyn iddo, na, nid gorchymyn, yn hytrach roedd wedi gofyn iddo. Ie, dyna fe – roedd wedi gofyn iddo, ond gofyn iddo i wneud beth? Ceisiodd gofio beth oedd hi wedi dweud. Plygai Bronwen ei phen dros ei phlâtied o uwd. Uwd, a siwgr brown, a llaeth ffres. Bwyd iach a digon ohono – diolch i'w ddwy ffrind newydd. Trueni nad oedd ei thad yn ei werthfawrogi.

'Pwy chi'n gweud y'ch chi, te?'

Saethodd y geiriau ar draws y bwrdd gan syfrdanu Bronwen. Oedd ei dychymyg yn chwarae tric arni? Rhewodd ei llaw hanner ffordd rhwng y fowlen o uwd a'i cheg, am eiliad methai grybwyll yn iawn beth oedd wedi digwydd. Yn araf bach cododd ei phen, edrychodd ar ei thad yn syn, edrychai yntau yn syth arni hi, ei lygaid gwelw yn syllu arni fel pe baent yn treiddio ei henaid wrth iddo aros am ateb i'w gwestiwn.

'Bronwen,' atebodd yn dawel – bron iddi sibrwd yr ateb.

* * *

Gwyddai Ann Rhys fod y ffordd o Rhydlewis i Drefach Felindre lawer yn haws ac yn gyflymach o lawer os byddai'n mynd trwy Castell Newydd Emlyn ac ymlaen i Pentrecagal cyn troi i'r dde, ond doedd hi ddim ar frys y bore yma. Ei phwrpas heddiw oedd i rhoi terfyn ar wasanaeth y banc yn y gangen fach yn Felindre – o hyn ymlaen byddai'n rhaid i'r cwsmeriaid fynychu y gangen yng Nghastell Newydd Emlyn a theimlai Ann na byddai honno ar agor am yn hir, chwaith. Dyna oedd bwriad ei banc, cau'r canghennau bychain er gwaetha'r anghyfleuster i'w cwsmeriaid. A dyna oedd ei prif waith hithau y dyddiau yma – cau'r canghennau heb golli un cwsmer. Roedd ganddi dau gysur, yn gyntaf gwyddai fod pob banc yn mynd trwy'r un broses, ac yn ail gwyddai bod ei dyfodol hi yn ddiogel – yn ôl ei meistri yn Llundain.

Gyrrodd draw o Rhydlewis, lle roedd yn byw gyda'i mam, drwy Coed-y-Bryn, heibio i adfeilion hen blasty Bronwydd â'i ysbrydion, ac i lawr i Aberbanc. Dyma ei chynefin; gyrrodd heibio i'r hen ysgol lle'r aeth fel disgybl fach diniwed pan oedd bron yn dair oed – roeddech yn gallu gwneud hynny pryd hynny os oedd yr athrawes yn adnabod y teulu yn dda. Gwenodd wrth ei hun heb sylwi ar yr ysgol newydd, digymeriad, cyn edrych ar draws y caeau tuag at Y Berllan, hen gartref y teulu ar man lle cafodd ei geni.

Dim ond atgofion braf oedd ganddi am y lle, digon melys i wneud iddi anghofio yr ornest oedd yn wynebu yn ei gwaith. Tynnodd ei char i mewn i'r ochr a'i barcio am eiliad fach. Gan fod y bore yn un heulog cynnes, neidiodd allan yn gyflym a phwyso yn erbyn giât haearn y cae mawr a rhedai lawr i gyfeiriad y tŷ.

Yn ei ddydd roedd Y Berllan wedi bod yn le mawreddog yn yr ardal, wedi ei rannu i fod yn dŷ pedair llofft ar yr un pen ac yn gartref dwy llofft i'r morwynion a'r gwas bach ar y pen arall. Ffermdy ydoedd yn wreiddiol cyn i'w hen Dadcu ei brynu er mwyn adeiladu melin wlân ar y tir a redai lawr tuag at yr afon fechan a lifai heibio'r lle. Er fod ei ymdrechion wedi profi yn lwyddiant mawr a'i annog i agor dwy felin arall yn yr ardal, aeth y cyfan i'r wal pan gwmpodd y farchnad ar ei phen a'i adael ef, a sawl un arall yn y wlad, yn fethdalwyr. Trwy lwc roedd ganddo ddigon o arian mewn cronfa arbennig ac wrth ddefnyddio hwnnw a gwerthu'r tir a darnau eraill o'i eiddo mi fedrodd dalu ei ddyledion i gyd yn ogystal a chadw'r tŷ. Ond roedd ei ysbryd, a'i feddwl wedi torri. Un bore daethant o hyd i'w gorff yn gorwedd â'i ben i lawr yn nyfroedd Llyn Badell ger Bont Henllan. Cysurai aelodau o'r teulu eu gilydd gan ddweud mae damwain oedd y digwyddiad ond gwyddai eraill y gwir er nad oedd yna unrhyw rybudd o'r digwyddiad nag unrhyw nodyn i ddweud ffarwel.

Erbyn i Ann gael ei geni fel yr unig aelod o'r bedwaredd cenhedlaeth o fenywod Y Berllan, roedd y morwynion a'r gwas bach wedi hen ddiflannu ond roedd y berllan afalau, a'r ardd o lysiau a ffrwythau meddal yno. Cofiai Ann am yr hwyl byddai'n cael wrth chwarae o gwmpas y lle yn enwedig yn yr

hen felin, neu'r ffatri fel byddai ei mam yn ei galw, oedd yn
dal i sefyll yn gadarn gyda'i rhod ddŵr a honno yn dal i droi.
Er fod yr hen beiriannau i gyd wedi mynd roedd ei Thadcu
wedi addasu'r rhod ddŵr i gynhyrchu trydan i'r tŷ heb fod
Ann erioed wedi sylweddoli pa mor freintiedig yr oeddent i
fod gyda'r cyntaf yn yr ardal i gael y fath beth yn ei cartref.

Ond gyda marwolaeth ei Mamgu, ac yn ôl ewyllys ei
Hen Tadcu, roedd yn rhaid gwerthu Y Berllan â'i holl eiddo
a dosbarthu y llog ymysg y teulu – ac roedd yn deulu eang.
'Pam yn y byd na wnaethom ni ei brynu?' meddyliodd Ann
unwaith, ond roedd hi'n rhy hwyr erbyn hynny.

Ar yr eiliad gwelodd dau ddyn yn dod allan o'r tŷ a cherdded
draw tuag at gar mawr du oedd wedi parcio ar y clôs yn agos
i'r lôn arweiniai lawr tuag at yr hen felin. Terfyn i'r ymweliad
a'r atgofion am nawr. Dychwelodd i'w char a gyrrodd bant.
Oedd, roedd Y Berllan yn perthyn i rhywun arall nawr.

13

Ar ôl treulio'r bore yn mynd trwy ddogfennau y Parchedig Goronwy Roberts unwaith eto, gwelai Morgan mai fraslun unochrog oeddent o'r digwyddiadau nad oedd yn arwain at unrhyw ganlyniad pendant yn yr achos. Cododd ei ysbryd wrth glywed llais ei ferch, Morwenna, yn galw wrth iddi adael ei hunan mewn i Awel Deg.

'Diolch byth, esgus am ddisied arall o de,' sibrydodd dan ei wynt gan fynd i'w chroesawi a'i harwain mewn i'r gegin. Eglurodd wrthi bod ei mam wedi mynd i Aberteifi i siopa gyda Dorothy a Bronwen.

'Pwy 'dy Bronwen?' holodd. Wrth gwrs, doedd ei ferch yn gwybod dim am ddigwyddiadau y diwrnodau diwethaf. Byddai yntau ac Elisabeth yn anghofio dweud pethau wrthi ers iddi hi a'r teulu symud o Bwll Gwyn i fyw yn Drefach Felindre. Roedd hen gartref ei mam yn lawer mwy cyfleus i'w gŵr, Arfon, a'i merch, Anwen, ac i Ysgol Ramadeg Llandysul lle roedd un yn athro a'r llall yn ddisgybl.

'Ond be' sy'n eich poeni chi te, Dad?' teimlai Morwenna y rhwystredigaeth ym meddwl ei thad. Felly eglurwyd iddi am achos Twm Ifans a chynnwys y dogfennau yn ogystal a chrynodeb o'r digwyddiadau hyd yn hyn. Plismones ym Manceinion oedd Morwenna cyn iddi briodi ei gŵr cyntaf, cael ei babi, Anwen, a dod i fyw yn agos i'w rhieni – heb ei gŵr. Erbyn hyn roedd wedi ail briodi ar ôl ei ysgariad ac wedi setlo'n hapus yn yr ardal gyda Arfon ac Anwen yn eu cartref newydd. Felly, roedd diddordeb mawr ganddi yn ymchwiliadau ei thad yn enwedig gan ei bod wedi dychwelyd i'r Llu unwaith eto.

'Pam na wna' i chwilio draw yn y pencadlys yng Nghaerfyrddin i weld os oes na unrhyw ffeil ar yr achos?' awgrymodd.

'Wel, roeddwn i wedi bwriadu ysgrifennu i'r Prif Gwnstabl i ofyn am yr union beth ond....' atebodd Morgan.

'Ond?'

Edrychodd i fyw llygaid Morwenna, 'Ond mae ei enw fe yn dod i fyny yn y dogfennau yma sy'n awgrymu efallai ei fod yntau wedi bod yn rhan o'r ymchwiliad ar y pryd, er ei fod digon ifanc, a dw i ddim ....'

'Dych chi'n meddwl fod na lygredd wedi cymryd lle te, Dad?'

'Rhy gynnar i ddweud, ond dw i ddim yn hapus â'r digwyddiadau fel y maent yn cael eu disgrifio gan Goronwy Roberts.'

'Ddim problem, Dad, gadewch e' gyda fi – dwi yn Gaerfyrddin am o leiaf y mis nesaf. Unrhyw beth arall?' Gwenodd arno a gwelodd Morgan y tebygrwydd rhyngddi hi a'i mam – er roedd Elisabeth wastad wedi gweld y tebygrwydd rhyngddi hi a'i thad.

'A pheth arall, dwi ddim yn deall pam mae dy fam heb sôn wrthai ei bod yn bwriadu mynd i ffwrdd i'r 'steddfod am wythnos ym mis Awst.'

'Sut ydych chi'n gwbod?' roedd acen y gogledd yn gryfach ar dafod Morwenna nag acen ei mam – ond, wedi'r cyfan, roedd hi wedi cael ei geni a'i magi yng Ngogledd Cymru.

'Siwsan, gwraig John Jones, sy'n ei drefnu, mae'n debyg, ac wrth gwrs roedd John ar y ffôn i mi i weld beth oeddwn i'n feddwl am y peth.'

''Dy Mam yn gwbod eich bod yn gwbod hyn i gyd?'

'Dim trwy wbod i fi,' gwenodd arni yn dwyllodrus.

'Dad, peidiwch a bod mor wirion,' gwenodd arno, a chwarddodd y ddau.

★ ★ ★

'Pwy wedoch chi y'ch chi? gofynnodd Twm Ifans eto.

Gwelodd y ferch yn gwenu'n siriol arno, 'Bronwen,' ei llais braidd yn uwch y tro yma, 'Bronwen.....eich merch,' ategodd.

'Fy merch,' meddyliodd, 'fy merch?'

Mewn darn aneglur o'i feddwl carpiog, gwelai ferch fach yn rhedeg o'i amgylch; gwelai'r ddau mewn gardd fechan; siglen bren yn hongian ar goeden a honno'n mynd ac yn dod, yn ôl ac ymlaen; clywai chwerthin; clywai wichio; teimlai gofleidio. Merch fach, gwallt du, llygaid tywyll, dannedd gwynion, y wên, y dawnsio, y chwerthin, wastad y chwerthin ..... a'r dagrau – wastad dagrau.

Atgofion. Darluniau yn ei feddwl. Pethau roedd heb weld am flynyddoedd. Pethau roedd wedi anghofio. Cododd ei ben, edrychodd ar y ferch, trïodd eto, ond yr unig eiriau a ddaeth o'i geg oedd y rhai oedd wastad yn adnabyddus iddo. 'Nid fi wnaeth e,'

Cododd Bronwen o'r bwrdd ac aeth tuag ato. Ymrwymodd ei braich o amgylch ei ysgwyddau tenau a'i dynnu yn dyner tuag ati, 'Dwi'n gwbod, Dada,' dywedodd yn gadarn.

Clywodd Twm ei geiriau, dyma eiriau rhyfedd. Plygodd ei ben tuag ati a criodd – o'r diwedd roedd rhywun wedi ei ddeall ac yn ei gredu. Rhedai'r dagrau yn gymysgedd o ryddhad, a rhwystredigaeth – a'r cyfan yn torri ei feddyliau yn racs.

⋆ ⋆ ⋆

'Cofia nid ni sy' wedi gwneud y trefniadau hyn, mae nhw wedi dod o'r uchel fannau. Fel dy fod ti'n deall yn iawn ac heb unrhyw amheuaeth, dyma'r prosiect pwysicaf a'r un mwyaf mentrus rydym wedi gynllunio hyd yn hyn. Mi wneith hyn wneud i'r diawlied gymryd sylw, yn bendant.'

Sylweddolai Sean pa mor bwysig oedd y fenter, sylweddolai hefyd pa mor allweddol oedd ei ddoniau ef i'r cynllun ond wrth wrando ar Aisling yn chwarae yn hapus tu allan gwyddai pa mor ddrud byddai methiant. Ond pa ddewis arall oedd ganddo? Byddai hyn yn dangos ei deyrngarwch dros ei wlad a'i phobl; dangos ei ffyddlondeb i'w deulu a'i gymdogion; byddai'r llwyddiant yn golygu anfarwoldeb iddo yn hanes yr anghydfod a'r obaith o ddod a therfyn i'r ymladd unwaith ac am byth. Ond yn fwy na dim byd arall iddo ef, byddai hyn yn ddialedd teilwng dros farwolaeth cynnar, Caitlin, ei wraig ifanc – os oedd y fath beth yn bosib,

'Felly,' dechreuodd y dyn barfog yn awdurdodol, hwn oedd yr arweinwr mawr oedd wedi gyd-deithio gyda'r ddau arall i weld Sean. Braidd yn gyfyng oedd sied Sean gyda pedwar dyn ynddi ond, o leiaf, roedd eu trafodaeth yn hollol gyfrinachol, heb neb yno i glustfeinio arnynt, 'Dyma'r dref agosaf i'r lleoliad,' pwyntiodd ei fys ar y map roedd wedi hongian ar y wal, 'Ond dwi ddim yn siŵr ble yw'r man gorau i blannu'r teclyn, fe fydd hynny i fyny i ti. Faswn i'n deud y byddi tua milltir o ganol y dref – felly digon agos i ti ei hosgoi wrth ddianc cyn i bawb sylweddoli be' sy' wedi digwydd. Mi fyddi di yn landio draw fan hyn rhywle,' cyfeiriodd y dyn â'i fys tuag at arfordir gorllewin Cymru, 'Ac fe fydd rhywun yno i dy gyfarfod a'th gludo i'r tŷ diogel, lle fyddi yn aros am wythnos neu ddwy cyn symud yn nes.'

'Wythnos neu ddwy?' gofynnodd Sean, braidd yn siomedig.

'Wel, ie. Mae'n rhaid i ti gyfarwyddo dy hunan â'r ardal, adnabod bob cwt a chornel ti'n meddwl fydd yn ddefnyddiol i ti, cael gwaith yn y lle fel dy fod yn medru mynd a dod heb unrhyw anhawster – mae hynny'n mynd i gymryd amser. Mae'n siŵr wnei di ddod ar draws rhywbeth, neu rhywun, i dy ddiddanu – ond paid a gadael unrhyw arwydd o dy bresenoldeb. Wyt ti'n deall be' dwi'n sôn am?'

Gwyddai Sean yn union beth oedd ar feddwl y dyn.

'I ddweud y gwir,' edrychodd y dyn ar y dyddiad ar ei wats, 'Rydym bach yn hwyr yn barod felly mae angen i ti wneud dy hunan yn barod i adael ar fyr rybudd.'

Edrychodd yn syth i lygaid Sean, estynnodd ei fraich a gafael yn gadarn yn ei law, 'Rydym yn gwerthfawrogi dy waith a'th aberth ond mae'n rhaid gwneud hyn yn iawn,' dywedodd. Gwelodd Sean y creulondeb oeraidd yn y llygaid tywyll. Gwyddai doedd na'm unrhyw ffordd fedrai osgoi ei gyfrifoldeb.

Ar ôl casglu eu pethau a sicrhau fod na'm unrhyw arwydd o'u hymweliad yn y sied, ffarweliodd y tri ag ef a'i adael. Aeth Sean allan a chodi Aisling yn ei freichiau cryfion. Teimlai'r plentyn mor fach ac ysgafn wrth iddo ei chofleidio a'i anwesu. Eglurodd wrthi ei fod wedi cael gwaith i ffwrdd byddai'n golygu ei fod yn mynd a'i gadael am gyfnod byr. Er 'mond yn naw oed, roedd Aisling yn blentyn ddigon call i dderbyn y newyddion yn enwedig pan ddeallodd byddai Anette yn edrych ar ei hôl – ac yn ei sbwlio i'r eithaf. Aeth y ddau law yn llaw i'r pentref i ymweld ag Anette.

Wrth gwrs croesawi'r cyfle i edrych ar ôl Aisling tra fod Sean i ffwrdd wrth ei waith newydd gwnaeth Anette. Gwyddai'n iawn pa mor anodd ydoedd i ddod o hyd i waith o unrhyw fath yn yr ardal ac roedd cael cynnig swydd yn gweithio ar lwyfan tyllu am olew ym Môr y Gogledd yn ormod o gyfle i'w wrthod. Cofiai glywed rhywle faint oedd y gweithwyr yno yn ennill am ei gwaith caled, ffigwr oedd ond yn bodoli mewn breuddwydion y mwyafrif o'i chyfoeswyr. Un anhawster fawr oedd yr amser y byddai'r dynion i ffwrdd o gartref ac hyn yn torri ar draws bywydau priodasol bregus. Ond doedd Anette ddim yn agos i briodi, roedd yn dal i ddisgwyl am y dydd y byddai Sean, o'r diwedd, yn ei chymryd yn ei freichiau wrth iddo sylweddoli faint yr oedd hi yn ei garu. Tan hynny roedd yn barod i wneud beth bynnag y mynnai iddi wneud ac roedd edrych ar ôl Aisling am dri mis ddim yn faich o gwbwl – cyfle arall iddi hi chwarae rhan llysfam i'r ferch fach.

Daeth yr alwad yn hwyr ar y diwrnod canlynol, a braidd ynghynt na'r disgwyl. Cymerodd Sean ei ferch fach yn ei freichiau, a'i gwasgu'n dynn tuag ato. Cronnai'r dagrau yn llygaid y ddau. Tynnodd Aisling loced fach aur allan o'i phoced, rhodd wrth ei mam ar ei phen-blwydd yn bump oed ydoedd. Er nad oedd yn un drud, roedd yn drysor i'r ferch fach gan fod ei henw wedi ei ysgythru tu mewn iddo. Teimlai dylai ei rhoi i'w thad fel swynogl i argoeli lwc dda iddo. Plygodd yntau lawr i rhoi cyfle iddi ei hongian rownd ei wddf. Prin ffitio ydoedd ond fe wnaeth addo i'w wisgo yn gyson tra roedd i ffwrdd.

Cododd ei fag a'i sach deithio gyda'r nwyddau pwysig y tu mewn, caeodd drws ffrynt y tŷ yn glep ac, heb edrych yn ôl, cerddodd yn gyflym i lawr y llwybr tuag at y fan wen oedd yn aros amdano. Teimlai lygaid Aisling ac Anette yn ei wylio tu cefn i ffenestr ffrynt y cartref a chymerodd ymdrech fawr arno i beidio newid ei feddwl a dychwelyd atynt, cymerodd fwy o ymdrech fyth i beidio edrych 'nôl arnynt a codi ei law unwaith eto.

Ac felly gyda chelwydd ar ei dafod, dialedd ar ei feddwl a hiraeth yn ei galon dringodd mewn i'r fan.

Roedd Sean Nulty ar ei ffordd.

14

Ffeil fach digon tenau oedd ar y ddesg o flaen Morgan i gymharu â'r twmpath o bapur – gwaith yr hen Barchedig Roberts. Daethpwyd o hyd iddi ym mhencadlys Heddlu Gorllewin Cymru ar ôl i Morwenna gadw at ei gair a chwilio ymysg hen archifai eraill.

Enwau Eira Huws a'i rhieni yn llawn; eu cyfeiriad yn llawn; enwau'r heddweision a wnaeth yr ymchwiliadau gwreiddiol; ac enw yr heddwas a arestiwyd Tomos Ebeneser Joshua Ifans, 9 Min y Ddol, Cwmcelyn, Aberteifi oedd ar y dudalen gyntaf. Enw Ditectif Sarjant Bob Preece lawr fel y prif ymchwiliwr a D.C. Keith Francis ei gynorthwyydd o Heddlu Caerfyrddin. Ei henwau nhw oedd ar waelod yr ail ddarn o bapur swyddogol gyda cyffes Twm Ifans, dwy frawddeg yn unig, wedi ei deipio yn daclus a'i gofnod yn flêr arni. Yn swyddogol roedd Twm Ifans wedi cyfaddef i bob dim – torri i mewn i'r cartref, yr ymosodiad ar Eira Huws, y treisio, a'r llofruddiaeth. Popeth yn daclus, pob dim wedi setlo. Dim sôn am unrhyw gyfreithiwr yn bresennol ar unrhyw adeg yn ystod y cwestiynu; dim sôn am unrhyw dyst i'r digwyddiadau; dim sôn am amser cymerodd y digwyddiadau eu lle; dim sôn am unrhyw achos i'r llofruddiaeth erchyll. Cyfleus iawn, teimlai Morgan, wrth weld bod anghyfiawnder llethol yn treiddio drwy'r pob dim – ond roedd anghenion y gyfraith wedi eu cyflawni.

Gan sylweddoli pa mor brysur oedd ei gŵr, trodd Elisabeth

ei sylw at ei gwaith ei hun. Ers i'r ddau etifeddu holl eiddo yr hen Gapten Williams yn gyfan gwbl ar ei farwolaeth bron ddeng mlynedd yn ôl, penderfynwyd mai cyfrifoldeb Elisabeth byddai gwneud yn siŵr fod pob dim yn rhedeg yn daclus o ran trefnu a gosod y gwahanol gartrefi. Byddai gwaith papur a Morgan byth yn cytuno â'i gilydd, roedd yn fyd hollol estron iddo a gwyddai Elisabeth fod hyn yn hollol bwrpasol. Byddai wedi bod yn ddigon hawdd i'r hwch fynd drwy'r siop os na byddent yn cadw trefn ar bethau. Felly trwy ei hymdrechion hi a chydweithrediad ei gŵr, lle roedd angen, llwyddodd y busnes i dyfu yn helaeth wrth iddynt manteisio ar y cyfleoedd. Erbyn hyn roeddent wedi sefydlu cwmni oedd, nid yn unig yn berchen ar dŷ tafarn Y Ffrwd Wen, siop fach y pentref, sawl tŷ gosod o amgylch, ond roeddent hefyd wedi prynu erwau o dir rhwng Pwll Gwyn a Tresaith a'u datblygu. Adeiladwyd dros ddeg ar hugain caban pren i'w rhenti allan fesul wythnos i ymwelwyr oedd am werthfawrogi a mwynhau yr arfordir agored, y traeth euraid, a'r ardal wledig.

Ac roedd y cabanau wedi profi yn lwyddiant mawr. Byddai pobl a theuluoedd o bob cwr o'r wlad yn dod i aros ynddynt. Teuluoedd o ddinasoedd mawrion Lloegr yn ogystal a rhai o'r Alban ac Iwerddon. Cododd calon Elisabeth wrth iddi sylwi bod pob un caban wedi ei gymryd o ganol mis Mai hyd at ganol mis Medi a gwyddai byddai'n rhaid iddi ysgrifennu a gwrthod cais sawl un i fynychu'r safle. Be' fedrai wneud? Gwneud yn siŵr byddai mwy o gabanau yn cael eu adeiladu erbyn blwyddyn nesaf. Wrth gwrs dyna oedd yr ateb,beth arall fedrai fod? Gwenodd yn dawel.

Reit te, roedd hi'n amser iddi gasglu ei chriw o weithwyr at ei gilydd. Ar y dechrau dim ond llond dwrn o helpwyr oedd ganddi i wneud y paratoadau heblaw am hi ei hunan a

Morgan, Morwenna ac Arfon, Sal, Da, a Gwynfor ac un neu ddau arall, ond erbyn heddiw roedd yn cyflogi dros hanner cant o bobol ifanc. Myfyrwyr oedd y mwyafrif, y rhai oedd yn fwy na pharod i ddod i dreulio eu gwyliau Haf yno a chael ei talu am wneud y gwaith oedd yn gymharol hawdd mewn gwirionedd a mwynhau eu oriau hamdden. Ac wrth gwrs byddai hi a Morgan wastad wrth law pe byddai unrhyw argyfwng neu anghydfod yn codi.

Ond os byddai hi'n mynd i'r Eisteddfod Genedlaethol, byddai i ffwrdd am wythnos gyfan ac hynny ar brig y tymor gwyliau. Byddai Morgan yn medru ymdopi â'r sefyllfa, gofynnodd ei hun? Byddai, siŵr Dduw – ond fe fyddai'n rhaid i Sal a Gwynfor bod wrth law i gadw llygad ar y lle hefyd – rhag ofn.

★ ★ ★

Er y swmp o bapurau, doedd na'm byd i brofi fod Twm Ifans yn ddieuog o'r troseddau. Digon o gopïau o lythyron anfonwyd fan hyn a fan draw a'r rhan fwyaf heb ei hateb heblaw am gadarnhad eu bod wedi eu derbyn; sawl tyst i gymeriad da Twm Ifans; un llythyr i neb llai na James Chuter Ede yr Ysgrifenydd Cartref ar y pryd yn pledio ei fod yn ddieuog ac, efallai, mae hyn sicrhaodd mai carchar cafodd yn hytrach na'i hongian; ond doedd na 'm byd i awgrymu mai rhywun arall oedd wedi troseddu.

Felly, gan deimlo na fod unrhyw beth defnyddiol arall ganddynt i ddatgelu, penderfynodd Morgan ddychwelyd yr holl waith i ofal Gwenda Roberts a gwyddai'n iawn beth fyddai ei hymateb hi. Ar y ffordd i Gwmcelyn galwodd heibio i wahodd John Jones i ddod gydag ef.

'Dere miwn, bachan, dere am ddiscled o goffi,' gwenodd ei gyfaill arno.

Cyfarchiad digon haelionus heddiw o leiaf, teimlai, ar ôl eu cyfarfod diwethaf. 'Na, diolch yn fawr iawn i ti ond dwi ar fy ffordd i Gwmcelyn i weld,' arhosodd am eiliad wrth sylwi ar y gweddnewid ar wyneb ei gyfaill, 'Wel, i weld Gwenda Roberts a dychwelyd papurau ei thad iddi. Meddwl, wnes i a fydde ti isio dod am dro. Chat fach a peint, efallai?'

'Na, na, i ddweud y gwir wrthyt dwi wedi addo mynd a Siwsan draw i Gaerfyrddin,' gwrthodwyd y gwahoddiad.

'Iawn, wnâi dy weld ti eto, te.' Teimlai Morgan wastad mae ystyr 'i ddweud y gwir...' oedd 'dwi'n mynd i ddweud celwydd nawr'.

Gyrrodd yn ei flaen ar hyd y ffordd tuag at Abergwaun cyn troi am Gwmcelyn. Rhedai ei fys yn anymwybodol ar hyd y graith ar ei foch – ei arferiad dros y blynyddoedd pan oedd ar goll yn ei feddyliau. Heb sylwi ar brydferthwch y cwm heddiw; heb sylwi ar eraill ar y ffordd gul er fod rhai wedi codi eu llaw arno wrth iddo basio; bron heb sylwi ei fod wedi cyrraedd gyrion y pentref nes bod gwraig yn camu o'i flaen ac yntau yn gorfod gwyro ei gar yn gyflym er mwyn ei hosgoi. Cododd yntau ei law i ymddiheuro. Chwiliodd am Min-y-Ddol, parciodd ei gar yn gyfleus a cherddodd draw tuag at rhif naw – cyn gartref Bronwen Ifans a'i theulu. Roedd pob dim i'w weld yn iawn, pob dim wedi ei gloi – o leiaf, doedd neb wedi amharu ar y lle.

'Helo, 'na,' bloeddiodd llais o'r tu cefn iddo. Trodd i weld Cliff Caib a Rhaw yn sefyll ychydig i fyny'r stryd. 'O, chi sy' na,' sylweddolodd Cliff pwy ydoedd, 'Does na neb miwn... Mae nhw wedi mynd bant,' eglurodd yn amlwg nad oedd yn gwybod beth oedd wedi digwydd i Bronwen a'i thad na pha mor allweddol roedd Morgan wedi bod yn yr holl beth.

'Doeddwn i heb sylweddoli eich bod chi'n gymydog i Twm Ifans,' dywedodd Morgan.

'Odw, odw, diawl, ni i gyd wedi byw o fewn tafliad carreg i'n gilydd,' atebodd Cliff. 'Chi 'ma yn amal y dyddiau ma 'fyd,' ategodd ar ôl seibiant byr, 'Ydych chi'n ymchwilio mewn i bethau? Diawch dwi'n gwbod pwy y'ch chi nawr. Cofio'ch hanes yn y papur rhai blynydde 'nôl. Chi'n...'

'Shwt fath o berson oedd Eira Huws a'i theulu, te?' torrodd Morgan ar ei draws cyn iddo fynd dim pellach.

'I fod yn berffaith onest doeddwn i ddim yn ei hadnabod,' dywedodd yn swil, ''Sdim plant 'da fi a'r wraig, chweld, a dwi ddim yn gapelwr mawr felly, doeddwn i ddim yn ei hadnabod o gwbl hyd yn oed tase hi'n sefyll o 'mlaen i fan hyn.' Cymerodd seibiant am eiliad, gwyddai Morgan fod 'na rhagor i ddod. 'Boi bach digon rhyfedd oedd ei thad hefyd mae'n debyg. Athro da yn ôl pob sôn, ond roeddwn i wastad yn ei weld e'n od; ac am y hi, ei wraig, wel, beth fedrai ddweud? Wnaeth hi erioed setlo lawr yn y pentref. Naddo, naddo, mynd bant bob cyfle fedrai. Testun clonc i sawl un. Wrth gwrs doedd neb ishe beth ddigwyddodd i'r ferch fach, cofiwch, nag iddo fe chwaith. Neb yn galler credu ei fod e wedi digwydd mewn gwirionedd, neb yn credu mai Twm o bob un .....ond, na fe, fe wnaeth gyfadde felly....'

Diolchodd Morgan iddo, cododd ei law, 'Wela i chi,' a gadawodd gan wybod byddai Cliff wedi mynd ymlaen ac ymlaen petai ond wedi cael y cyfle.

Gyrrodd unwaith eto yn araf drwy'r pentre bach a sylweddolai cywirdeb geiriau Cliff Caib a Rhaw – dim ond tafliad carreg oedd bron rhwng un pen o'r pentref gwreiddiol i'r pen arall ar un adeg. Galwodd yn y Mans i ddychwelyd y papurau ond doedd na'm ateb a cofiodd fod Gwenda Roberts yn dal yn ei gwaith. Penderfynodd peidio galw mewn i'r ysgol ond aeth yn ei flaen nes cyrraedd Dan y Graig, er mwyn cael golwg mwy agos ar y lle.

Parciodd ei gar ar draws y ffordd fel o'r blaen, dringodd allan ac edrychodd draw ar y tŷ. Croesodd y ffordd yn araf,

'Fedrai'ch helpi o gwbwl?' torrodd llais merch ar draws y tawelwch. Edrychodd o amgylch a gwelodd wyneb gwraig ifanc yn edrych arno o du cefn i wrych gwyros yn agos i ddrws ffrynt y tŷ.

'O helo, chi yw e',' ategodd wrth iddi ei adnabod a chyn i Morgan ddweud gair. Cododd y ferch o'i chuddfan gyda gwên lydan ar draws ei gwyneb. Gwraig yn ei ugeiniau cynnar tybiai Morgan, gwallt du trwchus a hwnnw'n rhedeg yn wyllt ar draws ei hwyneb llon, dau lygad tywyll disglair a'r wên lydan groesawgar yn rhedeg o glust i glust. Rhywun oedd yn amlwg yn hollol wahanol i'w chymdoges lawr y ffordd. Methai lai na sylwi ei bod yn feichiog ac yn falch o'i chyflwr.

'Alun Morgan, o'n te' fe,' datganiad yn hytrach na chwestiwn.

'Wel, ie,' atebodd Morgan wrth ymdrechi i guddio ei euogrwydd, roedd wedi ei ddal yn sgwlcan – nid fel ei arfer, ac hynny gan rhywun oedd yn ei adnabod.

'Eirian Thomas ydw i,' gwenodd y wraig arno, 'Wel, Eirian Mathews nawr. Roeddwn i yn forwyn briodas i Elisabeth pan wnaethoch chi'ch dau glymu'r cwlwm,' eglurodd heb ddweud gair ei bod wedi ei adnabod o'r graith gas ar ei foch.

'O ie, dwi'n eich cofio, nawr,' gwenodd yntau yn ôl, er, mewn gwirionedd, fach iawn roedd yn cofio am y rhai oedd yn bresennol ar y diwrnod hynny heblaw am un, 'Chi wedi tyfu, braidd,' gwenodd yn ddireidus a chwarddodd y ddau.

'Braidd yn annisgwyl i fod yn onest, roeddwn newydd ddechrau fel prifathrawes yn ysgol y pentre – cyn i hwn ddigwydd,' eglurodd a rhwbiodd ei stumog yn dyner. Derbyniodd ei gwahoddiad i fynd i mewn i'r tŷ am luniaeth ac mewn eiliad eisteddai'r ddau yn y gegin yn mwynhau disied o de a darn o deisen.

'Rydych chi'n ifanc iawn i fod yn brif athrawes,' rhoddodd Morgan lais i'w feddyliau.

'O, dim ond ysgol fach yw hi, dim ond fi ac un athrawes arall sy' na i edrych ar ôl llond dwrn o blant. Efallai mai fi fydd y brif athrawes olaf os fydd yr ysgol yn cael ei chau fel mae pethau yn ysgolion bach y wlad y dyddiau 'ma,' eglurodd Eirian.

'Ie, ond wedi dweud hynny ....'

'O, dwi'n gwbod, dwi wedi bod yn lwcus iawn i gael y swydd – ond 'na fe mae fy ewythr yn Gynghorydd Sir, dylanwad ac ati,' gwenodd yn euog. 'Ac roedd y gyn brif athrawes wedi cael ei rhybudd olaf ar ôl yr holl gwynion wrth y rhieni ond mae honno yn stori arall.'

Ie, yr hen bitsh fel roedd pawb yn ei galw, meddyliodd ond cadwodd ei feddyliau i'w hun.

'Cofiwch, Gwenda Roberts sy nôl 'na eto tra mod i ffwrdd ar famolaeth. Lle mae'r synnwyr yn hwnna, dwi wir ddim yn gwbod,' cymerodd ddracht helaeth o'i the.

Daeth seibiant o dawelwch rhwng y ddau ar ôl iddo ateb lwyth o'i chwestiynau ynglŷn a hanes Elisabeth ac Arfon wrth gwrs. Fel cyn ddisgybl yn Ysgol Ramadeg Llandysul roedd Eirian yn adnabod y ddau.

'Mae gyda chi dŷ crand,' cadarnhaodd Morgan, teimlai bod Eirian wedi bod yn ferch lwcus iawn am un mor ifanc.

'Fe fydd e'n crand unwaith y byddwn ni wedi gorffen gweithio arno. Omri fy ngŵr sydd wedi gwneud rhan fwyaf o'r gwaith – athro yw e hefyd ond yn yr Ysgol Uwchradd. Roedd y tŷ yn wag am flynydde cyn i ni ei brynu. Doedd neb ishe byw yma ar ôl...wel ar ôl i'r hyn ddigwyddodd. Ydych chi'n gwbod hanes y tŷ?'

'Nid fan hyn gafodd....?' dechreuodd Morgan yn ddiniwed.

'Ie, ie, fan hyn cafodd ferch ifanc ei threisio a'i llofruddio, ac hefyd fan hyn wnaeth ei thad grogi ei hunan, felly dim rhyfedd bod neb ishe byw 'ma oes e'? Rwyf i ac Omri yn ddigon twp, chweld.' Gwenodd ar Morgan cyn mynd yn ei blaen. 'Cafodd ei werthu unwaith neu ddwywaith ers y digwyddiadau hynny. Y sôn lleol oedd fod 'na ysbrydion yma, a'i fod yn dŷ anlwcus ac hyd yn oed ei fod yn le melltigedig. Trwy lwc, dw i nag Omri yn ofergoelus ac felly cawsom ni fargen. Wrth gwrs roedd 'na dipyn o waith i wneud ar y lle, fel byddech chi'n disgwyl ond mae Omri yn un sy'n dda â'i ddwylo – pensaer iawn.' Edrychodd o ddifri ar Morgan, cymerodd lwnc o'i the, 'Ond mae nhw'n iawn, chi'n gwbod,' dywedodd yn dawel gan edrych yn sifil arno dros ei chwpan, 'Oes, mae 'na ysbrydion yma.' Gan fod neb yn galw wrth basio'r tŷ, roedd Eirian yn ddigon parod i siarad ac yn falch o gael cwmni, roedd hynny'n amlwg.

'Mae 'na ysbrydion gyda ni i gyd, Eirian, felly peidiwch a phoeni yn ormodol,' cysurodd Morgan hi yn ysgafn gyda gwên lydan ar ei wyneb.

'Na, na wir, nawr, pob hyn a hyn pan mae'n noson gwbwl dawel, a pham ydwyf ar fin mynd i gysgu, rwy'n galler clywed gwichian tawel tu fas i'r ystafell wely, sŵn rhaff yn ymestyn o dan bwyse' yw e ond dim ond fi sy'n ei glywed. Mae'n dod

o'r landin ac os ewch chi mas 'na i weld mae'r lle mor oer â....
â'r....

'Bedd?' awgrymodd Morgan.

'Mor oer â'r 'fridge, wen i'n mynd i ddweud,' atebodd Eirian
cyn gwenu yn hwylus a gwneud i Morgan chwerthin.

'So chi'n fy nghredu i, ydych chi?' gofynnodd Eirian yn
dwyllodrus.

'Nawr te, be 'sy'n gwneud ichi feddwl 'na?' roedd Morgan
yn mwynhau cwmni y ferch ifanc.

'Wel dewch gyda fi am eiliad.' Cododd Eirian o'r bwrdd bach
a'i arwain o'r gegin i'r cyntedd. Fel roedd wedi dyfalu o'r tu
allan roedd 'na ddwy ystafell ffrynt i'r tŷ yn arwain o'r cyntedd
a'u drysau gyferbyn â'u gilydd a'r drws ffrynt rhyngddynt.

'Hon oedd y Rwm Fflags,' cyfeiriodd at un o'r drysau, 'Yn
yr hen ddyddiau, roedd hi'n arfer arwain i'r gegin nes ein bod
ni yn ei throi yn lolfa, blocio'r drws i'r gegin a'i gwneud yn un
ystafell. Ond.....' edrychodd Eirian yn syn arno.

'Ond?' cododd Morgan ei aeliau.

'Wel, cerwch chi gynta,' atebodd Eirian yn gyfriniol gan
estyn ei llaw tuag at y drws. Cerddodd i mewn i'r ystafell, ar
un pen roedd ffenestr bae fawr a edrychai allan i'r ardd ffrynt.
Llifai golau'r haul yn gryf trwyddi ond, er hynny, teimlai'r
ystafell yn oer. Teimlai Morgan ias oer, rhyfedd. Trodd ar
fin dweud rhywbeth am foethusrwydd yr ystafell ac i dorri'r
awyrgylch ond trawyd yn fud, safodd yn stond, methai
gymryd cam ymhellach.

'Chi'n ei weld e hefyd, on 'dych chi?' Clywai sibrwd Eirian
y tu cefn iddo, clywodd y cwestiwn, roedd ei geg yn sych, yn
rhy sych iddo ei hateb, amneidiodd ei ben.

Edrychodd ar y llawr, ac ar y carped wrth yr aelwyd gwelai
gysgod du, cysgod tywyll ar y carped golau; cysgod tebyg

iawn i amlinelliad corff – corff merch yn gorwedd ar ei hochr a'i gwallt hir yn ymledu ar draws y lle tân caregog.

Cymerodd seibiant cyn camu ymhellach i mewn i'r ystafell ond wrth iddo nesáu ato diflannai'r drychiolaeth yn raddol nes bod dim ar ôl, dim byd ond lle tân carreg lwyd y Preseli a charped brown golau. Edrychodd yn graff ar y llawr, edrychodd ar y ffenestr i chwilio am rhywbeth byddai'n egluro'r ffenomenon, coeden arbennig, neu clawdd, neu llwyn wedi tyfu'n wyllt– ond doedd na ddim i'w weld. Edrychodd lawr ar y llawr eto cyn ysgwyd ei hunan a throi tuag at Eirian.

'Nid pob un sy'n ei weld e,' eglurodd hithau mewn llais bach tawel. 'Dyw Omri na'r teulu yn ei weld e ond dwi yn ei weld e'n glir, ac mae'n amlwg eich bod chi'n ei weld e hefyd. Nawr, falle mae rhyw dric o'r goleuni yw e, cysgod rhywbeth o'r tu fas, ond dwi'n ffyddiog mae ysbryd Eira Huws yw e, hi sy'n gorwedd fan hyn yn hytrach nag yn y fynwent.'

Edrychodd Morgan ar Eirian a gwelodd mae nid cellwair rhedai trwy ei llygaid mwyach.

15

'Felly, mae Siwsan yn mynd i drefnu pob dim, ond dy' Dorothy ddim yn sicr a bydd hi yn medru aros am yr wythnos gan ei bod hi'n mis Awst, ac felly roeddwn i'n meddwl byddai'n gyfle i Morwenna ac Anwen cael tipyn o wyliau. Be' wyt ti'n feddwl?'

Siaradai Elisabeth at gefn Morgan. Safai yntau ar y clogwyn ar waelod gardd gefn garegog Awel Deg a chymerodd y mantais o'r eiliad i ddweud wrtho am eu chynlluniau dros yr Haf.

'Mm, ie yn iawn, cariad bach,' atebodd yntau heb droi rownd ac yn amlwg heb dalu lawer o sylw i beth oedd ganddi i ddweud wrtho.

'Felly fyddi di 'n iawn ar dy ben dy hunan am wythnos?'

'Mm, ddim problem, popeth yn iawn,' atebodd ac yn dal ynghlwm yn ei feddyliau ei hun.

'Reit, wel dwi'n mynd i weld Siwsan nawr, fedrai gytuno i'r cynllun felly,' rhwymodd ei breichiau o'i amgylch a rhoi clamp o gusan ar ei gefn cyn cerdded i ffwrdd tuag at ei char a gyrru ymaith. Gwyddai fod ei feddyliau rhywle arall a gwyddai'n well na cheisio cael unrhyw synnwyr allan o honno pan oedd e fel hyn – ond o leiaf roedd wedi dweud wrtho p'un oedd e'n gwrando ai peidio!

Er bod diwrnod cyfan wedi mynd heibio ers iddo fod yn Dan-y-Graig gyda Eirian Mathews, methai'n lan a chael y drychiolaeth allan o'i feddwl. Gwelai yr amlinell dywyll yn y lolfa o hyd, cysgod y gwallt ar hyd aelwyd y tân a geiriau proffwydol Eirian cyn iddo adael. Ai gweld pethau dychmygol ydoedd? Ei ymennydd yn chwarae tric arno? Achos Twm Ifans yn creu pwysedd anarferol ar ei feddwl ac yn amharu ar ei synnwyr cyffredin?

'Paid bod mor dwp, Morgan, cysgod o'r ffenest oedd e,' trïodd synhwyro ei feddyliau a chysuro ei hunan gan gau ei feddwl i'r peth wrth iddo edrych lawr ar y môr glas yn ymestyn tua'r gorwel. Nawr te, beth oedd Elisabeth wedi bod yn sôn amdano? Sylweddolai nad oedd wedi bod yn gwrando ar ei wraig er y teimlai ei bod wedi dweud rhywbeth pwysig wrtho. Beth yn y byd oedd e? Rhywbeth am fod ar ei ben ei hunan? Ond pam? O. ie, wrth gwrs yr Eisteddfod – ond roedd yn gwbod am hyn yn barod.

Ond pam oedd Eira Huws wedi bod adre ar ei phen ei hunan?

Merch wedi ei threisio yn ei chartref – ac hynny gan ddyn dros ei hanner cant? Pam?

Pa fath o berson oedd Eira Huws, tybed?

Gwaed? Doedd dim sôn am waed yn yr adroddiad. Pam?

Pam cyhuddo, arestio, a condemnio Twm Ifans mor sydyn? Pam mor gyflym heb ymchwilio pethau ymhellach? Cyffes? Cyffes pwy? Cyffes Twm Ifans?

Pam Caerfyrddin; pam Gaer? Pam? Pam? Pam?

Teimlai Morgan y cwestiynau yn cynyddu, ac yntau heb ateb i'r un ohonynt.

Dychwelodd y drychiolaeth i'w feddwl, 'Beth wyt ti'n ceisio dweud wrthai, Eira, beth yw dy neges a tithau yn dy fedd?

* * *

Deffrowyd Twm Ifans yn sydyn heb wybod pam. Ni gofiai chwaith pa hunllef roedd wedi dioddef y tro yma wrth gysgu yn ei gadair freichiau yn ymyl y lle tân. Rhedai wahanol freuddwydion tywyll yn gyson trwy ei feddwl ac erbyn hyn rhedai un i mewn i'r llall. Edrychodd o'i amgylch. Dechreuodd ddrysu. Doedd dim byd yn gyfarwydd yn yr ystafell lle'r eisteddai. Lolfa, ie, ond nid ei lolfa ef oedd hon. Nid lolfa ei gartref ef a'i wraig oedd hon.

Ble oedd y seld fawr? Ble oedd y lle tân, y grât a'r ffwrn, ble oedd y tegell oedd wastad yn berwi? Ble oedd Myfi, tybed?

Gwyddai ei bod yn brynhawn, gwyddai byddai ei ferch fach adre o'r ysgol cyn hir. Cododd i fyny, edrychodd o'i amgylch eto, na, doedd dim byd yn gyfarwydd iddo. Edrychodd allan drwy'r ffenest – nid ei ardd fach ef oedd hon. Ble yn y byd ydoedd?

Cerddodd o'i amgylch o wal i wal ar hyd yr ystafell. Gwelodd y bwrdd bwyta. Rhywle yn ei feddwl cofiai wraig ifanc yn eistedd gyferbyn ag ef wrth y bwrdd. Gwraig ifanc oedd yn ei atgofio o Myfi, ei wraig. Na, nid Myfi ond rhywbeth yn ddigon tebyg iddi, hefyd. Cofiai ei llais tyner, clywodd eto y geiriau: 'Bronwen ydw i, Dada.' Atseiniai'r geiriau yn ei ben.

Daeth at ddrws, a'i agor. Cymerodd gam pwyllog dros y trothwy. Tarodd yr awel ei wyneb, teimlodd y gwynt yn chwythu yn ysgafn trwy ei wallt tenau. Gwyntiai'r halen yn yr aer, clywai'r tonnau yn torri ar y traeth, a camodd yn araf tuag atynt. Er nad oedd yn siŵr lle'r ydoedd teimlai fod yna rhywbeth cyfarwydd am y lle. Oedd e wedi bod yma rhywbryd o'r blaen? Cerddodd ar hyd y llwybr nes cyrraedd y traeth, traeth diogel, traeth croesawgar. Aeth yn ofalus dros y cregyn mân bychain nes iddo deimlo'r tywod yn feddal o dan ei esgud. Teimlai'n rhydd. Torrodd wên ar draws ei wyneb, teimlai'r haul unwaith eto ar ei dalcen.

Gwelai Morgan y dyn yn cerdded yn rhyfedd ar draws y traeth tuag at Carreg y Fuwch a'r rhaeadr fach ymhellach draw. Er mai o'r tu cefn y'i gwelwyd, adnabuwyd ef yn syth. Rhedodd yn gyflym allan o'r tŷ i fynd i gyfarfod â Twm Ifans a'i arbed rhag crwydro yn rhy bell a gwneud niwed i'w hun. Gwyddai doedd na'm pwynt iddo weiddi ar ei ôl ac felly rhedodd ar draws y tywod nes ei gyrraedd a chyd – gerddodd wrth ei ochr.

'Shwt mae heddi,' cyfarchodd yn ddigon naturiol ond cafodd ei anwybyddu yn llwyr;

'Diwrnod bach eitha' neis,' ceisiodd eto ond yr un ymateb cafodd a'r tro nesa', a'r tro nesa', nes ar y bumed tro stopiodd Twm Ifans yn stond. Edrychodd yn wylaidd ar Morgan, y dychryn yn glir yn ei lygaid,

'Nid fi wnaeth e,' dywedodd yn dawel.

'Na, dwi'n gwbod, Twm,' atebodd Morgan gan gymryd ei fraich a'i arwain draw i eistedd yn ddiogel ar Garreg y Fuwch. Crynai Twm Ifans mewn ofn. Cydiodd Morgan yn ei law esgyrnog ddi-nerth, 'Rwyf o'ch plaid chi, Twm, dwi ddim yn credu mai chi wnaeth e chwaith ond dwi angen eich help chi, chi'n deall?'

Edrychodd Twm ar Morgan, daliodd ei lygad, 'O'r diwedd,' ochneidiodd, 'O'r diwedd,' ategodd yn flinedig, cyn iddo dechrau crio yn dawel bach.

16

Codai ddrewdod y pysgod gyfog arno. Methai credu bod y pedwar morwr ar y llong fach yn medru gwneud eu gwaith o gwbwl yng nghanol y bydredd ofnadwy, ac yn enwedig gan fod y môr mor arw wrth i wynt oer y gogledd gryfhau. Teimlai Sean y cyfog yn cyrraedd cefn ei geg. Doedd erioed wedi bod yn forwr da hyd yn oed ar y llongau mawrion neu'r fferi a groesai o'r Iwerddon i Brydain heb sôn am long fach pysgota fel hon. Llong pysgota? Waeth ei galw yn gwch rhwyfo efo caban bach ag injan.

Arferai groesi i Brydain wrth iddo ddilyn ymdrechion tîm rygbi'r Iwerddon ac wedi ymweld a'r Barc yr Arfau yng Nghaerdydd ddwy waith, Twickenham yn Llundain un waith, ac hefyd Murrayfield yn yr Alban ar dro arall pan wnaeth rhewi hyd at mêr ei esgyrn. Ond rhesymau eraill oedd wedi ei annog i groesi draw ar adegau eraill ac hynny ar wahanol fferïau. Nid dilyn y gêm ydoedd pryd hynny ond dilyn gorchmynion arweinwyr yr IRA. Rheolau gwbwl gwahanol oedd pryd hynny wrth iddo osgoi Twickenham a mynd i ddau gyfeiriad arall yn Llundain. Dros flwyddyn llawn ers iddo blannu'r bomiau yn dawel bach yn y brif ddinas a chilio 'nôl i'r Iwerddon heb aros i weld y difrod a achoswyd.

Byrlymai'r tonnau o'i amgylch a chafodd y llong fach ei thaflu fan hyn a fan draw wrth iddi gael ei chodi a'i gostwng yn llygad y storom. Cafodd orchymyn i gasglu ei bethau wrth i arfordir gorllewin Cymru agosáu, ond a'r nos fel y fagddu o'i amgylch methai weld unrhyw arwydd ohoni. Arweiniwyd ef i gefn y llong ac o dan golau gwan iawn gostyngwyd ef lawr i gwch rhwyfo, un oedd lawer mwy bregus na'r llong. Rhwyfwyd y ddau forwr am eu bywydau nes o'r diwedd gwelai Sean olau clir yn fflachio ymhell o'i flaen – o leiaf roedd yna rhywun yno i'w gyfarfod ac yn arwyddo yn ofalus o'r tir. Prysurodd y ddau arall i rwyfo'n fwy nerthol fyth dros y tonnau.

Yn hwyrach na'r disgwyl teimlai Sean dir meddal o dan ei draed er ei fod ymhell o'r lan a dŵr y môr yn cyrraedd hyd at ei bengliniau. Bu bron iddo gwmpo ar ei hyd wrth iddo gario ei fagiau uwch ei ben heb ddim help, ond, or diwedd, teimlodd ryddhad wrth i'w draed gyffwrdd y cerrig bach a chregyn mân y traeth. Daeth dau ddyn i'w gyfarfod – y ddau ag acen Gwyddeleg yn dew ar ei tafodau.

'Croeso,' dywedodd un, 'Rwyt ti'n hwyr,' dywedodd y llall.

Trodd Sean i ffarwelio â'r ddau forwr arall â'u cwch bach ond roeddent wedi diflannu i'r tywyllwch. Doedd na'm sôn nac arwydd bod unrhyw gwch na llong fach pysgota wedi bod yn agos i'r lle. Ar noson fel hon doedd dim byd yn bodoli ar y traeth anghysbell – dim ond sŵn y gwynt a'r tonnau.

Dilynodd Sean y ddau ddyn at eu car, cymerodd lwnc o'r ddiod allan o'r fflasg fach cafodd ei gynnig ganddynt ac eisteddodd yn ôl ar y sêt gefn gyffyrddus i fwynhau gweddill ei siwrne heb unrhyw syniad ble oedd pen y daith. Er yn anghyffyrddus yn ei ddillad gwlyb, caeodd ei lygaid a cwmpodd i gysgu mewn chwinciad.

Ni wyddai ble'r oedd pan stopiodd y car ar ôl iddo gysgu yn drwm ar hyd yr holl siwrne. Doedd heb sylweddoli ei fod wedi blino sut gymaint ar ôl ei fordaith ac erbyn iddo ddeffro roedd wedi colli pob synnwyr o amser a chyfeiriad. Dringodd allan o'r car, cymerodd ei fagiau, arweiniwyd ef i mewn i'r tŷ ac i fyny'r grisiau ac i mewn i ystafell wely. Gwelai'r gwely dwbl yn ei wahodd ac heb dynnu ei ddillad brwnt i ffwrdd cwmpodd arno ac aeth yn ôl i gysgu ar unwaith.

Aeth sawl awr heibio cyn iddo ail agor ei lygaid yn araf a synhwyro ar y tawelwch marwol o'i amgylch. Dim unhyw sŵn cyfarwydd i'w glywed; dim sŵn cerbydau arferol o'r ffordd tu allan i'r tŷ; dim cŵn yn cyfarth yn un man; dim sŵn unrhyw un yn siarad na gweiddi – a dim hyd yn oed sŵn Aisling yn canu yn ei hystafell. Edrychodd o'i amgylch, roedd pob dim yn estron iddo. Yn araf bach dechreuodd gofio ymhle yr ydoedd. Cododd yn dawel â'i bledren yn gwasgu ac aeth i chwilio am ystafell ymolchi neu toiled. Roedd pedwar drws arall yn arwain o ben y grisiau, trïodd agor dau ohonynt ond roeddent wedi eu cloi, agorodd y trydydd a daeth o hyd i'r ystafell ymolchi. Tynnodd ei ddillad i ffwrdd, roeddent yn drewi o bydredd pysgod a dŵr y môr, cafodd ymolchiad llawn o'r diwedd. Teimlai lawer gwell wrth ddychwelyd i'w ystafell yn gwbwl noeth ond yn barod i wynebu'r dydd.

'Bore da,' cyfarchwyd ef pan aeth lawr y grisiau. Safai gwraig dal, gymharol ifanc o'i flaen. Gwisgai jîns glas a chrys T gwyn, y ddau beth yn dangos ei ffigwr siapus i'r eithaf, 'Chi wedi deffro o'r diwedd.' Dywedodd ac acen de Cymru yn amlwg yn ei llais.

Gwyddai Sean yn well na gofyn pwy oedd hi. Os nad oeddech yn adnabod eich cyd-ddyn yn yr IRA roedd yn well peidio gofyn – roedd yn ddigon i wybod ei bod yn rhan o'r drefn. Derbyniodd y ddisied o de cryf ac eisteddodd wrth y bwrdd i ymosod ar y plataid helaeth o fwyd oedd o'i flaen. Doedd heb sylweddoli faint o newyn oedd arno. Bwytodd pob tamaid o'r bacwn ar wyau, y selsig a'r madarch, y tatws a'r bara wedi ffrio, a'r tost a marmaled, byddai wedi bod yn ddigon parod i ymosod ar blâtiaid arall o'r brecwast pe bai ond yn cael ei gynnig. Peidiodd ddweud gair wrth y wraig er ei fod yn ymwybodol o'i hagosrwydd, a'i phersawr treiddiai ei ffroenau ac yn dal ei sylw. Er weithiaf ei ymdrechion i'w hosgoi, mynnai'r wraig aros wth ei ymyl a siarad am hyn ar llall er fod Sean yn cael hi'n anodd deall pob dim gan nad oedd wedi cyfarwyddo â'r acen. Un peth oedd yn amlwg o'r dechrau – roedd hon yn berson unig iawn. Trodd yntau ei feddyliau am adref ac at Aisling, hiraethai amdani yn barod.

* * *

Ar y bore hynny syllai Bronwen ar y môr tawel. Gorweddai'r dwr fel llyn las heddiw ar ôl y storom y noswaith gynt, rhyfedd shwt oedd pethau'n newid mor gyflym. Oedd, roedd ei bywyd llwm hithau wedi bod fel storom dros y blynyddoedd ond nawr, o'r diwedd, roedd wedi cael ail afael ynddo a theimlai fod yna strwythur newydd iddo.

Er bod ei thad wedi blino'n lân erbyn iddi orffen ei gwaith a dychwelyd i'r tŷ dros dro ar y noson gynt, roedd wedi bwyta llond plataid o fwyd ac yn traethi mlân am rhyw gyfaill newydd roedd wedi cyfarfod ar y traeth. Rhyw ddyn oedd wedi gwrando arno ac yn ei gredu; rhywun oedd wedi dod i'r tŷ ac wedi gwneud disied o de iddo; rhywun oedd wedi eistedd ganddo o flaen y tân trydan a siarad, a siarad, a siarad. Ond pan ofynnodd Bronwen iddo pwy oedd y dyn arbennig yma doedd ganddo'm syniad, nag am beth y buont yn siarad. Teimlai Bronwen mai yn ei ddychymyg yr oedd y dyn rhyfedd yma yn bodoli yn anffodus. Ond os oedd yn bodoli yn iawn pwy ydoedd, a pa hawl oedd ganddo i ddod i mewn i gartref hi a'i thad? Gwyddai byddai ei thad ar brydiau yn dychmygu fod ei mam yn sefyll o'i flaen ac yn sgwrsio gyda hi yn ddistaw bach. Ar brydiau eraill byddai'n ail fyw darnau o'i ieuenctid ac yn siarad â'r ffrindiau roedd wedi tyfu i fyny efo ond teimlai nad oedd ei thad yn ei chofio – ac hynny oedd yn torri ei chalon.

'Hen graith gas yn rhedeg lawr ochr ei wyneb e,' sibrydodd Twm Ifans yn gyfrinachol wrth iddi fynd mewn i'w ystafell wely i droi'r golau i ffwrdd y noson hynny. Cododd y geiriau ei chalon, gwyddai'n iawn pwy oedd ffrind newydd ei thad.

* * *

Doedd na'm gwahaniaeth sut edrychai Morgan ar yr achos o'i flaen, fach iawn wnaeth synnwyr iddo ac yntau wedi archwilio achosion tebyg ar hyd ei yrfa. Creu mwy o rhwystredigaeth yn unig gwnaeth y gwahanol straeon clywai wrth fynd o amgylch; roedd yna wahanol sylwadau am hwn a hon; daeth ar draws gwahanol atgofion oddi wrth rhai o drigolion Gwmcelyn a rhain bron i gyd ym mhapurau Goronwy Roberts – ond yno hefyd roedd 'na anghysondeb llwyr. Gorffen yn sydyn iawn gwnaethant hwythau hefyd yn union fel pe bai yr hen weinidog wedi cael hen ddigon ar yr holl beth – neu sylweddoli ei fod wedi colli'r frwydr.

Ond am y ffeil swyddogol o'r heddlu! Waeth iddi fod yn wag.

Cysylltodd â J-J ei gyn gydweithiwr yn Sgotland Iard i weld a oedd unrhyw gofnod am y drosedd yn yr archif fawr yn Llundain ond, heblaw am sgwrs gyfeillgar a dal i fyny â'r newyddion diweddaraf, roedd hwnnw wedi dychwelyd â'i ddwylo'n wag. Am ryw reswm anesboniadwy, doedd na'm cofnod o gwbwl o'r achos fel y dylai fod. O leiaf cytunwyd y ddau i'w gweld ei gilydd pan fyddai Gwenda, ei wraig, ac yntau yn dod lawr am ei gwyliau i'w tŷ haf ger Aberystwyth yn ystod y mis nesaf.

Trodd Alun at Elisabeth, 'Dim ond dau beth sy'n bendant yn yr achos yma: yn bendant mae Twm Ifans wedi dioddef dros ugain mlynedd mewn carchar; ac yn bendant mae Eira Huws yn ei bedd.

'Pam na wnei di ffonio Pancws?' awgrymodd Elisabeth wrtho.

Pancws! Wrth gwrs ei hen ffrind ysgol. Ei was priodas deng mlynedd yn ôl. Yr unig un oedd yn dal i'w alw yn Mogs, ei ffugenw o'i blentyndod. Pancws a arferai ddod a phecyn o grempog i'r ysgol yn Aberteifi bob dydd, lloches wrth ei fam i wneud yn siŵr na fyddai ei phlentyn bach yn llwgu – a hithau heb sylweddoli nad oedd e yn hoff iawn ohonynt, ac yntau, gyda gormod o barch tuag ati i ddweud dim ac yn rhannu y melysfwyd rhwng ei ffrindiau. Mynnai Pancws mai dyna sut daeth Morgan ac Elisabeth at eu gilydd yn gyntaf oll – y ddau mor hoff o'r bwyd blasus er fod bechgyn a merched ddim i fod cymysgu â'i gilydd y dyddiau hynny.

Eric Llewelyn Thomas, prif ohebydd papur lleol Aberteifi a'r cylch ydoedd Pancws pan wnaeth ail gyfarfod ag El ac Al fel y mynnai alw'r ddau, ond ar ôl iddo gyhoeddi ei erthygl unigryw am Alun Morgan a'r frwydr yn erbyn lluoedd dieflig Is-fyd Llundain yn y papur lleol roedd sawl un o'r papurau mawrion wedi talu sylw i'w waith, ac, erbyn heddiw roedd yn un o brif weinyddwyr BBC Cymru yng Nghaerdydd.

'Mogs, diawl shwt wyt ti?' cododd ei ysbryd wrth adnabod llais Morgan.

Sylweddolai Morgan bod y ddau wedi colli cysylltiad â'i

gilydd eto dros y sawl blwyddyn ddiweddar felly cymerodd y ddau amser i ddal lan a'r bethau.

'Nawr te, beth gallai wneud i ti?' gofynnodd Pancws o'r diwedd.

Eglurodd Morgan ei broblem ynglŷn a Twm Ifans ac Eira Huws.

'Ydw, dwi'n cofio'r digwyddiad yn iawn, ond, yn anffodus, newydd ddechrau fel newyddiadurwr llawn amser oeddwn i ar y pryd. Y boi ti ishe siarad gyda yw'r hen Den. Denzil Harries – Duw! dyna i ti newyddiadurwr! Doedd na'm byd yn mynd ymlaen heb fod yr hen Den yn gwybod amdano. Dwy'n siŵr mae fe oedd yn dilyn yr achos. Ffonia fe. Aros eiliad mae ei rif e'n dal 'da fi fan hyn rhywle.'

Medrai Elisabeth ddim osgoi y wên lydan pan gerddodd Morgan mewn i'r gegin a rhoi clamp o gusan ar ei gwefusau. Ond cyn eistedd lawr i fwynhau disied o de cryf, clywodd y ffôn yn canu eto, rhegodd yn dawel ac aeth i'w ateb.

17

'*Fifty Eight?*' bloeddiai llais uchel y Sais lawr y lein. Doedd Morgan byth yn disgwyl galwad ffôn wrth hwn ond adnabu'r llais ar unwaith.

'*Thirty Seven,*' atebodd i gadarnhau y côd ac i ddangos mae ef oedd yno i dderbyn yr alwad. Gwyddai byddai hyn yn ymddangos yn rhyfedd pe bai unrhyw un yn digwydd clywed ond fel aelod, er nad oedd yn un blaenllaw mwyach, o'r gwasanaeth cudd gwyddai Morgan ei bod yn angenrheidiol iddo ddilyn rheolai'r system – chwarae plant neu beidio, roedd y tâl yn dda.

'*Been a bit of an incident, Fifty Eight,*' roedd peth amser ers i unrhyw un o MI5 gysylltu ag e ond cofiai'n iawn y berthynas ofnadwy rhyngddo ef a Gainlaw, cyn bennaeth yr adran arbennig o'r gwasanaeth gynt. O leiaf, roedd Hopkinson, neu Thirty Seven fel y mynnai cael ei alw pan oedd ar ddyletswydd, yn gymeriad hollol wahanol ac i weld yn drylwyr ac yn onest yn ei waith – er ei fod braidd yn frysiog.

'*Fishing boat went aground last night in the storm. Hell of a mess. Crew of four; two drowned, two survived – badly injured. Irish. Been to the valleys.*'

'*Valleys?*'

'*Strange, yes, been fishing off the valleys I gather. I always thought the Valleys were inland.*'

'They are,' doedd Morgan yn methu gwneud synnwyr o'r neges.

'You live near them don't you?'

'About a hundred miles away,' oedd amcangyfrif Morgan er nad oedd yn rhy siŵr.

'Near enough. Now Cwm is Valley isn't it? I remember someone telling me. Rhonda Valley – Cwm Rhonda great rugby song....quite heartening to hear it being sung at Twickenham.'

'Even better at The Arms Park but yes, Cwm is Valley but it's nowhere near the coast.'

'How strange, well go and have a scout round this Tidy Valley,' gorchmynodd Hopkinson.

'Where?'

'Tidy Valley, hang on let me have a decco, yes that's it Tidy Valley or Cwm Tidy in Welsh.'

Bu bron i Morgan chwerthin yn uchel wrth sylweddoli y camgymeriad, 'I think they meant Cwm Tydu, Thirty Seven,' gan lefaru yr enw yn gywir.

'Good to know you know it – whatever it's called. Go and have a scout round, don't like damned Irish fishing boats coming close to our coastline – never know who or what they're carrying. Report back, Fifty Eight. Out.'

Clywodd Morgan y lein yn diffodd ar y pen arall cyn iddo gael y cyfle i ffarwelio. Rhoddodd y derbynnydd yn ôl ar y crud, teimlai fel mynd i rannu'r difyrrwch gyda Elisabeth – ond na, rhywbryd arall, efallai, doedd Elisabeth ddim yn gwbod llawer am waith cudd ei gŵr. Yn anffodus byddai mynd i Gwmtydu yn golygu gohirio yr alwad ffôn i Denzil Harries.

Damnia !

* * *

'Ond fe fyddai'n hwyl i'r ddwy ohonom ni i weld ein gilydd unwaith eto, cyfle i ddal i fyny, dwyt ti ddim yn meddwl?'

Mor frwdfrydig oedd ei hen ffrind, methai Anette wrthod y cynnig. Ers i'w ffrind gorau, Cara, briodi a symud i fyw i gartref ei gŵr yn y Wyddgrug yng Ngogledd Cymru doedd Anette heb cael cyfle i'w gweld, ac heblaw am ambell i alwad ffôn roedd eu cysylltiad bron a thorri yn gyfan gwbwl.

'Efallai fyddai'n dal i edrych ar ôl Aisling,' dechreuodd Anette egluro.

'Paid a phoeni am 'na,' torrodd Cara ar ei thraws, 'Tyrd â hi gyda ti, fel ti'n gwbod rwy'n fam i ddau o blant o briodas gyntaf Brian ac mi wna i'n siŵr fydd na ddigonedd o ffrindiau newydd iddi chwarae gyda.'

Roedd Anette wedi anghofio'n llwyr am blant gŵr ei ffrind ar ôl i'w wraig gyntaf farw yn sydyn. Felly, cytunwyd y trefniadau rhwng a ddwy. Byddai Anette yn mynd i dreulio pythefnos o'r Haf gyda'i hen ffrind yng Nghymru. Gwnaeth gofnod o'r dyddiadau ac atgofio ei hun i ofyn am fodolaeth pasbort i Aisling pan fyddai Sean yn ei ffonio fel y byddai'n siŵr o wneud yn fuan.

* * *

Cerddai Morgan ar hyd traeth caregog Cwmtydu wrth iddo chwilio a chwilio am unrhyw arwydd fod cwch wedi landio yno yn ddiweddar. Lleoliad oedd yn teimlo byddai'n addas iawn i unrhyw un mewnforio unrhyw beth anghyfreithlon fel arfau neu gyffuriau yn enwedig yn ystod y dyddiau pan oedd yna si am gysylltiad rhwng yr IRA a'r FWA (Free Wales Army). Erbyn heddiw roedd Byddin Rhyddhau Cymru wedi rhoi terfyn ar ei gweithgareddau a'i bygythiadau. Cofiai

Morgan ei fod wedi bod yn flaenllaw, trwy ei waith cudd, yn y frwydr yn erbyn y fyddin anghyfreithlon a ddaeth i rym yn y Llys yn Abertawe tair blynedd ynghynt. Ni wyddai neb am ei gyfraniad – dim hyd yn oed Elisabeth. Na, er y teimlai Morgan fod Cwmtydu yn gildraeth addas i bob math o ddigwyddiadau anweddus yn y gorffennol, roedd yn anodd credu bod y lle yn dal i gael ei ddefnyddio am y fath weithgareddau. Ond dyna'n union pam y teimlai yn reddfol fod rhywbeth o'r fath wedi digwydd yma yn ddiweddar. Ac yna yn sydyn, ac hynny pan oedd ar fin rhoi fyny ar ei ymchwiliad, gwelodd rhywbeth yn disgleirio ymysg y cregyn mân a'r cerrig wrth y lan. Plygodd lawr a gwelodd mai loced fach aur oedd yno yn chwincian arno fel pe bai isio cael ei ddarganfod. Plygodd ymhellach, cododd hi i fyny yn ei law gan sylwi bod y gadwyn bregus wedi torri.

Edrychodd yn fanwl ar y trysor bach. Teimlai mai un rhad ydoedd o rhan pris ond yn siŵr o fod yn werthfawr iawn i bwy bynnag oedd yn ei pherchen. Agorodd y galon fach yn ofalus â'i fysedd a gwelodd yr enw ar y tu mewn. Caeodd y ddwy hanner a'i rhoi yn ofalus yn ei boced ac aeth yn ôl i Bwll Gwyn.

* * *

'John,' eisteddai Siwsan gyferbyn a'i gŵr, y ddau yn mwynhau ei coffi un ar-ddeg boreol wrth fwrdd y gegin. Hen bryd iddi ddweud wrtho am ei chynlluniau pendant dros yr haf. 'Ni wedi penderfynu mynd i'r Eisteddfod Genedlaethol,' dywedodd yn blwmp ac yn blaen.

'Neis iawn,' atebodd yntau, 'Mae'n ddigon agos eleni.'

Nid dyna'r ymateb roedd wedi disgwyl clywed mewn gwirionedd ond cyn iddi ymhelaethu cymerodd lwnc arall o'i choffi.

'A pwy yw ni, te?' holodd John Jones.

Daliodd ei lygad, 'Fi, ac Elisabeth, a Dorothy,' atebodd.

'O! Na 'fe, te, neis iawn,' cytunodd, yn falch nad oedd ei wraig yn disgwyl iddo fe fynd gyda hi, 'Pa ddiwrnod byddwch chi'n mynd, te?'

Ha!, meddyliodd Siwsan, dyna pam oedd ei ymateb e wedi bod mor hamddenol. Cymerodd lwnc arall o'r hylif, dechreuodd astudio ei chwpan er mwyn osgoi dal ei lygad ac mewn un anadl gyflym dywedodd, 'Ni'n mynd i fynd am yr wythnos gyfan ac yn mynd i aros mewn carafán ac fe fydd hynny'n golygu y byddi di adre ar ben dy hunan.' Fu bron iddi ategu bod Tom Jones yn mynd i fod yno rhywbryd hefyd ond caeodd ei cheg a chododd ei golwg i ddisgwyl am ei ymateb.

'Faint o ddewis sy' 'da fi?' gofynnodd yn wên o glust i glust.

'Dim,' gwenodd Siwsan yn ôl arno gan ddal ei lygad unwaith eto.

'Iawn te,' nodiodd.

'Ie, ond wyt ti'n 'nabod rhywun sy'n berchen carafán?' gofynnodd yn swil.

18

Llai nag wythnos ers iddo gyrraedd Cymru a theimlai Sean hiraeth llethol, hiraeth am ei gartref, hiraeth am ei wlad, ond yn fwy na dim hiraeth am gwmni Aisling, ei ferch fach. Hiraethai am glywed ei llais swynol yn canu a'i chwerthiniad cyfarwydd wrth iddi chwarae yn hapus tu allan i'r sied ar ben ei hunan bach fel arfer.

Doedd Sean erioed wedi bod yn un am ddatblygu perthynas agos a chymysgu gyda'i gyfoedion na'i gydweithwyr. Unig fab i fam ddibriod yn Nilyn a chael ei godi a'i fagu mewn cartref plant amddifad oedd hanes ei ieuenctid, a'r cartref Catholig hynny yn llawn creulondeb a cham-driniaeth. Dysgodd yn ifanc iawn i sefyll i fyny dros ei hunan ac i wrthsefyll a goroesi anawsterau bywyd.

Pan oedd ond yn ifanc gorfodwyd ef i fynd i weithio mewn ffatri oedd yn cydosod peiriannau mecanyddol a thrydanol ac yno wnaeth ddysgu ei grefft a'i ddawn gyda'i ddwylo. Sylwodd ei feistri ar ei ddoniau arbennig ac enillodd gymeradwyaeth am ei waith a'i frwdfrydedd. Ei unig ffrind oedd Sinead, y ferch ifanc byddai'n dosbarthu lluniaeth i'r gweithwyr ar lawr y ffatri. Byddai Sinead wastad yn gyfeillgar tuag ato, wastad yn barod i dreulio fwy o amser yn siarad gydag ef, wastad yn hapus yn ei gwmni. Plentyn amddifad oedd hithau hefyd a'i chefndir yn debyg iawn i'w un ef. Er ei bod yn iau nag ef, tyfodd y ddau yn agos at ei gilydd. Er yn swil tyfodd y cyfeillgarwch yn gariad wrth i'r ddau gynllunio a chyfarfod tu allan i'r gwaith. Tyfodd edmygedd ei feistri tuag at Sean a'i frwdfrydedd hefyd a chyn hir cafodd ddyrchafiad. Gyda'r dyrchafiad daeth codiad yn ei gyflog oedd yn meddwl fod ganddo ddigon o arian i fedri priodi Sinead. Felly ar ddiwrnod gwlyb a gwyntog fu'r ddau yn briod yn yr eglwys Catholig lleol.

Doedd bywyd ddim yn hawdd i'r cwpwl ifanc ar y dechrau. Ystafell wedi eu rhenti mewn tenement yn Nilyn oedd ei cartref cyntaf lle roedd yn rhaid iddynt rhannu y cyfleusterau arferol. Er yn dal i weithio yn yr un man gwyddai Sean fod yn rhaid iddo wneud rhywbeth ychwanegol i ennill fwy o gyflog yn enwedig gan fod y ddau eisiau plant eu hunain. Clywodd am gyfle mewn lleoliad arall, busnes oedd newydd ddechrau yn y ddinas. Cymerodd ei siawns a cherddodd yn unswydd i swyddfa'r cwmni i wneud ei gais a chafodd ei dderbyn yn y fan a'r lle. Yn sydyn roedd Sean wedi symud o fod yn weithiwr cyffredin ar linell cynhyrchu mewn ffatri i fod yn gyfrifol am weithdy cyfan yn y cwmni newydd. Gyda'r cyflog yn uwch na'r disgwyl, doedd hi ddim yn hir cyn bod y cwpwl bach a'r babi yn medru symud mewn i dŷ teras dwy llofft yn y ddinas.

Ond un noson daeth ymwelwr i'r cartref a newidiwyd eu bywydau am byth wrth i grafangau anghyfreithlon yr IRA cael eu gafael arnynt. Doedd Sean heb sylweddoli bod ei feistr newydd yn swyddog blaenllaw yn y fyddin answyddogol yma; ac yn anymwybodol bod eraill wedi clywed ar ei ddoniau arbennig. Gwelai ffordd newydd yn ymestyn o'i flaen. Derbyniodd y cynnig. Derbyniodd y tâl. Paratôdd y bomiau; datblygodd eu herchylltra a'u effeithiolrwydd.

Ond chwalwyd ei fywyd pan gafodd Sinead ei lladd mewn damwain car ar ei ffordd adre o Belfast un prynhawn. Gwyddai Sean fod yr awdurdodau ar ei ôl erbyn hyn ac roedd yna si bod y milwyr wedi achosi'r ddamwain yn bwrpasol wrth iddynt adnabod y car a meddwl mae ef oedd yn gyrru. Symudwyd ef allan o Ddilyn ar unwaith ac aeth i fyw i'r cartref presennol i fagu Aisling, ei ferch fach, ar ben ei hunan. Ni fu erioed tad a phlentyn mwy agos.

Ar ôl gorffen ei frecwast felly, â'i feddwl yn chwildro o hiraeth ac unigedd cododd o'r bwrdd ac aeth allan. Safai ar iard fechan oedd yn debyg i glôs ffarm. Rhedai cae o'i flaen, cae gwair trwchus oedd bron yn barod i'w gywain. Gwelodd fws coch yn rhedeg y pen draw i'r cae a sylweddolai bod y ffordd fawr yn ddigon agos, o leiaf. I'r chwith gwelai giât fach a llwybr oedd yn arwain i berllan fechan a honno yn llawn o goed ffrwythau, afalau yn bennaf, a tu cefn i'r berllan roedd yr ardd. Dychmygai'r llysiau, y ffrwythau, a'r blodau yn tyfu yn drefnus yno, pob dim yn daclus – ond erbyn heddiw anialwch llesg oedd yno wrth i'r chwin a'r dryswch dyfu'n wyllt heb unrhyw arddwr yno i'w rheoli.

Rhedai lwybr llydan heibio i glawdd yr ardd ac aeth i weld i ble roedd hwn yn arwain. Cerddodd ar ei hyd a daeth ar draws adfeilion hen adeiladau oedd yn dangos bod y lle wedi bod yn ffarm ar un adeg. Hen sied wair oedd yno unwaith ond erbyn hyn roedd y to a dwy o'r muriau wedi rhydu a phydru'n llwyr. Ond yn bendant roedd hon wedi dal gwair yn y gorffennol pell; roedd un arall wedi dal peiriannau ffarm. Gwelodd fod rhai o'r hen ddarnau haearn yn dal o amgylch y lle, atgofion rhydlyd o oes a fu. Dyma wastraff, teimlai, shwt oedd pobl yn galler bod mor ddi-hyd, mor esgeulus i adael pethau i ddirywio fel hyn heb unrhyw ymdrech i'w cadw'n daclus.

Ymlaen ag ef, er fod y ffordd yn ddryswch o ddrain a dynad ac ysgall a phob math o chwin fel pe baent yn benderfynol o'i arbed rhag mynd ymhellach. Fedrai weld adeilad ymhellach 'mlaen tu hwnt i'r dryswch, roedd rhai o'r llechi wedi diflannu o'r to dros amser gan adael y lle yn wystlon i'r elfennau. Clywai tincian dŵr afon yn llifo'n dawel rhywle yn agos iddo. Trodd yr ymchwiliad yn antur cyffrous a theimlai ei ysbryd yn codi. Atgofiai hyn o rhai mannau tebyg o amgylch ei gartref yn yr Iwerddon. Aeth yn ei flaen.

Daeth o hyd i'r brif adeilad yn gyntaf. Edrychai fel hen felin gyda rhod ddŵr rhydlyd wrth ochr y dalcen bellaf, yn union beth yr oedd wedi disgwyl. Tyfai llai o ddryswch yma er bod y mwswgl yn drwch ac yn llithrig o dan ei draed. Clywai tinc yr afon yn eglur fan hyn a fedrai weld y dŵr yn rhedeg trwy'r goedwig fechan y tu cefn i'r felin. Aeth heibio i'r adeilad, draw at hen adfeilion adeiladau bychain eraill lle roedd y muriau bron a'u difetha'n llwyr. Y tu mewn iddynt gwelai grochanau haearn mawrion diwydiannol, fel pe baent yn dal i aros yn urddasol i gael eu defnyddio. Rhedai'r rhwd yn drwch trwyddynt, hen gancr oedd wedi eu difetha a'u torri dros amser. Rhedodd ei law tu mewn i un ohonynt a daeth allan yn las. Ie hen felin cynhyrchu gwlân oedd yma ar un adeg – hen felin a berthynai i oes arall ac yn y crochanau yma byddent yn lliwio'r defnydd i'w wahanol liwiau. Er fod drws y felin wedi ei gloi, gwyddai na fyddai'n cymryd llawer o ymdrech i dorri i mewn. Ond, byddai hynny yn antur i ddiwrnod arall ac am nawr dychwelodd i'r tŷ.

★ ★ ★

Teimlai Elisabeth yn euog nad oedd wedi galw draw i weld sut oedd Bronwen a'i thad yn ymdopi â'i bywyd newydd.

Brasgamodd lawr y ffordd o Awel Deg ac ar hyd y traeth. Daliodd yr olygfa ei sylw fel y gwnaeth bob amser, yn enwedig y rhaeadr fach oedd yn byrlymu lawr y clogwyn serth cyn disgyn ar y creigiau llwyd a rhedeg i'r môr. Fedrai byth edrych arni heb gofio yr hunllef o noson gafodd ar y clogwyn uwchben tra roedd Alun yn ymladd am ei fywyd islaw. Synnodd wrth iddi gofio fod dros ddeng mlynedd wedi mynd heibio ers hynny, er y daliai'r digwyddiadau yn fyw yn ei meddwl. Trodd tuag at y pentref a thafarn y Ffrwd Wen. Gwyddai bod ei gŵr wedi bod yn brysur ar y ffôn gyda rhyw Sais cyn iddo adael yn ei gar i fynd i weld rhyw Denzil arbennig roedd Pancws wedi sôn amdano, felly roedd yr amser yn addas i wneud yr ymweliad a dychmygai ei hun yn mwynhau paned o goffi a chlonc efo Bronwen.

Cerddodd at ddrws y cartref bach dros dro. Teimlai byddai bwthyn Troed-y-Rhiw ar draws y ffordd yn le mwy addas i Bronwen a'i thad unwaith bod yr ymwelwyr wedi gadael ar ddiwedd yr Haf yn enwedig os oedd Bronwen yn bwriadu aros ym Mhwll Gwyn. Sylwodd fod y drws yn gul agored. Cnociodd yn ysgafn ond doedd na'm ateb. Cnociodd yr eilwaith ond gyda'r un canlyniad. Camodd i mewn yn wyliadwrus ac fel hen fodryb iddi gwaeddodd, 'Hw! Hw!' fel rhyw dylluan wen oedd angen cwmni. Ond rhedai'r distawrwydd drwy'r tŷ. Aeth yn ei blaen nes iddi cyrraedd y lolfa.

Brawychodd am eiliad, methai ddeall beth oedd yn ei weld yn iawn. Gorweddai ffigwr rhyfedd yn y gadair freichiau ger yr aelwyd fach. Edrychai fel corff marw, y wyneb yn llwyd, y ceg ar agor, a'r llygaid ar gau. Safodd yn ei hunfan cyn dod at ei hunan a sylweddoli mai Twm Ifans oedd yn gorwedd yno – ac yntau yn cysgu'n drwm.

'Twm?' aeth yn agosach ato yn ddistaw bach. Gwelodd pa mor fregus a thenau ydoedd. Gorweddai yno a'i ddwy fraich yn hongian lawr dros ochrau'r gadair – ymddangosiad o rhywun oedd wedi rhoi fyny â'r fywyd yn llwyr. Gwelai'r dagrau yn rhedeg lawr ei ruddiau.

'Twm bach, ble mae dy feddwl di,' sibrydodd yn dawel gan dosturio drosodd, 'Beth sy'n dy wneud mor drist, dwed?'

★ ★ ★

Safai Twm Ifans ar lawr ystafell dywyll, oer. Teimlai'r cadwynau wedi eu rhwymo o amgylch ei draed noeth, a'i ddwylo wedi eu clymu'n dynn tu cefn iddo. Teimlai'r llawr yn oer ac yn galed. Methai edrych lawr i weld, doedd yn methu symud ei ben am rhyw reswm. Doedd na'm golau yn dod o unrhyw ffenestr heblaw am y fflachiau sydyn welai bob hyn ac hyn.

Er na fedrai weld neb gwyddai fod ganddo gwmni. Clywai sibrwd yn dod o wahanol fannau o'i amgylch. Teimlai presenoldeb rhywun yn dod yn agos iawn ato,

'Twm bach, beth wyt ti wedi gwneud, dwed y gwir?' Llais adnabyddus ei hen ffrind Cliff Caib a Rhaw oedd yno yn sibrwd yn ei glust. Na, nid sibrwd, clywai'r llais yn glir bron yn gymysgedd rhywsut o sibrwd ac atsain. Trïodd droi ei ben i'r cyfeiriad ond methai.

'Cywilydd arnoch chi, Twm Ifans, a chithau'n flaenor a phob dim.'

Llais adnabyddus Mrs Iona Roberts, gwraig y gweinidog. Ond beth oedd hi yn gwneud yma?

Pam oedd pawb yn ei farnu fel hyn? Doedd e heb wneud dim byd. Tyfai'r sibrydion yn uwch o'i amgylch. Clywodd ddrws yn cau yn glep tu cefn iddo.

'Twpsyn oeddech chi erioed, Twm Ifans.'

Adnabu'r llais ond roedd hyn yn amhosib. Roedd ei athro

ysgol wedi marw ers blynyddoedd. Beth oedd yn digwydd iddo? Ble oedd Myfi ei wraig? Roedd angen ei chymorth hi arno. Roedd yn crefu amdani. Roedd hi'n fwy pwysig iddo nag unrhyw un. Byddai hi ddim yn ei farnu fel hyn.

Myfi! Myfi! clywai ei hun yn gweiddi. Myfi, ble rwyt ti?

Trodd Twm ei wyneb yn araf tuag ati hi a gwelodd Elisabeth ei dristwch.

'O, Twm bach, be sy' mater?' rhwymodd ei braich o amgylch ei ysgwyddau a theimlai pa mor denau roeddent bron heb gnawd ar yr esgyrn.

'Myfi, fach,' atebodd mewn llais bach gwan, 'Dyma draed moch dwi wedi gwneud o bethau,' cydiodd ym mraich Elisabeth, 'Paid a'm gadael. Myfi, paid a'm gadael,' caeodd y llygaid dagreuol, gostyngodd ei ben ac aeth yn ôl i gysgu yn dawel.

Doedd Elisabeth heb wybod yn iawn beth oedd wedi disgwyl gweld na chlywed cyn cyrraedd y cartref bach – ond doedd erioed wedi disgwyl hyn.

Wrth wylio'r hen ŵr yn cysgu'n dawel teimlai Elisabeth na fedrai ei adael ar ben ei hun yn enwedig gan ei fod wedi ei chymysgu hi efo rhywun arall. Ei wraig ei hunan, tybed? Ai Myfi oedd ei henw hi? Byddai'n rhaid iddi ofyn i Bronwen.

Er y gwyddai fod Bronwen wrth ei gwaith roedd Elisabeth yn siŵr y byddai'n cymryd cyfle i bicio mewn i weld sut oedd ei thad. Mae'n siŵr o fod yma unrhyw eiliad, cysurodd ei hun, a phan ddaw hi cymera i'r cyfle i fynd adre. Ond aeth yr amser ymlaen heb unrhyw sôn am Bronwen. Penderfynodd Elisabeth fynd i wneud paned o de i'w hun ac iddo yntau.

Teimlai'n anghysurus yn chwilota trwy cypyrddau cegin rhywun arall, ond daeth o hyd i bethau yn hawdd gan fod Bronwen yn cadw pob dim yn daclus a thwt. Roedd yn amlwg ei bod yn falch iawn o'i chartref newydd. Wedi paratoi'r llymaid mor ddistaw a fedrai, cariodd dau fyged o de yn ôl i'r lolfa a'i rhoi yn daclus ar fwrdd bach oedd yn agos i'r aelwyd.

'Rwy'n barod i hwnna, hefyd.'

Bu bron iddi neidio allan o'i chroen wrth i Twm Ifans siarad â hi yn sydyn.

'A minnau, hefyd,' atebodd yn ysgafn tra'n cuddio ei phryder.

'Rwy'n becso, Myfi, odw wir, yn becso ti'n gwbod?'

'Am beth, Twm bach, be sy'n dy boeni?' gwnaeth Elisabeth ymdrech i newid ei llais fel nad oedd Twm yn ei hadnabod – ond doedd na ddim perygl o hynny'n digwydd, roedd meddylfryd Twm Ifans wedi mynd yn ôl dros ugain mlynedd.

'Mae'r ferch fach 'na, ti'n gwbod merch y sgwlyn, mae wedi marw, wel, yn waeth na hynny mae wedi cael ei lladd. Glywais hi'n gweiddi, t' weld. Mi es i'w helpi ond ....ond t' weld, doeddwn i'n methu achos .... achos... Trïais fynd am help o rywle ond cwmpes i rhyw ffordd, Myfi, cwmpes i mewn i'r gwter a'r peth nesa' o'n ni'n gwbod wedd y plismyn ma i gyd o amgylch ac yn gweiddi'n arna i.'

'Beth ddigwyddodd i ti, Twm?' gofynnodd Elisabeth yn dawel gan ystyried a oedd yr hen ddyn yn ailadrodd ei freuddwyd neu oedd atgofion yn dechrau dychwelyd iddo?

'Wnaethon nhw rhoi darn o bapur o 'mlaen i a gwneud i fi ei arwyddo. Ac roeddwn nhw i gyd yn gweiddi arna i – yn gweiddi yn Saesneg a, wel ti'n gwbod dwi ddim yn deall Saesneg, ydw i? Roedd y Sais am i fi rhoi fy enw ar y papur.' Arhosodd am seibiant, 'Ac mi wnes. Wnes rhoi fy enw ar y papur, wel, pam lai? Doedd na ddim byd arall arno fe.'

Roedd Elisabeth wedi ei syfrdanu a bu bron iddi adael ei chwpan i gwmpo ar y llawr,

'A...a... nawr,' aeth yr hen ddyn yn ei flaen er fod ei lais yn torri a'r gofid yn amlwg ynddo, 'Mae pawb yn meddwl....yn meddwl....' torrodd ei lais yn llwyr wrth iddo ddechrau crio eto, 'Ond, Myfi, rwyt ti'n gwbod, nid fi wnaeth e.'

Clywodd Elisabeth y drws yn agor tu cefn iddi, trodd ei phen i weld wyneb siriol Bronwen yn gwenu arni.

19

Doedd Sean heb deimlo mor glwm ers gadael y cartref Catholig yn blentyn gan addo i'w hun na fyddai yn gadael ei hun i fod ynghlwm byth eto. Gwyliai'r ddau ddyn arall yn gadael yn eu car yn gynnar pob bore heb rhoi unrhyw syniad iddo i ble roeddent yn mynd, nag unrhyw syniad iddo beth oedd ganddynt ar y gweill, nag ymestyn gwahoddiad iddo fe i fynd gyda nhw. Ond dyna oedd dull yr IRA. Gwyddai nad oeddent eisiau i neb ei weld e nag i wybod ei fod yn bodoli, hyd yn oed.

Ond fel canlyniad teimlai Sean yn gaeth ac yn hollol ddiffrwyth. Fach iawn oedd i'w wneud nag i'w weld yn yr hen dŷ gan fod hanner yr ystafelloedd naill yn wag neu dan glo. Doedd neb yn galw yno felly yr unig berson a welai o fore tan nos oedd Brenda ac roedd hithau yn parablu gymaint nes ei bod yn rhoi cur pen iddo. Doedd ganddo ddim car i fynd o le i le ac roedd wedi archwilio bob cnwc a chornel o'r hen felin o fewn diwrnod heb ddod ar draws unrhyw beth diddorol. Aeth am dro ar hyd lannau'r afon fach i weld i ble roedd hi'n arwain ond gorfodir ef i rhoi fyny yr ymgyrch gan y dryswch oedd yn tyfu yn y ddau gyfeiriad. Efallai fod Y Berllan yn le addas i'w guddio nes ei bod yn amser iddo ail ymddangos i wneud ei waith, ond yn y cyfamser roedd y lle yn torri ei ysbryd.

Tyfai ei hiraeth yn fwyfwy nes y gwyddai fedrai ddim

dioddef yr unigedd ymhellach. Penderfynodd fynd am dro ar hyd y ffordd i geisio dod o hyd i ffôn, o leiaf wedyn fedrai gwneud galwad i Anette a sicrhau fod pob dim yn iawn – ond yn fwy na dim, byddai'n clywed tinc llais Aisling unwaith eto. Er fod 'na ffôn yn y tŷ roedd hwnnw wedi ei gloi rywsut i wahardd unrhyw un rhag ei ddefnyddio. Oedd, roedd yn hen bryd iddo dorri'n rhydd o'r carchar yma a chrwydro'r ffordd a rhedai ochr draw i'r caeau.

Heb ddweud gair wrth Brenda aeth o'r clôs i fyny at yr heol a throdd i'r dde i ddilyn y ffordd roedd wedi gweld y bws coch yn mynd. Synnai pa mor dawel oedd y wlad o'i amgylch, atgofiai ef o'r ffyrdd adnabyddus o amgylch ei gartref a'i wneud yn fwy hiraethus. Cerddodd heibio i ddau dŷ arall a choedwig fechan cyn cyrraedd pentref bach gyda enw nad oedd yn medru ynganu. Pasiodd un neu ddau o'r trigolion lleol a rheiny i weld yn ddigon cyfeillgar wrth iddynt ei gyfarch – ond methai ddeall gair roeddent yn ddweud. Gwenodd nôl arnynt a gwneud rhyw sŵn bach rhyfedd a'i wneud i swnio'n debyg i gyfarchiad cyfeillgar. Daeth o hyd i giosg yn fuan, ciosg coch yn sefyll yn urddasol ac yn wag ar sgwâr y pentref. O'r diwedd, teimlai, cyfle i gyfathrebu â rhai oedd yn annwyl iddo.

Codai'r pwysedd o'i ysgwyddau wrth wneud yr alwad ffôn a chlywed lleisiau cyffrous Anette ac Aisling yn dod yn glir i lawr y lein. Teimlai eu bod wedi bod ar wahân am hydoedd er, mewn gwirionedd, ond ychydig ddyddiau oedd wedi pasio ers iddo eu gadael.

Oedd, meddai wrthynt, roedd pob dim yn iawn yma ym Môr y Gogledd, cofiai'r celwydd, ac oedd, roedd yn brysur iawn. Na, dim syniad pryd y byddai'n dod adre. Oedd, wrth gwrs ei bod yn iawn i fynd â Aisling ar wyliau, ac oes, mae ganddi basbort, a hwnnw yn nrôr top y bwrdd bach ger ei wely;

Ydw, cariad bach, 'mod i yn gweld dy eisiau. Ydw, dwi'n dal i wisgo dy loced ac yn ei chadw yn ddiogel, ac yn meddwl amdanat ti bob tro dwi'n edrych arni. Rhaid i mi fynd, nawr ....Sws fawr a bydd yn ferch dda i Anette.

Daeth yr alwad i ben yn rhy fuan ond methai ymladd y dagrau pan glywodd Aisling yn cwyno ei bod yn gweld ei eisiau sut gymaint. Sylwodd fod rhywun yn sefyll tu allan i'r ciosg ac yn disgwyl i ddefnyddio'r peiriant. Gwenodd yn gyfeillgar ar y wraig wrth ddal y drws ar agor iddi er ei bod hi yn edrych yn ddigon blin arno ef. Heb feddwl i ble roedd yn mynd, cerddodd ymlaen ar hyd y ffordd. Felindre oedd yr enw o flaen y rhif ar y ffôn, ond doedd hynny'n golygu dim iddo, chwaith. Cerddodd ymlaen gan adael i leisiau Aisling ac Anette atseinio trwy ei feddwl. Synnai wrth feddwl ei fod wedi siarad ag Anette yn union fel pe byddent yn dad a mam – â Aisling yn ferch iddynt.

Aisling! Cododd ei galon wrth glywed ei llais bach yn llawn cyffro a'i chwerthiniad hapus unwaith eto. Cofiodd hi'n sôn am y loced. Y loced! Cododd ei law i'w wddw. Doedd y loced fach ddim yno! Doedd ganddo'm cof o'r tro olaf iddo ei gweld na'i theimlo! Cofiai ei gwisgo cyn gadael ei gartref; cofiai ei byseddu wrth i'r cwch adael glannau Iwerddon; ond ar ôl cyrraedd glannau Cymru roedd wedi cwmpo i gysgu – a chysgu'n drwm. Oedd y loced wedi dod yn rhydd yn y car mawr du, tybed?

Neu ar ôl hynny, efallai, pan oedd yn troi a throsi yn ei wely? Ie, roedd hynny'n lawer mwy tebygol. Ond, rhyfedd nad oedd wedi ei weld ar y gwely, neu ar y llawr o amgylch. Os nad...... os nad oedd Brenda wedi dod o hyd iddo a'i rhoi yn ei phoced – yr hen swigw.

Heb sylweddoli roedd Sean heibio i'r pentref. Unwaith eto clywodd sŵn dyfroedd afon yn llifo. Nid yr un afon oedd hon â'r un roedd wedi dod ar draws y dydd o'r blaen. Na, roedd yr afon yma yn swnio'n lawer mwy o faint. Stopiodd wrth dro yn y ffordd ac edrych dros y clawdd ac i lawr trwy'r coed tuag at sŵn y llif. Gwelodd olygfa arbennig o'r afon Teifi yn disgleirio yn ei phrydferthwch wrth iddi redeg heibio i Bont Henllan. Aeth i lawr tuag ati. Cerddodd yn ofalus ar hyd ei glannau. Eisteddodd lawr ar un o'r creigiau, edrychodd ar y dŵr clir. Teimlai ei fod, o'r diwedd, yn rhydd.

Gallai Sean fod wedi treulio'r prynhawn yn rhwymedig tu mewn i heddwch pur glannau'r afon hudol. Gorweddai ar ei gefn yn wresog braf, yr aer yn glir ac yn lân a'r haul yn poethi yn yr awyr las uwchben, ac yntau ar goll yn ei feddyliau. Teimlai'n gartrefol yn y man yma. Dychmygai ei lety, y cartref, fel yr oedd wedi bod unwaith. Gwelai'r gweision a'r morwynion, y gweithwyr yn gweithio ymysg y gwlân yn y felin, garddwyr wrthi'n cadw'r ardd yn daclus ac yn ffrwythlon – pawb â'i swydd, pawb a'i waith, pawb a'i barch. Hen brysurdeb heddychlon byddai Sean wedi mwynhau.

Gwelai ei hun yn sefyll ar y creigiau gyda gwialen bysgota yn ei law tra byddai Anette yn ei wylio yn pysgota ac Aisling yn trochi ei thraed noeth yn y dwr glân. Dychwelodd y loced fach i'w feddwl unwaith eto – ac ar y gair torrodd wyneb Brenda ar draws pob dim.

Cerddodd yn bwrpasol yn ôl i'r Berllan. Gwelodd wraig yn sefyll ger y ffordd heb fod ymhell o dop y lôn a arweiniai lawr i'r clôs, ymddangosai fel ei bod yn edrych yn graff o'r ffordd ar draws y caeau tuag at y tŷ. Fach iawn wnaeth feddwl amdani, estron arall oedd hi iddo fe.

Doedd na'm sôn o'r car mawr du ar y clôs. Neb yno, felly, heblaw Brenda. Aeth i mewn i'r tŷ ac yn syth i fyny i'r llofft ac i'w ystafell. Chwiliodd bob man, yn y droriau, tu cefn i'r droriau, o dan bob dodrefnyn, ar y gwely, dan y gwely, tynnodd y dillad gwely i ffwrdd a'u taflu ar lawr, cododd y clustogau a'u taflu yn yr un modd. Dim byd! Na, doedd na'm sôn o'r loced fach yn un man.

'Brenda!' gwaeddodd o ben y grisiau. Daeth hithau allan o ystafell gerllaw.

'Be sy'?' gofynnodd iddo yn amheus. Safai o'i flaen â'i llygaid yn llawn ofn – roedd wedi clywed y twrw yn dod o'i ystafell cyn iddo alw ei henw. Cododd gwrychyn Sean wrth weld golwg euog ar ei hwyneb. Gwyddai yn ei galon mae hi oedd ar fai; gwyddai'n reddfol ei bod wedi dod o hyd i'r loced a'i rhoi yn ei phoced; gwyddai mai un fel yna oedd hi.

'Be wyt ti wedi gwneud â hi, y bitsh?' cydiodd yn ei breichiau a'i gwthio yn ôl i'r ystafell tu cefn iddi. Dechreuodd y ddau straffaglu â'u gilydd, un yn cydio yn y llall, y ddau yn gwthio ac yn tynnu ac yn cofleidio ac yn cwmpo ar y gwely.

Dau wyneb yn agos; llygaid wrth lygaid, ceg wrth geg – yn naturiol i'r ddau daeth y cusanau angerddol. Dyn ifanc, golygus, deniadol roedd hi'n weld; Anette gwelai ef.

Dau yn ysu; dau rhwystredig; dau mewn angen. Anadlau dwfn; griddfannau swnllyd; cyfathrach rhywiol; y noethni, y mwynhad, y ffrydio, y lludded, gorweddai'r ddau, un ynghlwm yn y llall, y ddau â'i cyrff yn chwis domen heb un ohonynt yn awyddus i wahanu wrth y llall – am nawr.

20

Tŷ bychan, digon cyffredin oedd cartref Denzil Harries ar y ffordd rhwng Aberteifi a Llechryd. Tŷ oedd wedi ei adeiladu yn un o bedwar, a'r pedwar yn edrych yn union 'run fath â'u gilydd. Rhannai'r pedwar yr un mynediad o'r ffordd fawr cyn gwahanu i bedair lôn fechan a arweiniai tuag at bedwar drws ffrynt a'r pedwar drws wedi eu peintio yn wahanol liwiau. Diolch byth am hynny, meddyliodd Morgan neu mae'n siŵr y byddai wedi cnocio ar y drws anghywir.

Doedd ddim yn teimlo yn or-ffyddiog y byddai Denzil Harris yn medru taflu gymaint o olau ar y digwyddiadau ag roedd Pancws wedi darogan. Tra'n siarad ag ef ar y ffôn, teimlai Morgan fod yr "Hen Den" yn fwy hen nag oedd Pancws wedi sylweddoli.

Clywai lais gwraig yn gweiddi'n uchel bron cyn i'r drws ffrynt gwyrdd gael ei agor yn iawn, 'Ditectif Chief Superintendent Alun Morgan,' cyhoeddodd y wraig dal a safai o'i flaen. Gwraig yn ei saith degau hwyr tybiai Morgan ond yn dal yn ddeniadol yn ei hurddas, 'Dewch i mewn, dewch i mewn.'

Syfrdanwyd Morgan gan y croeso, 'Na, dim mwy,' dywedodd yn swil, 'Rwyf wedi ymddeol ers sawl blwyddyn.'

'Felly beth wnâi'ch galw chi, te?' erbyn hyn cydiai'r wraig yn dynn yn ei fraich, cymerodd Morgan mai Mrs. Harries oedd hon, wrth iddi bron a'i gofleidio. Teimlai ei fod wedi ei chyfarfod o'r blaen rhywle ond methai'n lân a cofio ymhle.

'Ym, mae pawb yn fy ngalw i yn Morgan y dyddiau 'ma, neu Alun wrth gwrs,' gwenodd arni.

'O, na fe, iawn,' cytunwyd cyn iddi ofyn iddo sut oedd ei wraig hyfryd gan nad oedd yn ei gweld mwyach ar ôl i Elisabeth ymuno â Merched y Wawr tra ei bod hithau yn dal yn aelod o'r W.I.

'Wel, dwedwch wrthi fod Mei Fach Tŷ Hwnt yn cofio ati,' gorchmynnodd.

Fach? Mawredd roedd hi bron mor dal ag ef, ac roedd hynny dros chwe troedfedd, 'Gwnaf yn iawn, Mrs Harries,' dywedodd yn hytrach na dim byd arall. Er ei thaldra, dychmygai Morgan ei bod wedi bod yn ferch brydferth iawn pan yn iau gyda'i llygaid gleision a'i gwefusau llawn – gwallt golau, efallai – tebyg iawn i Elisabeth mewn gwirionedd.

Dangoswyd Morgan i mewn i'r lolfa i gyfarfod Denzil Harries. Am gyferbyniad rhwng gŵr a gwraig! Lle roedd y wraig yn dal iawn ac yn syth fel polyn, roedd y gŵr yn debyg i gorrach bychan. Prin cyrraedd pum troedfedd, ei gefn yn grwca, a'i freichiau bychain yn rhy fach i amgylchynu ei fol. Beth yn y byd oedd yr atyniad rhwng y ddau? Ond, yn hytrach na gadael i'w ddychymyg rhedeg yn wyllt, paratôdd Morgan ei hunan i wrando ar grynodeb Denzil Harries o'r digwyddiadau. Teimlai byddai hyn fel awyr iach iddo, teimlai ei fod o'r diwedd yn mynd i glywed tyst annibynnol, cyflawn. Ond o fewn eiliadau gwyddai fod ei ddisgwyliadau wedi bod yn rhy uchelgeisiol – roedd yr Hen Den yn ffwndrus a'i feddyliau yn fwy aneglur nag oedd wedi disgwyl.

'Ie, ie, merch ifanc draw tua.... ym.... y lle 'na. Na fe, pentref bach ochor draw i Aberteifi. Beth oedd ei henw hi, hefyd?'

'Eira Huws,' atebodd Morgan.

'Pwy?'

'Eira Huws, dyna oedd enw'r ferch ifanc cafodd ei llofruddio.'

'Merch 'wedoch chi?' edrychai Denzil Harris yn syn arno, 'Nage, nage, bachgen bach ydoedd,' pwysodd yn ôl yn ei gadair freichiau, 'Cafodd ei ladd gan ei fam cyn iddi hi ladd ei hunan draw yn ....yn.... O djiw, beth yw enw'r lle heb fod ymhell o Brynhoffnant ffor' 'na. Ie, ie, y fam oedd wedi ei wneud e, heb ddim dowt, gofynnwch chi i Sarjant Jones.'

Daliodd Denzil Harries lygad Morgan heb sylweddoli ei fod yn sôn am ddigwyddiad hollol wahanol – un nad oedd Morgan yn gwbod dim byd amdano.

'Nage, sôn am Eira Huws merch i sgwlyn cafodd ei llofruddio...' dechreuodd Morgan o'r ail.

'Do, do, 'na fe draw yn... yn, Duw mawr mae 'na sbel ers hynny nawr.' Cododd Denzil Harries ei olwg tuag at y nenfwd fel pe bai yn chwilio am rhyw dystiolaeth oedd wedi ei ysgrifennu fan hynny. 'Boi lleol,' dechreuodd eto, 'Cafodd ei arestio, ac yntau'n cyfadde i'r drosedd ond doeddwn i ddim yn hapus...mawredd, nag oeddwn wir. Rhyw Bob Preece oedd y plismon os dwi'n cofio'n iawn....aeth hwnnw bant i rhywle. Dwi ddim yn cofio llawer amdano, i fod yn onest dyw'r hen gof 'ma ddim fel oedd e. Neb ishe siarad am y peth ar y pryd .... na wedyn, chwaeth. Damnia nhw, sôn am *"Conspiracy of Silence"*! Hen weinidog yn gwneud ei orau glas i ymladd am gyfiawnder ond waeth iddo bisho yn erbyn y gwynt – y truan. Pawb â'u cegau ar gau. Pawb yn ei erbyn.' Edrychodd ar Morgan eto, 'Pwy wedoch chi oeddech chi 'to?'

Sylweddolai Morgan fod y cyfweliad ar ben, gwyddai fod yr Hen Den wedi cofio gymaint fedrai. Daeth Mei Harris yn ôl mewn i'r ystafell, 'A shwt ydych chi'n dod 'mlaen?' gofynnodd gan wneud i Morgan deimlo ei bod wedi bod yn clustfeinio tu allan i'r drws. Trodd yn famol tuag at ei gŵr, 'Wyt ti wedi dweud y cyfan wrth Alun Morgan, Den?'

'Dyw e ddim ar ei orau y dyddiau yma, Alun, rhai dyddiau yn well na'i gilydd ond...' trodd at Morgan, gostyngodd ei llais, 'Mae ei feddwl e yn mynd yn gyflym.'

'Mae nodiadau gyda fi rhywle, fe wnâi chwilio amdanyn nhw erbyn eich bod chi'n galw y tro nesaf,' dywedodd Denzil wrth i Morgan godi o'i gadair a ffarwelio â'r ddau. Gwyddai yn ei galon na fyddai lawer o bwrpas iddo ddychwelyd. Os oedd y nodiadau yn bodoli, digwyddiad byddai unrhyw un yn cofio lle'r oeddent.

Gadawodd Tŷ Hwnt a'i feddwl yn chwildro, gwyddai byddai'r frwydr heb ostwng – y frwydr i ddatguddio gwirionedd ac anghyfiawnder yr achos. Ond doedd yr ymweliad heb fod yn hollol wastraff. Daeth enw Bob Preece, yr heddwas i fyny eto. Yr enw oedd wedi ei weld yn nogfennau y Parch Goronwy Roberts, enw yr heddwas yn y ffeil swyddogol. Teimlai Morgan y dirgelwch tu cefn i'r enw. Datblygai ddarluniau yn ei feddwl, hen ddarluniau ffiaidd o'r gorffennol, y rhai oedd wedi bod yn ddigon adnabyddus iddo unwaith – a gwyddai mae dim ond un ffordd fedrai eu goroesi.

Ond doedd hynny ddim yn mynd i ddigwydd dros nos.

* * *

'O, Alun. dwi'n falch dy fod ti adre,' rhedodd Elisabeth at ei gŵr bron cyn iddo gael y cyfle i ddringo allan o'i gar. Rhwymodd ei breichiau o'i amgylch, 'Dal fi, Alun, dal fi'n dynn.'

'Mawredd, Bwts, beth sy wedi digwydd?' Methai feddwl

beth oedd wedi ei cheryddu gymaint. Arweiniodd hi yn araf tuag at y drws ffrynt ac i mewn i'r tŷ, cydiodd yn dynn yn ei ddwylaw,

'Alun,' dechreuodd yn daer, 'Mae Twm Ifans yn ddieuog.'

'Ydy, dwi'n gwbod' atebodd.

'Creda fi neu beidio,' dywedodd heb glywed ei eiriau, 'Ond yn bendant mae Twm Ifans wedi cael bai ar gam, ac mae'n rhaid i ni wneud rhywbeth amdano,' ategodd.

'Ydy, ac oes.' Yn sydyn sylweddolodd Elisabeth bod ei gŵr yn cytuno â'i sylwadau. Rhwymodd yntau ei freichiau yn dynn o'i hamgylch a rhoi cusan bach ar dop ei phen, 'Nawr te, cariad bach, dere i ddweud wrtha i beth sy' wedi digwydd.'

Ar ôl paratoi bobi ddisied o de, cerddodd y ddau i'r lolfa ac eistedd ochr yn ochr o flaen y ffenestr fawr. Gyda'r môr yn disgleirio fel sidan meddal las o'i blaenau, eglurodd Elisabeth y cyfan wrtho: sut oedd wedi galw draw i weld Bronwen; Twm Ifans yn cysgu yn drwm yn ei gadair freichiau wrth y lle tân; a'i eiriau syfrdanol ar ôl iddo ddeffro.

'Ond ti'n gweld, Alun. nid wrtha i roedd e'n siarad ond wrth ei wraig, Myfi. Dwi'n gwbod nad oedd yn gwbod yn iawn ble'r oedd e, na pwy oeddwn i, ond gwelai ei hun ugain mlynedd yn iau ac roedd yn dweud yr holl hanes wrthi heb sôn unwaith am unrhyw lofruddiaeth na thrais dim ond fod y ferch wedi ei lladd, a bod nhw yn dweud mai ef oedd yn gyfrifol ac yn gofyn iddo arwyddo rhyw ddarn o bapur plaen. Ond pwy oedden nhw, Alun, a pham arwyddo darn o bapur plaen? Ti'n gwbod, Alun mae'r peth yn anhygoel.'

'Os dyw e'n wir,' a chymerodd Morgan ei llaw yn dyner.

'O, mae o'n wir, mae o'n wir coelia di fi, roedd yr hen Dwm yn siarad o'i galon, wsti.'

'Wnâi ddim amau â ti, ac mi ddwedai pam,' rhoddodd adroddiad llawn iddi o'i gyfarfod gyda Denzil Harries.

'O, ie ac mae Mei Fach Tŷ Hwnt yn cofio atat ti, gyda llaw,' ategodd wrth orffen.

'Pwy?'

'Gwraig Denzil Harries,' atebodd, 'Rhywbeth i wneud â'r WI, roedd hi'n flin dy fod ti wedi ymuno â Merched y Wawr.'

Gwenodd y ddau ar eu gilydd – un yn falch ei bod wedi gwneud yr ymdrech i fynd i weld Bronwen, a'r llall yn gwbod beth byddai ei gam nesaf ond cadwai hyn yn gyfrinachol am nawr.

21

Cerddai Bob Preece â'i ben i lawr ar hyd strydoedd Wrecsam, mannau adnabyddus dyddiau ei blentyndod a'i ieuenctid. Y strydoedd cyfarwydd dros y blynyddoedd cyn iddo ymuno â Heddlu Wrecsam. Doedd Preece heb fod yn alluog iawn yn yr ysgol ac wedi dod o gartref tlawd lle roedd ef a'i fam wedi cael eu gadael ar eu penna eu hunain ar ôl i'r tad gerdded allan un diwrnod heb air o rybudd ac heb ddychwelyd. Ond pasiodd Bob yr arholiadau oedd angen er mwyn ymuno â'r heddlu ac yr oedd yn ddigon call i sylweddoli fod na yrfa haelionus hir iddo yno os byddai'n ofalus ac yn dirdroi y rheolai i'w siwtio ei hun.

Er iddo symud ar hyd a lled y wlad wrth chwilio am ddyrchafiad yn ei yrfa a dychwelyd i Wrecsam a wnaeth cyn ymddeol yn Dditectif Uwch Arolygydd gyda phensiwn helaeth. Er dychwelyd i'w gynefin, doedd yr un o'i hen ffrindiau yn awyddus i'w groesawi yn ôl i'w plith. Ei anwybyddu gwnaeth bron pob un ohonynt gan eu bod nhw yn ymddwyn ar yr ochr arall o'r cyfraith.

Mae gan pawb ei wendid, ac roedd gan Bob Preece sawl gwendid – a'r mwyaf oedd y ddiod. Er meistrolai'r chwant yn y dyddiau cynnar, gwaethygu wnaeth pethau wrth iddo symud o un heddlu i'r nesaf ac yn gyflym iawn daeth i ddibynnu ar yr alcohol. Felly, cerddai yn rheolaidd o'i fflat Cyngor i'w hoff dafarn bob bore o'r wythnos, heblaw am y Sul, wrth gwrs, er mwyn cael ei frecwast arferol – peint o gwrw chwerw a fodca dwbwl.

Pan wnaeth ymddeol gynta, roedd yn berchen ar gartref cyffyrddus, tŷ tair llofft mewn ardal ddymunol iawn yn Wrecsam. Ond erbyn heddiw, wrth i'r ddiod gymryd ei gafael creulon ar ei fywyd, roedd ei gyfoeth wedi mynd yn llwyr, y tŷ â'i nwyddau drud i gyd wedi eu gwerthu yn eu tro a'r pensiwn helaeth ond yn prin talu am ei anghenion hylifol.

Ond roedd na wastad groeso iddo yn nhafarn y Dderwen a threuliai rhan fwyaf o'i ddiwrnod wrth y bar yno. Ambell un yn ei adnabod ac yn ei osgoi ond o bryd i'w gilydd byddai rhywun yn barod i siarad ag ef – fel arfer, rhyw un oedd yn yr un cyflwr ag yntau, rhywun oedd yn chwilio am gwmni. Pryd hynny byddai'n hel straeon am ei yrfa ac am y cymeriadau roedd wedi dod ar draws – ar mwyafrif o'r straeon hynny yn gelwydd golau.

Ond doedd na byth unrhyw sôn am un achos arbennig, yr un wnaeth gymryd lle yng nghornel bach tawel yng Ngorllewin Cymru dros ugain mlynedd yn ôl. Yr achos cyflawnwyd cyn iddo dderbyn y dyrchafiad i Ditectif Uwch Arolygydd a symud i ffwrdd o'r ardal.

* * *

Teimlai Sean ei fod yn goroesi ei segurdod o'r diwedd. Dros y diwrnodau diwethaf roedd wedi archwilio y gwahanol adeiladau bychain o amgylch y tŷ yn fanwl, ac wedi dod ar draws nid yn unig cryman rhydlyd ond hen fwyell a phlagir hefyd ac aeth ati i'w hogi ar hen garreg hogi nad oedd wedi cael ei defnyddio am hydoedd. O'r diwedd medrai wneud rhywbeth i'w gadw yn brysur wrth iddo ddechrau clirio'r tyfiant yn iawn a dod a rhywfaint o barch yn ôl i'r hen le.

Tu mewn i'r adeilad, er yn wag o'r hen beiriannau, roedd yn amlwg fod y felin wedi ei defnyddio fel gweithdy hyd yn weddol ddiweddar a theimlai'n genfigennus nad oedd e'n berchen ar weithdy fel yma. Aeth i lawr y grisiau pren sigledig i'r llawr isaf. Llawr cerrig anwastad oedd fan hyn ac yn y pen pellaf rhyw fath o beiriant efo dwy neu dair olwyn haearn gyda gwregys lydan yn rhedeg o un olwyn i'r llall. Wrth agor ddrws bach pren yn y wal gerllaw fedrai sefyll wrth ymyl yr hen rhod ddŵr. Gwyddai mae uned cynhyrchu trydan oedd hon wedi bod unwaith ond un oedd bellach, fel y felin ei hun, wedi mynd yn ddiffrwyth, Methai fynd i fyny i'r llofft uchaf gan fod y grisiau pren wedi hen bydru ar lle yn dirywio'n gyflym. Ond roedd wedi gweld digon o'r hen le am nawr. Gadawodd drws y felin heb ei gloi, doedd na'm pwynt, a dychwelodd tua'r tŷ i ddechrau ar ei waith.

Gwyliau Brenda ef drwy ffenestr yr ystafell wely wrth iddo dynnu ei grys i ffwrdd. Edmygai ei gorff cyhyrog. Roedd wedi dod i adnabod y corff yn agos iawn dros y diwrnodau diwethaf. Diolchai bod y ddau ddyn arall yn gadael y tŷ yn gynnar iawn bob bore gan rhoi cyfle iddi hi ddeffro Sean mewn modd roedd yn amlwg yn mwynhau. O'r diwedd roedd ganddi ddyn i'w phlesio a'i gwneud i deimlo fel gwraig gyflawn unwaith eto.

Gwelodd ef yn codi ei law ar rhywun yn y pellter. Pwy oedd y wraig 'na, tybiodd? Cofiai ei gweld hi o'r blaen yn edrych draw ar y lle o bellter y ffordd. Y tro 'ma roedd wedi gweiddi rhywbeth ac roedd Sean wedi ei hateb. Ond roedd y geiriau wedi eu cario bant gan y gwynt a methai Brenda eu clywed yn iawn, teimlai nad oedd yntau wedi eu clywed yn iawn chwaith. Edrychodd arno, gwelodd y chwis yn rhedeg ar hyd ei gorff, teimlodd y chwant yn treiddio ei chorff gan wybod yn iawn beth oedd hyn yn argoeli.

Gwyddai Ann Rhys fod ganddi ddiwrnod anodd a phrysur o'i blaen felly roedd wedi codi yn gynnar â'i meddwl yn llawn o'r her oedd yn ei wynebu. Gwyddai ei bod yn gorfod egluro, unwaith eto, i ŵr oedd yn berchen ar fusnes cynhyrchu yn Felindre pam roedd ei meistri wedi penderfynu cau y gangen leol o'r banc. Ar ôl hynny byddai'n rhaid iddi fynd yr holl ffordd draw i Gwmcelyn i dorri'r newyddion drwg i ŵr busnes arall oedd ar fin mynd i'r wal.

Er ei phrysurdeb gyrrai'n araf drwy Aberbanc gan arafu ymhellach wrth fynd heibio Y Berllan. Sylwodd fod rhywun wedi bod yn clirio'r dryswch ar draws y lôn a rhedai lawr i'r tŷ. Stopiodd y car pan welodd ddyn a chryman yn ei law yn sefyll i fyny ac yn edrych arni. Heb wybod pam agorodd ffenestr y car. O'r diwedd roedd yna rhywun yn gofalu am y lle ac i'w weld yn gweithio'n galed i'w gadw'n daclus.

'Chi'n gwneud job dda,' gwaeddodd gan wenu arno. Gwenodd yntau nôl arni a chododd ei fraich i'w chyfarch. Sylwodd Ann ar ei wallt coch, ei wyneb olygus, a'i gorff cyhyrog, hanner noeth. Sylweddolodd beth oedd wedi gwneud, teimlai cywilydd a swildod, caeodd y ffenestr yn gyflym gan osgoi edrych arno ymhellach a gyrrodd i ffwrdd cyn dechrau chwerthin ar ben ei hunan.

* * *

Dechrau ar ei ffordd yn gynnar oedd bwriad Morgan hefyd. Clywai geiriau Elisabeth yn atseinio yn ei feddwl wrth iddi ail adrodd breuddwydion Twm Ifans. Tyfai darluniau cyfarwydd yn ei feddwl, darluniau roedd wedi dod ar eu traws yn rhy aml yn y gorffennol. Pobl yn gweiddi ac yn bygwth; papurau plaen ar fyrddau yn barod i'w harwyddo.

Hen arferiadau adnabyddus oedd yn dyddio o gyfnod y rhyfel ac yn dal i barhau ymysg aelodau ddiegwyddor y Llu. Gwyddai'n reddfol fod Bob Preece yn un o'r rhai hynny a bod ei gelwyddau wedi condemnio Twm Ifans i'r carchar ond roedd yn rhaid iddo gael rhyw fath o gadarnhad i dawelu ei feddyliau. Gwyddai byddai rhai munudau yn ei gwmni yn ddigon i wneud hynny. Yn ôl ymchwiliadau J-J roedd Preece yn dal yn fyw a'i bensiwn yn cael ei dalu mewn i'w gyfrif banc yn Wrecsam. Wrecsam, meddyliodd Morgan, cyfleus iawn â'r achos wedi cymryd lle yn Llys y Goron yn Gaer.

'Ond faint fyddi di i ffwrdd?' gofynnodd Elisabeth ar ôl iddo rhannu ei gynlluniau gyda hi.

'Lan a nôl i Wrecsam? Dylswn i fedru gwneud y siwrne yn hawdd o fewn diwrnod,' atebodd.

'Diwrnod?' edrychodd Elisabeth yn syn arno, 'Mae Wrecsam yn bell o fan hyn.'

'Cariad bach, wyt ti wedi gweld pa mor gyflym mae'r Rover newydd yn galler mynd. Dyma'r ceir mae'r Flying Squad yn defnyddio nawr – yn ôl J-J,' gwyddai cyn gynted a daeth y geiriau allan o'i geg ei fod wedi rhoi ei droed ynddi ac y dylai fod wedi cnoi ei dafod cyn dweud y peth anghywir.

'Ond nid aelod o'r Flying Squad ydych chi mwyach, Alun Morgan. troed lawr ac ymlaen fwl pelt nes mynd dros ben clawdd rhywle, a mwy na thebyg ar y ffordd anghywir yn ogystal.'

Cydiodd yn dyner ynddi, 'Calon, dwi'n addo wnâi esgus bod ishe rhedeg y car mewn ac wnâi ddim mynd dros dri deg milltir yr awr yr holl ffordd,' gwenodd arni wrth ddal ei llygad. 'Ac mi fyddai 'nôl 'ma rhywbryd rhwng dydd 'Dolig a'r flwyddyn newydd.'

Tarodd Elisabeth e yn chwareus ar ei fraich, 'Dos o' ma'r diawl,' sibrydodd cyn ei gusanu yn angerddol.

Cyn hir roedd Morgan wedi cyrraedd cyrion Aberystwyth cyn troi i ffwrdd ac anelu dros y bryniau am y Drenewydd a'r Trallwng ac ymlaen i Wrecsam. Synnai pa mor dawel oedd y ffordd a'i gar pwerus yn llyncu'r milltiroedd. Cofiai y tro diwethaf ddaeth ar hyd y ffyrdd yma yng nghwmni Morwenna, y ddau ar eu ffordd i fyny i Manceinion ar achlysur hollol wahanol. Cyrhaeddodd gyrion Wrecsam yn fuan iawn. Doedd e ddim yn adnabod y dref ond gwyddai bod J-J, yn ei ymchwiliadau answyddogol wedi darganfod bod Preece wedi ariannu nifer o'i sieciau yn nhafarn Y Dderwen. Gwyddai Morgan ble byddai ei alwad gyntaf.

22

Doedd cerdded ddim yn dod yn hawdd i Bob Preece y dyddiau yma, yntau â'r un goes yn gloff, ond symudai yn ddigon pwrpasol tuag at ei noddfa, ei ben i lawr â'i ysgwyddau i fyny mor uchel nes bron cuddio ei glustiau. Er yn Hafaidd teimlai'n oer fel pe bai naws Hydrefol yn treiddio drwy ei gorff tenau. Tynnodd ei got fawr ddu yn dynnach amdano ond fach iawn o wahaniaeth wnaeth hynny i'w wresogi. Gwyddai mai dim ond un peth byddai'n gysur iddo a'i wneud yn fwy parod i wynebu'r dydd – ac roedd yn rhaid iddo gael y ddos hynny yn fuan. Arferiad dyddiol iddo oedd cerdded ar hyd y ffordd yma erbyn hyn. Cerddai heb edrych o'i amgylch, heb glywed dim, ac anwybyddai pawb a gerddai heibio iddo. Roedd Bob Preece yn hollol glwm yn ei fyd bach ei hunan ac roedd neb na dim yn mynd i amharu arno rhag cyrraedd ei nod.

'Sut mae pethe heddi, Bob?' galwodd gwraig fach, rhyfedd yr olwg, arno o'r ochr draw i'r ffordd. Torrodd ei llais croch ar draws ei glyw fel sgrech rhyw anghenfil gwyllt ond talodd Preece yr un sylw i'r cyfarchiad nag i'r wraig. Gwyddai yn union pwy oedd perchen y llais, gwyddai i'r fodfedd ble 'r ydoedd ar ei siwrnai, a gwyddai yn union pa mor agos oedd diwedd ei daith. Ni chododd ei lygaid nes y gwyddai ei fod tu allan i ddrws ffrynt tŷ tafarn Y Dderwen, gwthiodd y drws gyda'i law a theimlodd wres yr ystafell yn ei groesawi, cododd ei galon. Eisteddodd ar ei sêt arferol, gwyliodd y bar forwyn yn ffug wenu arno wrth iddi dynnu peint o'i gwrw chwerw arferol cyn mesur dwbwl fodca mewn i wydr – gwyddai hithau mai yma y byddai'r dyn ofnadwy yn aros am weddill y dydd.

Cario ymlaen i wylio'r ffordd wnaeth Sylvia Wilson ar ôl cyfarch ei chyn gyfaill a'i wylio yn cyrraedd y dafarn ar yr ochr arall i'r ffordd o'i chartref bach cysurus. Roedd Sylvia yn hen gyfarwydd â chyfarch Bob Preece a'i fath wrth iddynt basio ei chartref, er fod pob un ohonynt yn esgus eu bod heb sylwi arni na'i chlywed. Doedd neb a'i hadnabu yn barod i stopio a sgwrsio â'r hen Sylvia erbyn hyn heblaw am estroniaid oedd newydd symud i'r cylch ac heb ddod i'w hadnabod hi na'i ffordd fach ryfedd o fyw. Heblaw amdanyn nhw ac un neu ddau arall, bywyd bach digon tawel byddai'r hen Sylvia yn dioddef. Doedd y ffaith nad oedd hi yn eu hadnabod, na'r ffaith nad oeddent yn medru deall beth yr oedd yn ceisio ddweud rhan fwyaf o'r amser, yn gwneud dim gwahaniaeth i'w pharodrwydd i siarad ag unrhyw un ar unrhyw amser wrth iddi bwyso dros wal ffrynt ei thŷ.

Arferai hithau groesi'r ffordd a mynychu'r dafarn yn rheolaidd ar un adeg ond roedd 'na bobl newydd yn rhedeg yr hen le erbyn hyn. Fe'i gwaharddwyd rhag mynd yno am byth ar ôl iddi gyrraedd parti'r noson agoriadol yn noeth lymun. A pa wahaniaeth oedd hynny wedi gwneud, dwedwch? Dim ond safio amser roedd hi'n gwneud. Gwyddai byddai sawl un arall yn noeth cyn bo'r noson drosodd – tafarn fel yna oedd Y Dderwen.

Felly, teimlai Sylvia ei bod yn ddyletswydd arni i rybuddio pawb am y croeso anghwrtais byddai'n eu disgwyl y tu mewn i'r dafarn – pob un, hynny yw, heblaw Bob Preece. Tyfodd Sylvia a Bob i fyny yng nghwmni eu gilydd, y ddau wedi mynd i 'run ysgol ac i 'run capel pan oeddent yn blant bach. Cofiai agosrwydd ei rieni ef a'i rhieni hithau, fel hynny roedd pobl wedi arfer yn Fflats Tŷ Uchaf ar ochr draw i Barc y Bragdy. Cofiai sut roedd y bechgyn a'r merched wedi chwarae yng nghwmni eu gilydd – plant bach hapus heb dalu unrhyw sylw i'r llymdra cylchynol. Cofiai hefyd sut wnaeth diniweidrwydd newid yn raddol i felltith a gwaeth. Cofiai yr adeiladau yn cael eu chwalu er mwyn gwneud lle i ystâd enfawr o dai newydd, digymeriad. Chwalwyd y cartrefi llwm, chwalwyd y gymdeithas agos wrth i'r teuluoedd cael ei gwasgaru i gartrefi newydd ar draws y dre a'r cylch. Collwyd y cyswllt.

Ond doedd Sylvia heb anghofio Bob. Er ei fod blwyddyn neu ddwy yn hŷn na hi, Bob Preece oedd un o'i harwyr mwyaf – unwaith. Roedd fel brawd mawr iddi nes iddo gyrraedd rhyw gyfnod bach rhyfedd yn ystod ei arddegau. Fe oedd wastad yno i'w hamddiffyn yn erbyn drygioni y bechgyn eraill – ac roedd hi yn barod bob amser i wneud unrhyw beth byddai e'n dymuno. Yna un bore heb rybudd, symudodd Bob â'i fam i ffwrdd heb ddweud gair wrth neb. Collodd cysylltiad ag ef yn llwyr ac aeth Sylvia ymlaen â'i bywyd bach ei hunan heb neb yno i'w amddiffyn mwyach.

Bywyd digon cythryblus cafodd wrth i'w thad farw mewn damwain yn y pwll glo lle roedd wedi gweithio ers yn blentyn gan adael hi a'i mam yn dlotach nag oeddent wedi bod erioed. Dim ond un ffordd oedd ganddynt i ennill arian a chymerodd y ddwy y cyfle. Yn rhyfeddol cwmpodd dyn cyfoethog mewn cariad a'r fam a symudodd y ddwy i fyw yn ei gartref moethus. Roedd y tri yn hoff iawn o'r ddiod ac un noson pan mynnodd y dyn fynd a Sylvia i'w wely yn hytrach na'i mam gwelodd y fam y chwith. Sylweddolodd ei bod wedi mynd yn rhy hen i'r dyn ac aeth a boddodd ei hun yn yr afon wrth Y Bers. Doedd Sylvia byth yr un fath ar ôl y golled ac er iddi aros gyda'r dyn cyfoethog dechreuodd ei meddwl dorri – efallai o achos y ddiod roedd y ddau yn yfed drwy'r amser, neu efallai rhyw achos arall. Ta waeth, dirywio y gwnaeth a gorfodir hi i dreulio cyfnod yn Ysbyty Meddwl Dinbych. Tra yno fe wnaeth ei chymar farw a gadael ei holl eiddo iddi hi. Yn sydyn roedd Sylvia yn gyfoethog ac yn ddigon call yn feddyliol i berswadio'r meddygon i'w rhyddhau o'r ysbyty. Gwerthodd y tŷ urddasol a phrynodd ei chartref bach presennol.

Blynyddoedd wedyn, gwelodd Bob Preece un bore yn cerdded heibio ar ei ffordd i'r Dderwen. Er ei fod wedi heneiddio byddai wedi ei adnabod yn rhywle. Roedd wedi dychwelyd i'w gynefin ac wedi ei hadnabod, hynny yw roedd wedi ei hadnabod ar ôl iddi hi egluro iddo pwy ydoedd. Ond ers hynny roedd wedi ei anwybyddu a'i hosgoi ar bob achlysur.

Ar goll yn ei meddyliau ni sylwodd Sylvia ar y Rover glas yn tynnu lan wrth y pafin a pharcio bron tu allan i'w thŷ, Ni sylwodd chwaith ar y dyn tal wnaeth ddringo allan ohono gan gerdded tuag ati.

'Helo, na, shwt y' chi heddi',' cyfarchodd Morgan y wraig rhyfedd yn naturiol gwrtais gan gymryd yn ganiataol mae Cymraeg oedd prif iaith Wrecsam – camgymeriad mawr.

Trodd Sylvia ei phen mewn syndod, 'Cymro 'dych chi?' gofynnodd, gwelodd lygaid tywyll tyner yn edrych arni, gwelodd wên serchog, gwelodd y graith gas ar y foch, teimlai ei bod wedi gweld y dyn yma rhywle o'r blaen. Edrychodd yn rhyfedd arno.

'Ydych chi'n digwydd adnabod dyn o'r enw Bob Preece?' holodd Morgan heb newid y wên gyfeillgar ar ei wyneb.

'A Cymro Cymraeg hefyd ond nid o fan 'ma,' dywedodd Sylvia fel pe bai yn siarad a rhyw berson arall. Er nad oedd wedi ateb y cwestiwn, sylwodd Morgan ar y llygaid yn symud yn sydyn i edrych y tu cefn iddo. Gwyddai fod Bob Preece yn y dafarn ar draws y ffordd yn barod.

"Nabod eich gilydd, ydych chi?' syllodd Sylvia yn graff arno. 'O ble 'dych chi'n dŵad, o'r Rhos, ie?' ateb ei chwestiwn gyda cwestiwn arall.

Doedd gan Morgan ddim syniad ble oedd Y Rhos felly aeth ymlaen â'i 'holi,

'Hen ffrindiau,' atebodd, 'Roeddem yn yr heddlu gyda'n gilydd unwaith.'

'Hy! Cymro ydy' o hefyd er ei fod yn gwneud allan ei fod yn Sais mawr. Ond i ateb eich cwestiwn roeddwn i yn adnabod rhywun a'r enw 'na unwaith ond dwi heb ei weld ers amser,' edrychai Sylvia yn ddiffuant arno. Gwelai Morgan y celwydd yn adlewyrchu yn ei llygaid a bu bron iddo chwerthin.

'Iawn, diolch yn fawr,' lledaenodd ei wên a cherddodd i ffwrdd. Gwelai fod colled ar y fenyw fach, a byddai hithau'n ysu i'w glymu mewn i sgwrs hir pe byddai ond yn cael y cyfle.

Cerddodd Morgan yn bwyllog ar draws y ffordd tuag at ddrws ffrynt Y Dderwen.

23

A wyrgylch digon di-groeso oedd argraff gyntaf Morgan wrth gerdded mewn i'r Dderwen. Gwyntiai'r lle o hen fwg sigaréts a chwrw, hen awyrgylch oedd wedi ei hadeiladu dros y blynyddoedd. Teimlai Morgan bod y dafarn yma i ddiddanu dynion oedd yn byw yn y cylch yn bennaf yn hytrach nag un oedd yn estyn croeso i estroniaid. Roedd y lle yn dywyll â dim ond un cwsmer yno a hwnnw yn eistedd wrth y bar.

'Wel, wel, Bob Preece!' dywedodd Morgan yn uchel wrth gerdded tuag at y bar, 'Dyma beth yw cyd-ddigwyddiad!'

Â'i feddwl wedi pydru dros amser gan ddiod, ac er fod 'na rhywbeth cyfarwydd amdano, methai Preece gofio pam roedd wyneb Morgan yn adnabyddus wrth i hwnnw ei gyfarch ac eistedd yn bwrpasol wrth y bar. Archebodd beint o gwrw chwerw i'w hun ac yn ddigon cyfeillgar cynigiodd un i Preece. Digon teg, teimlodd hwnnw, nhw'ch dau oedd yr unig rhai yn y dafarn ac roedd golwg gyfoethog ar y dyn yma – ond sut oedd y diawl yn ei adnabod? Derbyniodd y cynnig, cododd ei wydr, cymerodd ddracht a gwelodd y graith gas yn rhedeg lawr y foch. Yn sydyn, gwyddai Preece yn iawn pwy oedd yn eistedd wrth ei ochr a thrïodd guddio y chwildro a redai trwy ei feddwl.

Gwyddai Morgan fod Bob Preece wedi sylweddoli pwy ydoedd, er ei swildod roedd ei weithgareddau wedi ei wneud yn enwog ledled y wlad ar un adeg – ac hynny yn gwbwl haeddiannol. Rhyfeddai o hyd sawl un oedd yn ei gofio o'r lluniau ohono a ddangoswyd gan y wasg er fod dros ddeng mlynedd ers i hynny ddigwydd.

'Beth ydych chi eisiau?' gofynnodd Bob Preece yn sarrug.

'Dim llawer,' atebodd Morgan. Sylwodd Preece bod yr acen yn un rhyfedd. Nid Sais mo hwn mwyach, 'Eisiau sôn am achos Twm Ifans ydw i,' ategodd.

'Erioed wedi clywed amdano,' atebodd Preece yn gyflym, yn lawer rhy gyflym yng ngolwg Morgan. Teimlai Morgan ei wrychyn yn codi ond gwyddai ei bod yn angenrheidiol iddo gadw meistrolaeth ar ei dymer.

'Dewch nawr, Bob, Twm Ifans o Gwmcelyn?' gwelodd y syfrdandod yn dangos yn y llygaid gyferbyn iddo wrth i'r atgofion ddechrau deffro, er mai dal i wadu pob dim oedd Preece.

'Merch ifanc wedi ei threisio a'i llofruddio a'i gadael a chithau yn arestio Twm Ifans yn union syth,' cododd Morgan ei aeliau. Gwyddai Bob Preece mai ofer byddai gwadu pethau ymhellach, felly triodd droi'r ffeithiau i'w blaid ei hun er nad oedd yn cofio'r achos yn llwyr.

'Cofio,' nodiodd ei ben a chymryd llwnc o'i gwrw, 'Un o'm achosion mwyaf llwyddiannus. Arestiwyd ef o fewn pedair awr ar hugain, cefais gyffes allan ohono ac i ffwrdd ag ef i'r crocbren – hen ddiawl arall wedi ei ddal a'i erlid o'r hen fyd 'ma.'

Cododd Morgan o'i sedd ac aeth y tu cefn i Preece. Rhoddodd ei freichiau ar draws ei ysgwyddau a gwthio'i ben lawr yn agos i'r bar.

'Naddo, Preece' dywedodd yn dawel, 'Cafodd e ddim o'i grogi, diolch byth, ond treuliodd dros ugain mlynedd yn y carchar diolch i ti, y diawl, a'th fath. Weles ti dy gyfle ac fe gydiais ynddi â'th ddwy law. Hen ddyn oedd yn methu siarad gair o Saesneg, hen ddyn oedd yn methu deall gair roeddet ti'n ddweud wrtho, hen ddyn wnest ti'n siŵr iddo arwyddo darn o bapur plaen. Rhoi ei enw i'r gyffes ffug byddai'n cael ei hysgrifennu nes ymlaen? Cyfle? Roedd hen fastard fel ti yn methu credu dy lwc, y diawl. Hen dric digon cyffredin, Preece, un 'rydw i wedi dod ar ei thraws droeon o weithiau dros y blynyddoedd ac wedi ymladd yn ei erbyn droeon o weithiau. Roeddet ti yn adnabod rhan fwyaf o'r criw 'na o Lerpwl cafodd eu dal yn gwneud yn union 'run fath, yn oeddet? Fi ddechreuodd yr ymchwiliadau, oeddet ti'n gwbod hynny? Cafodd y mwyafrif eu dal a'u cosbi ond gwyddwn fod eraill wedi dianc y rhwyd.'

Pwysodd Morgan lawr yn drymach, 'Wel, gwranda, mae dy dro di wedi dod o'r diwedd, Preece, roeddwn i ishe i ti cael gwbod hynny yn bersonol. Does dim dihangfa y tro 'ma. Mae enw Bob Preece ar ddogfennau swyddogol yn barod. Mae 'na rhywun ar ei ffordd i'th arestio, mae'r broses wedi ei dechrau erbyn hyn. Bydd yna groeso arbennig yn dy ddisgwyl yn y carchar, rwy'n siŵr, mae'n rhyfeddol shwt mae cyn-blismyn yn cael ei croesawu yno y dyddiau yma. Meddylia am 'na – a mwynha dy beint.'

Gyda hynny cerddodd Morgan allan o'r dafarn. Sylwodd fod y wraig fach rhyfedd yn dal yno ond aeth heibio iddi heb ddweud gair, neidiodd mewn i'w gar gan yrru tuag adre – pwrpas y daith wedi ei chyflawni.

Gwyliodd Sylvia y car mawr glas yn rhuthro heibio, efallai nad oedd wedi ei weld yn cyrraedd ond yn bendant gwelodd e'n mynd ac yn mynd ar frys – tybiai pam?

Doedd neb yn y dafarn i weld Bob Preece yn codi i fyny yn araf o'r bar, ei goesau yn wan a'i stumog yn corddi.

'Blydi mochyn afiach!' gwaeddodd y perchen wrth iddo chwydi'r cwrw a'r fodca dros y lle, 'Cer! a paid dod 'nôl 'ma byth 'to, uffern'

Cododd cywilydd arno am eiliad cyn i'w dymer ddrwg cael y gorau arno. Rhuthrodd allan o'r dafarn. Gwelodd Sylvia yn sefyll wrth ei wal ffrynt fel arfer – a gwyddai. Gwyddai yn iawn sut oedd y diawl 'na â'i graith wedi darganfod ei guddfan. Cododd ei wrychyn. Sychodd ei wyneb a'i geg. Croesodd y ffordd tuag ati.

Adnabu Sylvia yr olwg ddu ar wyneb ei hen gyfaill, roedd wedi ei weld droeon pan oeddent yn blant, a fiw i unrhyw un sefyll o'i flaen, ciliodd tuag at ei drws ffrynt. Daeth tuag ati yn syth. Rhwymodd ei law fawr o amgylch ei gwddw. Gwthiodd hi i mewn i'r tŷ.

'Blydi buwch,' gwaeddodd arni a'i gwthio i mewn i'w lolfa fach. Modfeddi yn unig rhwng eu wynebau, dau wyneb oedd yn hen gyfarwydd â'u gilydd – un yn siriol dyner, un yn ddu gandryll.

Methai Sylvia ddweud na gwneud dim. Roedd pwysau ei gorff yn ei phlygu yn ôl dros fraich ei chadair. Teimlai'r aer yn cael ei wasgu allan o'i chorff. Teimlai'n benysgafn a'r duwch yn cloi o'i hamgylch. Ceisiodd ei ddyrnu ond roedd yn rhy gryf a'i nerth hithau yn diflannu yn gyflym. Teimlodd rywbeth yn ei llaw, rhywbeth caled, y cloc marmor. Cydiodd yn dynn ynddo. Taflodd ei braich, teimlodd y cyffyrddiad. Tarodd eto ac eto.

Cododd y pwysau o'i chorff; llithrodd y bysedd cryfion o'i gwddw; medrai anadlu o'r ail. Llithrodd ar ei gliniau. Modfeddi yn unig rhwng eu hwynebau; dau wyneb ar y llawr; dau wyneb yn agos i'w gilydd; dau wyneb oedd yn hen gyfarwydd â'u gilydd – un yn fyw, un ddim.

* * *

Methai Joe Clark ddyfalu beth oedd wedi ei ddeffro mor sydyn cyn iddo glywed y twrw drws nesaf; dyn yn gweiddi; gwraig yn sgrechian; sŵn pethau yn cael ei hyrddio o amgylch. Cododd yn araf o'i wely gan edrych ar y wal denau a wahanai ei gartref ef wrth gartref Sylvia. Dechreuodd grynu, gwisgodd yn dawel bach wrth i'r gweiddi a'r sgrechian waethygu. Roedd ar fin mynd lawr y grisiau pan tawelodd pob dim. Gwrandawodd yn astud, rhoddodd ei glust chwith yn erbyn y wal ac wedyn ei glust dde – ond na doedd dim smic o sŵn i'w glywed mwyach.

Er bod Joe yn ei wyth degau ac wedi dioddef amryw anhawster ac afiechyd, corfforol a meddyliol, dros ei fywyd llwm, roedd yn dal yn ddigon call i wybod mai nid dychmygu'r sŵn a wnaeth, roedd hefyd yn ddigon call i beidio mynd a chnocio ar ddrws ffrynt y tŷ – yn hytrach aeth allan ac ar draws y ffordd i'r Dderwen.

'Iesu, Joe, rwyt ti'n gynnar heddiw 'ma, ffŵl, be sy' mater wyt ti wedi gwlychu'r gwely, neu be, dwed?' cyfarchodd perchen y dafarn ef mewn digri, er, gwir y gair, yr oedd Joe yn dueddol i wlychu ei wely o bryd i'w gilydd.

'N-n-na,' atebodd Joe yn nerfus, 'M-m-m-mae n-na rhywbeth w-w-wedi digwydd drws nesaf .....f-f-f-eit.'

'Duw, ti'n siŵr?' hawdd gweld bod Joe o ddifri, 'Tyrd, awn i weld be sy' wedi digwydd.'

Pum munud yn hwyrach roedd gwraig y dafarn yn ffonio'r heddlu. Munudau wedyn cerddodd plismones ifanc i mewn i swyddfa ei uwch rheolwr a thorri ar draws y cyfarfod oedd yn cymryd lle. Edrychodd arni'n chwyrn wrth iddi gerdded mewn heb gnocio,

'Mae 'na ddyn wedi ei ladd ac yn gorwedd mewn pwll o waed mewn tŷ,' datganodd yn frysiog. Aeth pawb yn dawel, y swyddogion i gyd yn edrych arni yn syn, 'B-Bob Preece,' edrychodd o un swyddog i'r llall er nad oedd ganddi unrhyw syniad pwy oedd Bob Preece.

'Blydi hel,' ebychodd yr Uwch Swyddog, 'Oes 'na gyfeiriad, ferch?'

Rhoddodd y ferch y cyfeiriad roedd wedi derbyn ar yr alwad ffôn.

'O, na, blydi Sylvia,' sibrydodd un o'r lleill, 'A minnau jest ar yn ffordd i'w arestio.'

24

Cododd calon Elisabeth pan welodd bod car Morgan wedi ei barcio o flaen Awel Deg, arwydd ei fod wedi cyrraedd adre yn ddiogel ac yn disgwyl amdani. Edrychai ymlaen i ddweud wrtho am ei hymweliad i weld Eirian heb ddangos iddo faint oedd wedi gweld ei eisiau ei gwmni.

'Wyt ti wedi bod adre'n hir?' gofynnodd wrth iddo ddod allan a'i chofleidio.

'Awr neu ddwy, dwi wedi bod yn brysur ar y ffôn,' eglurodd, 'Mae J-J a Gwenda yn cofio atat ti, gyda llaw, mae'r ddau yn dod lawr dros yr Haf.'

Aeth y ddau trwodd i'r gegin heb benderfynu'n iawn beth oeddent eisiau i fwyta i swper.

'Rwy'n credu fod Sal a Gwynfor wedi galw mewn tra roeddem ni allan,' dywedodd Elisabeth wrth agor yr oergell a thynni plataid mawr o macrell ffres allan, macrell oedd wedi ei glanhau ac yn barod i'w coginio.

'Diawl ti'n dditectif da,' gwenodd arni, 'Diolch i'r Nef am Sal, dwi'n starfo.'

'Ac felly ti wnaeth ddechrau'r ymchwiliad, ond pam ti?' Eisteddai Elisabeth a Morgan yn eu lolfa foethus ar ôl gorffen ei swper flasus o bysgod ffres, pryd iach – heblaw am y botelaid o win. Nawr gyda'r ail botel wedi ei hagor gwyliai'r ddau yr haul yn machlud yn goch dros gorwel Bae Ceredigion.

'Roeddwn i'n poeni dros y gwahanol straeon oedd yn

cyrraedd o bob cwr o'r wlad yn ymwneud â llygredd ymysg plismyn ac felly, gyda chefnogaeth ein meistri, fe wnes i a'r Comander ddechrau archwilio mewn i'r mater. Nawr 'does neb yn gwbwl ddieuog o rhyw fath o lygredd, hyd yn oed ti a fi.' Plygodd lawr a rhoi cusan bach ar ei boch, 'Ond pan mae'n effeithio ar fywydau a rhyddid pobol diniwed, wel, mae'n amser gwneud rhywbeth amdano. Mewn chwinciad roeddem yn boddi o dan y llif o adroddiadau yn dangos bod pethau'n lawer gwaeth nag oeddwn i wedi disgwyl ac yn lawer mwy eang.'

'A dyna pryd oeddet ti'n mynd i weld y gwahanol heddluoedd, te?' Cofiai Elisabeth Morwenna yn dweud wrthi ei bod wedi cyfarfod â'r un o'r meistri mawr 'ma "O, mae e'n dduw i ni yn yr heddlu, Mam," geiriau ei merch cyn ei bod yn gwybod dim mae siarad am ei thad ydoedd.

'Ie, uffern o waith! Ond cyn hir roedd gennym cyrchluoedd dros y wlad i gyd – ac yn araf bach daeth pethau i'r wyneb. Arestiwyd sut gymaint o'r ddrwg weithwyr, gredet ti ddim! Ond, wrth gwrs roedd 'na hefyd nifer fawr na chafodd ei dal. Ac mae'r ymchwilio yn dal i fynd yn ei flaen. J-J sy'n gyfrifol amdano nawr a dyna shwt daethom ni ar draws Bob Preece.'

'Ac roeddet ti'n gwybod bod y Bob Preece 'ma yn un o'r rhain ar y pryd?'

'Duw, nac oeddwn. Ti yn dweud bod Twm Ifans wedi sôn am arwyddo darn o bapur plaen wnaeth wneud i fi feddwl am y peth. Dyna beth oedd llwyth o'r diawlied 'ma yn gwneud er mwyn cael terfyn ar wahanol achosion roeddwn nhw'n teimlo nad oeddent o bwys. Felly diweddglo, clod, dyrchafiad, *fait accompli*, fel mae nhw'n dweud. A dyna'n union beth wnaeth Bob Preece wneud.'

'Felly mae Twm Ifans yn ddieuog?'

'Nawr, mae hwnna yn fater arall, Bwts fach. Dim dowt mae wedi cael ei gam-drin, mae wedi dioddef anghyfiawnder, ond os ydy e'n ddieuog neu beidio wel......'

'Ac rwyt ti yn mynd i fynd ymlaen i ymchwilio'r mater,' plygodd hithau tuag ato a'i gusanu cyn iddo gael cyfle i orffen ei ddiod.

'Mae'n mynd i fod yn dipyn o her, Bwts, yn dipyn o her.' Tywalltodd wydraid arall o win iddynt, 'Ond beth amdanat ti, shwt ddes ti 'mlân gyda Eirian?' Disgwyliai clywed ei bod hithau wedi teimlo'r oerni yn y lolfa a gweld y cysgod brawychus heb iddo fe ddweud gair wrthi. Ond gwyddai nad ydoedd neu mi fyddai wedi sôn amdanynt cyn hyn.

Oedd, roedd Elisabeth wedi mwynhau ei diwrnod yng Nghwmcelyn, cael gweld Eirian unwaith eto. Hi oedd ei hoff ddisgybl ac mor falch ei bod efo Omri, gwyddai y byddai'n ŵr ffyddlon iddi. Gwelai ddyfodol hapus iawn i'r ddau.

'Y tŷ? O, ardderchog; oedd, roedd wedi bod yn fargen ac Omri yn ddigon parod i weithio arno ac yn gwneud gwaith da yn ogystal. Mi fydd yn gartref iddynt am flynydde maith – yr unig amod yw, wrth gwrs. bod yr ysgol yn dal ar agor ac hithau ddim yn gorfod derbyn swydd rhywle arall. Ond mae hi ac Omri yn mynd i wneud yn sicr bydd na ddigon o blant i'w chadw ar agor.'

Chwerthinnodd y ddau.

'Y lolfa? O! mor foethus a'r haul yn ddisglair ac yn wresog drwy'r ffenestr fawr 'na. Piti bod na goeden tu allan ac honno mor agos. Roedd yr ardd yn brosiect arall ond roedd Eirian yn ddigon parod i weithio'n galed yno – wel, merch i fferm ti'n gweld. Chi i gyd, plant ffermwyr, wastad yn barod i weithio'n galed.' Tynnai coes ei gŵr a'r wên lydan ar ei hwyneb.

'Ond wnes ti sylwi, Alun, ar un darn ar hyd y llwybyr cefn?

Doedd na'm byd byth yn tyfu yno yn ôl Eirian. Glaswellt, blodau, hyd yn oed chwin, pob dim yn tyfu o'i amgylch ond dim byd ar y darn yna – wnes di sylwi?

'Naddo.'

'Ond beth am Gwenda Roberts, te?' aeth Elisabeth yn ei blaen a'r gwin yn cael effaith arni, 'Rydw i ddim yn credu wna i dy adael i fynd i'w gweld hi ar dy ben dy hun o hyn ymlaen, fy nghariad i. Mawredd, sôn am enw drwg, doedd Eirian yn methu rhannu'r straeon amdani gyda ti wrth gwrs – rhy swil.'

'Plant gweinidogion, t' weld, wastad yn afreolus,' tro Morgan i dynnu coes. Gwenodd Elisabeth ar ei gŵr wrth dywallt fwy o win i'r ddau.

25

'Mae'n rhaid i mi gyfadde' rwyt ti wedi gwneud hen joben iawn y tu allan 'co,' dywedodd un o'r dynion gan ganmol ymdrechion Sean.

'Trueni na fyddi di yma i fwynhau ffrwyth dy lafur,' gwenodd y llall yn faleisus.

Edrychodd Sean ar y ddau heb ddweud gair. Am unwaith roedd y tri wedi eistedd lawr i fwyta cinio nos gyda'u gilydd gan greu rhwystredigaeth i Brenda. Ond mi wnaeth ymdopi ar sefyllfa, dyna oedd ei gwaith, gwaith oedd yn talu yn hael ac hithau heb ddwy geiniog i'w rhwbio gyda i gilydd cyn cael y cyfle yma. Tybiai a oedd y ddau arall wedi sylweddoli beth oedd yn mynd ymlaen rhyngddi hi a Sean.

'Mae'r amser wedi dod i ti symud ymlaen.' Torrodd y geiriau ar draws y bwrdd gan chwalu breuddwydion melys Brenda. Unwaith eto teimlai Sean ynghlwm tu mewn i garchar anweledig. Rhywun arall wedi penderfynu ei fod i newid ei leoliad, i symud ymlaen i rywle gwahanol na wyddai ymhle.

'Mae'r lle 'ma yn ddigon tawel ond mae'n lawer rhy anghyfleus i'r prosiect. Felly rydym wedi dod o hyd i fwthyn bach fydd lawer mwy cyfleus i ti.'

Torrodd y llall i mewn i'r sgwrs, 'Fyddi'n cael car dy hunan yfory, fe wnewn ni dy hebrwng lawr 'na bore dydd Sul, a dangos i ti lle fyddi di yn dechrau gweithio bore Llun.'

'Mae hwn wedi cyrraedd i ti hefyd,' estynnodd y dyn ei law

ar draws y bwrdd, yn y llaw gorweddai amlen wen, ac yn yr amlen swmp o arian parod.

'Iawn,' oedd unig ymateb Sean ac aeth yn ei flaen i fwyta ei ginio mewn tawelwch.

★   ★   ★

Yn y bore gadawodd Morgan i Elisabeth gysgu'n dawel, roedd yn harllwys y glaw o hyd ond, o leiaf, roedd y mellt a'r taranau wedi cilio a'r gwynt wedi tawelu. Ond canodd y ffôn cyn iddo gael cyfle i ddechrau ar ei waith.

'Hey, gyf,' llais J-J yn dal i ddefnyddio y term adnabyddus i gyfarch ei hen feistr a'i ffrind, 'Ti'n cofio'r Bob Preece 'na buom ni'n sôn amdano? 'Wel mae e wedi ei ladd.'

'Ei ladd? Mawredd!'

'Ydy, yn ôl Heddlu Wrecsam. Mae'n debyg mi wnaeth e ymosod ar rhyw wraig fach ddiniwed sy'n byw ar draws y ffordd o dafarn Y Dderwen ac fe wnaeth hi daro fe ar draws ei ben i'w hamddiffyn ei hun a'i ladd.'

'Esgyrn Dafydd, pwy fydde'n meddwl?' cwestiwn heb unrhyw gydymdeimlad a'r sylweddoliad ei fod yn gwbod yn iawn pwy oedd y wraig fach ddiniwed – hanner call.

★   ★   ★

'Duw, shwt mae, gyf?' gwenodd Morgan wrth ei hun wrth gael ei gyfarch â'i hen deitl cyfarwydd am yr ail dro y bore hynny. Newydd wneud galwad ffôn i Heddlu Aberystwyth gan obeithio cael un neu ddau ateb arwyddocaol i'w gwestiynau am achos Twm Ifans yr ydoedd pan ddaeth y cyfarchiad adnabyddus.

'Iawn, Ron, shwt wyt ti?' Cofiai Morgan Ditectif Arolygydd Ron Powell pan oedd ond yn gwnstabl ifanc yn dechrau allan ar ei yrfa ac mor ddiniwed ag oen sugno. Cofiai ef yn ei got lwyd hir â'i het lawr dros un llygad, fel rhywun allan o hen ffilm ddu a gwyn, wrth iddo geisio dyfalu achos llofruddiaethau dros ddeng mlynedd yn ôl – y rhai oedd wedi ymglymu yr Alun Morgan cuddiedig. Dysgodd Ron Powell tipyn wrth y 'gyf' ar yr adeg honno ac roedd yn dal yn ddyledus iawn iddo. Erbyn heddiw roedd yn swyddog blaenllaw yn Heddlu Aberystwyth.

Wrth iddo egluro pwrpas yr alwad torrodd Ron Powell ar ei draws, 'Mae'n ddrwg sobor 'da fi, gyf, ond roeddwn i dal yn yr ysgol pan ddigwyddodd y pethau yma, felly byddai'n lawer gwell pe byddech yn siarad gyda Martin Ifans.'

'Shwt mae e'n mwynhau ei ymddeoliad?' gofynnodd Morgan.

Cyn ymddeol roedd Martin Ifans yn Ditectif Uwch Arolygydd Heddlu Aberystwyth a chyn-feistr Ron Powell. Er ei fod wedi bod yn genfigennus iawn o Morgan ar y dechrau tyfodd parch ac agosrwydd rhyngddynt fel y daeth y ddau i adnabod eu gilydd yn well.

'Chwarae golff drwy'r dydd a bob dydd am wn i,' atebodd Powell.

'Dim heddiw, siŵr Dduw,' edrychodd Morgan ar y glaw yn tywallt y tu allan, 'Dere a'i rhif ffôn i mi – safio fi i chwilio amdano.'

Daeth Ron Powell o hyd i'r rhif yn gyflym ac ar ôl sgwrs fach am yr "hen ddyddiau" esgusododd Powell ei hunan. 'Mae'n rhaid i fi fynd, gyf, mae na gwch pysgota wedi mynd lawr yn y storom na neithiwr. O leiaf, allan o Aberaeron oedd hon nid fel y llall ond mae e i gyd wedi landio ar fy nesg. Cymerwch ofal, cofion i'r teulu, cadwch mewn cyswllt, pob hwyl.' Clywodd Morgan y ffôn yn diffodd cyn iddo gael cyfle i ddweud mwy.

'*Bit of a false alarm I'm afraid, Fifty Eight, what?*' Er i Morgan gysylltu â'i feistr yn MI5 ynglŷn a'r ymchwiliadau i mewn i'r llong pysgota oedd wedi ei dinistrio heb fod ymhell o Gwmtydu, doedd heb cael ateb hyd nawr.

'*Had several reports about activities here and there but absolutely nothing in Wales, praise be. Beggars seem to be concentrating on London and Birmingham at present – but we're onto the blighters. Be in touch if I hear of anything and you do likewise, of course. Cheers!*'

A dyna fe te, ac yn swyddogol – dim perygl. Anghofia fe, Morgan, canolbwyntia ar materion Cwmcelyn mewn heddwch. Ond fach iawn oedd gan Martyn Ifans i gyfrannu tuag at achos Twm Ifans ychwaith. Oedd, roedd yn falch iawn i glywed llais 'Y Gyf' eto, ac oedd, roedd yn cofio am y llofruddiaeth yn iawn gan ei fod wedi methu deall pam mai Heddlu Caerfyrddin oedd wedi delio â'r achos. Ond 'Na' oedd ei ateb i bob cwestiwn arall, a gyda chofion gorau i bawb diffoddwyd y ffôn.

* * *

'Oes rhaid i ti fynd?' gorweddai Brenda yn noeth wrth ei ochr a'i choesau hirion wedi eu rhwymo o'i amgylch.

'Oes,' atebodd Sean yn blwmp.

'Cer a fi gyda ti,' roedd yn erfyn arno.

'Na,' atebodd yn blwmp. 'Nawr wyt ti'n codi a gwisgo neu....? '

''Dwi ddim yn barod i wisgo eto,' a thynnodd ei hunan yn nes ato. Roedd yn siŵr os nad oedd yn newid ei feddwl cyn mynd byddai'n dod yn ôl i'w chasglu rhywbryd. Anwesai ei gorff yn dyner a gwneud y pethau y gwyddai roedd yn mwynhau. Gwneud ei hun yn anhepgorol iddo dyna oedd yr ateb, dyna oedd wedi dysgu gan ei chwaer fawr yn ystod ei bywyd llwm. Tybiai hefyd ymhle oedd Sean wedi cuddio'r amlen wen gwelodd yn cael ei throsglwyddo ar draws y bwrdd y noson gynt. Gwyddai ei bod yn swmpus ac yn llawn arian – ac yn werth ei dwyn. Felly disgwyliai iddo godi i fynd i'r tŷ bach ar unrhyw funud ac wedyn byddai'r cyfle ganddi i chwilio amdani .... ond yn y cyfamser.........

Ond doedd dim awydd pisiad ar Sean. Gwyddai bod y tŷ yn wag heblaw amdano ef a Brenda gan fod y ddau arall wedi mynd i ffeindio car iddo ac roedd yn edrych mlaen iddynt ddychwelyd. Ond yn y cyfamser.......os mae dyna oedd y fenyw 'ma eisiau.......Trodd tuag ati a'i thynnu yn agos ato.

★ ★ ★

Ar ôl cawod a brecwast roedd Elisabeth yn teimlo lawer gwell ac wedi gwneud adduned i'w hun i beidio ag yfed sut gymaint o win yn y dyfodol. Gwyddai bod Morwenna a'r teulu yn ymweld a nhw dros y benwythnos. Gobeithiai byddai'r tywydd yn gwella gan fod Anwen yn ysu am hwylio yng nghhwch ei thadcu.

Roedd y ddau mor agos – teimlai'n drist nad oedd Morgan wedi cael y cyfle i rhannu plentyndod Morwenna ar y pryd. Pwy a ŵyr pa mor wahanol byddai pethau wedi bod? Roedd y ddau 'run ffunud a'u gilydd. Galwodd Morgan arni i ddweud bod Siwsan ishe gair bach ar y ffôn, 'Gofyn iddi a gâi'i air bach gyda John cyn iddi fynd, OK?'

''Dwi wedi bwco,' dywedodd ei ffrind yn gyffrous cyn

gynted ag y cododd Elisabeth y peiriant i'w chlust, 'Ac wyt ti'n gwbod pwy sy'n mynd i fod 'na yn bendant?'

Pryd hynny sylweddolodd Elisabeth nad oedd effaith y ddiod ar ei meddwl wedi llwyr glirio – doedd ganddi'm syniad beth oedd Siwsan yn sôn amdano, ond cyn iddi gael y cyfle i'w hateb.

'Tom Jones, meddylia, Y Tom Jones ei hunan,' atebodd Siwsan yn gyffrous.

Cofiodd Elisabeth am yr Eisteddfod a pha mor awyddus oedd Siwsan i drefnu pob dim.

'Great,' atebodd heb unrhyw frwdfrydedd yn ei llais.

'A dwi wedi bwco tocyn wythnos i ni i gyd,' y cyffro yn dal yno.

''Dwi'm yn credu y bydd Tom Jones yn aros mewn unrhyw garafán na phabell, Siwsan, wyt ti?' atebodd Elisabeth. Doedd hi dal ddim yn gweld Dorothy yn mynd gyda nhw a gwnaeth nodyn i gofio gofyn i Morwenna.

'O, na,' chwarddodd Siwsan, 'Ond byddai'n neis pe byddai.'

Yn anffodus roedd John ei gŵr wedi diflannu i rywle pan holodd Morgan amdano, 'Dyna rhyfedd roedd e yma eiliad yn ôl. Mae siŵr o fod wedi mynd i hel y papur o'r siop.'

* * *

Gwyddai Brenda heb unrhyw amheuaeth bod Sean yn ei charu. Clywai ef yn griddfan yn ei gwsg ar y nosweithiau pan fyddai'r ddau ddyn arall i ffwrdd dros nos gan rhoi cyfle iddi hi ag ef rhannu'r gwely drwy'r nos. Gwyddai mai ysu amdani ydoedd pryd hynny a byddai'n rhwymo ei chorff noeth o amgylch ei gorff yntau heb ei ddeffro. Er ei fod yn gadael Y Berllan y bore nesaf, teimlai'n ffyddiog y byddai yn dychwelyd dro ar ôl tro i'w gweld – yn enwedig gan byddai car ei hunan gydag ef. Edrychai ymlaen i'r diwrnodau pan fyddai'r "prosiect", beth bynnag oedd hwnnw, wedi ei gyflawni. Pryd hynny byddai Sean yn dychwelyd i'r Iwerddon a gwelai ei hun yn mynd gydag ef. Wedi'r cyfan roedd y wraig yn y ffair ym Mhorthcawl wedi dweud wrthi misoedd yn ôl y byddai yn cyfarfod a gŵr tal, cyhyrog, golygus, un oedd yn dod ar draws y môr – Sean i'r dim! Doedd ganddi ddim amser i'r Cymry. Roeddent i gyd wedi ei cham-drin mewn gwahanol ffyrdd ers yn blentyn. Partner ei mam oedd y gwaethaf. Cofiai ef yn dod i mewn i'w ystafell wely pan oedd ei mam wedi cwmpo i gysgu yn feddw ac yn bygwth hi a'i chwaer i wneud hyn a hyn fel yr oedd yn mynnu. Rhedai ias oer trwyddi wrth gofio'r holl beth, oedd unrhyw rhyfedd ei bod wedi rhedeg bant? Gwyddai mai nid un fel 'na oedd Sean, er, y teimlai, bod y ddau Wyddel arall yn ddigon tebyg i'r "Ewythr".

Ond ar y bore canlynol gadael Y Berllan yn sydyn y gwnaeth heb unrhyw ffarwel na dim. Y peth cyntaf gwyddai Brenda oedd clywed lleisiau'r dynion yn siarad yn uchel efo'u gilydd cyn clywed drysau ceir yn cau. Rhedodd allan o'r gegin gefn lle roedd wedi bod yn paratoi cinio i'r tri ond erbyn iddi gyrraedd y stepen drws roedd y ddau gar ar eu ffordd i fyny'r lôn. Fu bron iddi godi ei llaw a gweiddi ond peidiodd, sylweddolai mai gwastraff amser oedd ei hymdrechion yn y gegin, a mwy na thebyg yn y gwely hefyd. Sibrydodd 'Bastard,' yn dawel.

'Nawr te,' gafaelodd rhywun yn ei braich, 'Beth am gael tipyn bach o hwyl cyn cael bwyd?' Roedd un o'r Gwyddelod yn dal yno, 'Mae angen bach o gwmni arna i.' Gafaelodd yn gryfach yn ei braich a'i thynnu tuag ato.

'Gad fi'n llonydd,' cwynodd wrth wyntio ei anadl sir.

'Dere mlân wedes i,' dywedodd yntau yn chwyrn. Rhwymodd ei fraich o amgylch ei gwddw a'i llusgo i mewn i'r tŷ ac i fyny'r grisiau. Er i Brenda ymladd yn ei erbyn bob cam o'r ffordd gwyddai nad oedd ganddi'r nerth i wrthsefyll beth oedd o'i blaen. Cafodd ei thaflu ar ei gwely.

'Nawr wyt ti eisiau bod yn gyfeillgar neu yn anodd?' edrychai'r dyn yn syn a gwyddai ei fod o ddifri, 'Does dim gwahaniaeth gennyf i, 'run canlyniad bydd hi,' gwenodd yn faleisus. Nid dyma'r tro cyntaf iddo ei cham-drin fel hyn. Y tro diwethaf roedd wedi ei gadael yn gleisiau i gyd ar ôl rhwygo ei dillad i ffwrdd. Yn araf bach, dechreuodd Brenda ddatod ei blowsen.

'Tyrd ymlaen, ar dy draed gad i mi gael tipyn o sioe,' chwarddodd y Gwyddel yn groch. 'Fel hyn roeddet yn arfer gwneud gyda Sean Nulty, ie fe?' gofynnodd yntau wrth dynnu ei ddillad yntau i ffwrdd, 'Wel fydda i ddim mor dyner ag e.'

Aeth y gwthio a'r dyrnio, a'r uno ymlaen ac ymlaen nes bod Brenda yn meddwl byddai byth yn stopio – ond o'r diwedd mi ffrydiodd y tu mewn iddi. Gorweddai'r ddau ar wely Brenda mewn tawelwch am dipyn cyn ei fod ef yn codi a gwisgo a'i gadael yn ei phoen a'i dolur.

Sylweddolai Brenda bod cyfrinach wedi ei thorri. Heb iddo sylweddoli roedd y Gwyddel wedi datgelu enw llawn Sean wrthi. Doedd hyn ddim i fod dan unrhyw amod. Byddai'n cofio ei gamgymeriad, tybed? Fel fflach neidiodd o'r gwely, cydiodd yn ei minlliw cyn dechrau gwisgo yn gyflym. Clywodd y drws yn agor tu cefn iddi. Gwelodd yr olwg ddu ar y wyneb.

Gwyddai yntau ei fod wedi rhannu cyfrinach na ddylai fyth wedi ei datgelu; dylai erioed wedi datgelu enw llawn Sean i neb ond yn enwedig i hwren fel Brenda. Doedd dim gwahaniaeth pa addewidion byddai'n gwneud, na pha aberth byddai'n barod i gyflawni, gwyddai Brenda na fyddai dihangfa iddi y tro 'ma.

Erbyn oriau mân y bore canlynol roedd Y Berllan yn wag ac yn dywyll. Doedd na'm sôn am neb. Pob man yn dawel. Pob man yn daclus. Pob drws wedi ei gloi, pob ffenestr ar gau â'r llenni wedi eu tynnu ar draws. Heb arwydd bod unrhyw un wedi bod yno hyd yn oed. Dim Sean, dim Brenda, dim un Gwyddel arall. Pob dim wedi ei adael yn dwt ac yn lân.

Dim byd ar ôl – heblaw am un peth.

26

Gwyddai Morgan mai yng Nghwmcelyn yr oedd gwraidd y gwirionedd am lofruddiaeth a threisiad Eira Huws. Er fod ganddo gwestiynau di-ri yn dal heb atebion, gwyddai bod yn rhaid iddo edrych ar y mater o safbwynt arall. Felly, penderfynodd i wneud pethau yn ôl ei ffordd unigryw ei hun – dyna oedd ei drefn, dyna oedd ei gred, dyna oedd ei reddf – pam newid pethau?

Ar ôl gyrru draw i Gwmcelyn unwaith eto a pharcio ei gar, sylwodd bod drws cangen y banc ar agor. Dyma lwc! Penderfynodd galw mewn i weld o oedd hi'n amser cyfleus i gael gair bach gyda Ann Rhys. Roedd y lle yn wag, digon hawdd gweld pam oedd y bwriad i gau'r gangen wedi ei gwneud. Derbyniodd gynnig Ann am ddisied o goffi yn ei swyddfa.

'Ond mae rhywbeth wedi dy gynhyrfu y bore 'ma,' dywedodd Morgan wrth orffen ei ddiod.

'Peidiwch a siarad,' atebodd Ann, 'Cael cyfarfod gyda perchen y Llwyn Celyn i geisio ei arbed rhag mynd i'r wal – ond dyw e ddim yn barod i wrando arna i wrth gwrs gan fy mod i'n fenyw! Mawredd! mae'n gwneud fi mor grac – dyw e ddim yn gweld mae ei ddyfodol e sydd yn y fantol – ac hynny ar ôl bod 'na am dros ugain mlynedd. O! mae e mor rhwystredig, peidiwch a siarad.'

'Dyna welliant,' gwenodd Morgan arni, daliodd ei llygad

ac yn sydyn teimlai Ann fel chwerthin. 'A pwy yw e, te?' gofynnodd Morgan.

'Wilfred Lewis, neu Willi Whiff fel mae pawb yn ei alw,' edrychai Anne ar ei nodiadau heb wybod pam roedd yn rhannu'r wybodaeth yma, na pam roedd y cwestiwn wedi ei ofyn hyd yn oed, ond aeth yn ei blaen, 'Ac mae wedi bod yn berchen ar y lle am bron chwarter canrif ac yntau yn mynd i'r wal. Nid eich problem chi yw hi, Alun,' edrychodd arno, 'Ond diolch yn fawr am godi'n ysbryd.'

'Wastad yn bleser, Ann, rwyt ti'n gwbod lle i gysylltu â mi unrhyw amser,' cododd i fynd allan, 'A diolch yn fawr am y coffi,' ategodd.

Cododd hithau a'i arwain allan ac wrth agor y drws cymerodd y cyfle i rhoi cusan bach ar ei foch. Daliodd Morgan ei llygad, gwenodd, gadawodd heb ddweud gair.

Gan gymryd y cyfle i gerdded o un pen o'r pentref i'r llall synnai Morgan pa mor agos oedd Dan–y–Graig â'r Mans i'w gilydd. Gwenodd wrth gofio geiriau Elisabeth am Gwenda Roberts a gobeithiai na fyddai hi yn dod allan a'i gyfarfod. Am ryw reswm teimlai yn hollol anghyfforddus yn ei chwmni ond ni wyddai pam – ac roedd hyn yn deimlad hollol estron iddo.

'"Daethom ni o hyd i Twm Ifans yn feddw gaib yn y gwter â'i drowsus ar agor ac yntau wedi pisio ei hunan".' Atseiniai geiriau John Jones yn ei feddwl.

'Ydych chi'n barod am ddisied arall?' torrodd llais Ann ar draws ei feddyliau. Roedd wedi cerdded yn ôl lawer cyflymach na'r disgwyl ac unwaith eto safai o flaen swyddfa'r banc.

'Felly roeddet ti yn byw yng Nghrymych am gyfnod?' cadarnhad yn hytrach na chwestiwn wrth iddo eistedd yn swyddfa Ann Rhys am yr eildro y bore hynny â'r ddau yn mwynhau disied o goffi arall a bisced. Cofiai Ann yn sôn am ei chysylltiad â'r lle yn gynharach.

'Cof da 'da chi,' gwenodd arno.

'Plismon, t'weld,' y ddau yn mwynhau'r digri ar awyrgylch wedi ysgafnhau tipyn dros y bore. 'Oeddet ti'n adnabod Eira Huws, te?'

'Wên i yn yr ysgol uwchradd ar y 'run pryd,' atebodd, 'Wel, hynny yw roeddwn i flwyddyn neu ddwy ar ei hôl. Roedd hi yn y 'run flwyddyn â Bronwen, a Gwenda wrth gwrs. Y dair yn cael ei galw yn "The Holly Sisters" achos bod nhw i gyd yn dod o Gwmcelyn. Ond doedd dim byd "Holy" am Gwenda Roberts credwch chi fi – na Eira chwaith – a phob parch iddi. Roedd Bronwen yn iawn gyda pawb.'

'Ym mha ffordd doeddwn nhw ddim yn Holy, te?'

'Bechgyn, bechgyn, bechgyn, dyna i gyd oedd ar feddwl Gwenda,' plygodd ymlaen, 'Falle dylwn i ddim dweud hyn ond chi'n gwbod beth mae nhw'n ddweud am ferched gweinidogion.'

Gwenodd Morgan yn dawel, roedd yn amlwg fod Ann heb sylweddoli mai merch i weinidog oedd Elisabeth. 'Popeth yn iawn, Ann, roeddwn i'n dweud yn union yr un peth wrth rhywun arall y noson o'r blaen!'

* * *

Beth ddiawl mae'r ferch 'na yn gwbod am redeg tŷ tafarn? Croten ifanc fel 'na? Diawl erioed mai bron yn rhy ifanc i fynd mewn i dŷ tafarn heb sôn am ddweud wrtha i shwt i redeg un! Felly rhedai meddyliau Wilfred Lewis wrth sefyll ar ben ei hunan tu cefn i'r bar yn nhafarn gwag Y Llwyn Celyn. Edrychai o'i amgylch yn ddiflas ac yn araf bach daeth i sylweddoli efallai bod Ann Rhys yn iawn. Roedd y lle yn marw yn gyflym ac roedd yn well iddo naill rhoi'r gorau iddi, ymddeol a symud i ffwrdd neu galw ar ei fab, Hefin, i fod yn bartner iddo. Rhyngddynt fedrent moderneiddio'r lle a'i ymestyn i gynnwys bwyty yn ogystal a disco i ddenu'r bobol ifanc. Byddai'r dafarn yn ddigon cyfleus i ymwelwyr o Aberteifi a rhanbarthau eraill. Ond faint o ymdrech byddai'n cymryd? Faint o arian? Faint o ddiddordeb byddai gan ei fab? Byddai Hefin yn barod i rhoi fyny ei waith ym mhorthladd Abergwaun i ddod i weithio llawn amser fan hyn? Na, nid fel hyn roedd hi i fod. Nid ar ôl yr holl flynyddoedd. Ar goll yn ei feddyliau wnaeth e'm sylwi ar y dyn tal yn dod i mewn nes bod hwnnw yn sefyll o'i flaen a'i law ar y bar. Edrychodd yn syn arno, llygaid tywyll direidus, y wên serchog, hen graith gas yn rhedeg lawr un boch, ymddiheurodd – doedd heb ddisgwyl cwsmer mor gynnar a hyn.

Argraff gyntaf Morgan oedd fod tafarn Y Llwyn Celyn yn dywyll, yn oer, ac yn ddi-groeso. Gobeithiai mai nid dyna'r argraff byddai'r cwsmeriaid yn gael ar eu ymweliad cyntaf i'r Ffrwd Wen ym Mhwll Gwyn. Na, gwyddai'r Comander yn well na hynny. Tarodd Morgan pa mor addas oedd ffugenw Wilfred Lewis. Willi Whiff iawn welai yn sefyll tu cefn i'r bar. Llai na phum troedfedd a hanner, wyneb crwn coch yn dangos arwyddion gormod o ddiod a'r bol crwn yn cadarnhau ble oedd elw'r dafarn wedi mynd dros y blynyddoedd. Pen crwn hollol foel heblaw am thwffdin bach o wallt gwyn reit ar y top, y geg lydan ar dannedd wedi melynu gan y sigaréts dros amser.

'Peint, os gwelwch chi fod yn dda,' archebodd Morgan gan bwyntio at un o'r pwmpiai. Tynnodd Willi Whiff y peint a'i rhoi ar y bar heb ddweud gair.

Ceisiodd Morgan dorri'r awyrgylch oeraidd drwy sôn am y tywydd ond heb lawer o ymateb; edmygodd y pentref a'r cwm a'u lleoliad – ond yr un oedd yr ymateb i bob dim nes iddo ofyn yn blwmp, 'Faint y'ch chi wedi bod 'ma, te?'

'Bron i chwarter canrif, was i,' atebodd Willi Whiff fel pe bai wedi sylwi ar bresenoldeb cwsmer yn sydyn.

'Mor hir a hynny,' dywedodd Morgan gyda ffug edmygedd, gwyddai'n iawn beth fyddai'r ateb ond roedd y cadarnhad yn crafu ei feddyliau..

Dechreuodd Wilfred Lewis ymateb i ymdrechion Morgan i gael sgwrs heb sylweddoli ei fod yn cael ei gwestiynu gan hen feistr. Na, nid hon oedd ei dafarn cyntaf; ie, o'r ardal yma roedd yn dod yn wreiddiol ond nid o'r pentref ac ymlaen ac ymlaen nes ei fod, erbyn bod Morgan hanner ffordd trwy ei ail beint, yn agor ei galon wrth iddo sôn am ei fab, sôn am ei wraig yn ei adael, sôn am y busnes yn mynd lawr ac, felly, wrth iddo dywallt yr ail wydraid o wisgi i'w hun roedd yn ymddangos ei fod yn mwynhau y cwmni.

'Ie, ie, Hydref y twenti thyrd neinteen forti nein, dyna'r noson wnes i agor. Duw dyna i chi nosweth. Diawl erioed,' roedd wyneb Lewis wedi goleuo lan i gyd wrth iddo ail fyw ei atgofion. 'Y lle'n llawn, t'weld' cadarnhaodd.

Cwarter canrif! Cwarter canrif! Clywodd Morgan y dyddiad Ciciodd ei hunan. 'Pwy oedd 'ma i gyd te?' Trïodd guddio ei syndod wrth sylweddoli fod y dafarn wedi agor ar y 'run noson cafodd Eira Huws ei llofruddio. Perthynol? Cysylltiad? Yn fwy na chyd-ddigwyddiad?

'Wfft, pwy nad oedd? Pob un o'r pentre heblaw am un neu ddwy o'r menwod, t'weld, hyd yn oed y gweinidog a'i wraig roeddwn nhw 'ma. Bois yr heddlu a rheina .... Duw, oedd roedd y lle yn orlawn.'

'Dim probleme, te?'

'Dim o gwbwl, pawb yn enjoio ei hunain – trueni bod hi ddim fel yna heddi,' a llyncodd ei drydedd wisgi – mawr.

Cuddiodd Morgan ei deimladau er bod ei feddwl yn chwildro. Pam nag oedd neb wedi dweud hyn wrtho? Pam nag oedd nodyn ohono yn nodiadau Y Parchedig Goronwy Roberts? Oedd na ffeithiau yno nag oedd e wedi ystyried wedi'r cyfan? Oedd Denzil Harris wedi anghofio? Sawl un oedd yn cuddio eu atgofion tu cefn i gelwydd – a pham? Mawredd, roedd merch ifanc wedi ei threisio a'i lladd o fewn tafliad carreg o'r lle – a neb yn barod i siarad am y peth? Gwyddai nad oedd Willi Whiff wedi gwneud camgymeriad, roedd y dyddiad yn rhy bwysig iddo fe wneud y fath beth; roedd golygfeydd y noson yn dal yn fyw yn ei feddwl hyd heddiw.

Wrth adael y dafarn teimlai Morgan efallai fod yr allwedd, or diwedd, yn dechrau troi yn y clo i agor drws gwirionedd yn hytrach na'r celwydd a'r gwatwar oedd wedi ei wynebu hyd yn hyn.

27

Gwyddai Elisabeth byddai Morgan ar ddrain am fynd draw i gasglu'r ffeil colledig roedd Morwenna wedi darganfod yn y Pencadlys yng Nghaerfyrddin. Felly cyn gynted ag y dychwelodd o Gwmcelyn, gadawodd y ddau Awel Deg ar frys. Gwyliai ei gŵr yn gyrru, gwyddai o'r ffordd y rhedai ei fys ar hyd y graith ei fod ar goll yn ei feddyliau. Fel arfer byddai'n gyrru yn lawer mwy cyflym nag hyn. Gwyddai'n well na thorri ar ei draws pan oedd yn yr hwyl yma.

Wrth iddynt agosáu tuag at Drefach Felindre cofiai Elisabeth y tro cyntaf daeth Alun i'r tŷ bychan clud â'i ddrws ffrynt coch. Gwenodd wrth ei hun wrth gofio am y ddau yn ail gyfarfod ar ôl mwy nag ugain mlynedd, 'run ohonynt yn gwbod yn iawn ble i ddechrau ail gynnau fflam eu cariad nad oedd wedi diffodd yn llwyr – er i'r fflam ail gynnau yn naturiol yn ddigon sydyn.

Atgofion melys, ac yn llawn mor felys oedd clywed Anwen yn gweiddi lawr o'i ystafell wely wrth iddynt gerdded mewn, 'Dewch yma, Nain, dwi ishe help gyda'm gwaith cartref.'

Edrychodd y ddau ar ei gilydd, 'Wel, dyna ngwaith i am y nos, dos di i weld Morwenna.'

Aeth Morgan trwodd i'r gegin yng nghefn y tŷ lle gorweddai'r ffeil colledig ar y bwrdd – o'r diwedd.

* * *

Fel arfer, Ann Rhys oedd y diwethaf i adael swyddfa'r banc yng Nghastell Newydd Emlyn ac, fel arfer, gyrrai i ffwrdd o'i gwaith mewn breuddwyd. Heb sylwi ar y bobl o amgylch er i rhai codi llaw yn gyfeillgar, na'r ceir eraill nag unrhyw droad i'r chwith nac i'r dde cyn iddi sylweddoli, yn sydyn, ei bod yn agos i Bont Henllan. Beth yn y byd oedd hi'n gwneud fan hyn? Gwenodd wrth ei hun heb unrhyw euogrwydd.

'A! wel,' meddyliodd wrth droi i'r chwith ac i fyny'r ffordd tuag at Henllan. Gwelodd criw bychan o blant ysgol yn chwarae wrth yr hen orsaf trenau oedd wedi cau ers blynyddoedd. Stopiwyd y prysurdeb wrth i'r plant ei gwylio yn gyrru heibio. Gwnaeth un neu ddau godi llaw arni mewn adlewyrchiad o'r hyn byddai eu tadau yn gwneud er doedd ganddynt ddim syniad pwy ydoedd. O'i blaen gwelai Y Berllan ar draws y caeau. Teimlai fod yr olygfa yn well o'r pen yma nag o'r cyfeiriad arall.

Trawyd hi ar unwaith bod y lle yn edrych yn hollol ddifywyd, dim car wedi parcio ar y clôs, y ffenestri i gyd i weld yn dywyll â'r llenni wedi eu cau. Dim arwydd o gwbwl fod unrhyw un yno nac, hyd yn oed, wedi bod yno yn ddiweddar. Rhedai teimladau rhyfedd trwy ei meddwl.

'Oedd hi'n bosib bod y lle yn wag?' meddyliodd. 'Oedd pwy bynnag oedden nhw wedi mynd i ffwrdd a'i adael?'

Cododd ei hysbryd. Clywai hen leisiau dychmygol yn galw arni ac yn ei annog i alw mewn. Doedd na'm giât ar draws y lôn – erioed wedi bod. Trodd ei char i'r chwyth a gyrrodd lawr tuag at y tŷ. Fedrai wastad ddefnyddio rhyw esgus pe byddai rhywun yn ei herio. Parciodd ei char, nid ar y clôs lle roedd y ceir eraill wedi arfer parcio, ond ar ben y lôn lle arferai ei thadcu barcio. Teimlai'n gyffyrddus, teimlai ei bod wedi dychwelyd i'w chartref.

Cerddodd yn bwrpasol tuag at ddrws y tŷ gan hanner disgwyl ei fod ar agor fel y cofiai, ond, na, roedd wedi ei gloi. Aeth at y drws arall ond yr un oedd y stori. Trïodd edrych drwy'r ffenestri ond roedd dim i'w weld trwy'r llenni trwchus. Er waetha ei hymdrechion sylweddolodd Ann nad oedd yn mynd i gael mynediad i'r tŷ heddiw.

Er ei diflastod teimlai bod y lle i weld yn ddigon taclus. Cofiai am y dyn a'r gwallt coch, hanner noeth, yn codi ei law a gwenu arni tra'n gweithio ar y dryswch. Gwelai hôl ei lafur yn yr ardd ac ar draws y berllan fach, roedd pob dim yn dwt ac yn lân rywsut.

Gan ei bod yn noswaith braf o Haf ac yn dal yn ddigon cynnar, penderfynodd archwilio yr hen lefydd lle arferai chwarae pan yn ferch fach er waetha rhybuddion ei mam ar y pryd. Arferai ei thad a'i thadcu mynd â hi lawr i'r hen felin. Tybiodd pa gyflwr oedd ar honno erbyn hyn?

Gwelai'r to o'i blaen. Gwelai difrod amser arno ond eto teimlai gysur bod yr adeilad yn dal yno. Cerddodd ymlaen yn araf. Clywai sŵn yr afon fach yn agos. Aeth at ddrws y felin, o leiaf roedd hwn ar agor ac aeth i mewn yn ofalus. Teimlai bysedd hen ysbrydion yn cyffwrdd yn ysgafn arni. Hen leisiau yn atseinio dros amser a'i chroesawi. Doedd na'm llawer o ddifrod i'w weld y tu mewn er bod y grisiau i fyny i'r llofft, lle arferai ei Mamgu gadw ieir, wedi pydru'n llwyr. Estynnodd ei breichiau allan i geisio cofleidio â'r awyrgylch gwresog o'i hamgylch.

'Helo,' gwaeddodd unwaith, dwywaith, ac eto ac eto, ond dim ond yr atsain oedd yn ei hateb – doedd neb yno i'w chlywed.

Aeth allan ac heibio i'r hen adfeilion eraill â'u crochanau haearn nes cyrraedd yr argae. Er ond yn ifanc ar y pryd, cofiai'r hanes am ei thadcu â'r gweithwyr lleol yn adeiladu'r argae er mwyn tynnu'r dŵr o'r afon a'i ollwng fel roedd angen i droi'r rhod yn effeithiol. Gwelai yr hen wynebau yn glir. Clywai eu lleisiau yn gweiddi a chwerthin. Ceisiodd gofio ei henwau – roedd yn ferch fach unwaith eto.

Ar goll yn ei hatgofion hapus ac yn ysgafn ei throed wrth i'r breuddwydion lifo o'i hamgylch, cerddodd yn ofalus lawr i lan yr afon. Rhedai'r dŵr yn gyflym ar ôl y glaw trwm y dydd o'r blaen. 'Bydd di'n ofalus o'r hen afon 'na, merch i,' atseiniai llais Mamgu yn ei chlyw. Clywai tincial ysgafn ei chwerthin. O! Ie, dyma oedd paradwys ei phlentyndod.

Yma roedd hi'n perthyn. Â'i breichiau ar led, yr awel yn mwytho ei gwallt, â'i llygaid ar gau trodd yn ei hunfan nes iddi deimlo'r pendro. Agorodd ei llygaid.

Gwelodd y corff yn gorwedd wrth ei thraed.

Rhewodd yn ei hunfan wrth i'w pharadwys ddiflannu yn sgil hunllef.

Methai symud, methai sgrechain, methai ddeall beth welai o'i blaen. Yn araf bach dychwelodd ei synhwyrau. Gwelai swmp o ddillad gwlyb, brwnt wrth lan yr afon. Rhuban du yn symud yma a thraw yn y llif. Beth yn y byd oedd wedi gadael y fath beth yn yr....yn yr....

O! Na...nage....nage. Nid rhuban du o gwbwl ond gwallt, Gwallt hir cyrliog du yn golchi yn y dwr; nid dillad gwlyb brwnt oedd o'i blaen ond corff. Gwelai'r breichiau yn glir nawr, gwelai'r coesau gwynion, gwelai'r pen yn gorwedd ar y garreg wlyb. Corff menyw wedi ei daflu a'i adael hanner mewn ac hanner allan o'r afon fach.

Cymerodd amser ond o'r diwedd medrai Ann sgrechian a sgrechian yn uchel cyn rhedeg yn wallgo o'r lle.

28

Sylwodd Morgan ar y dyddiad wedi ei ysgrifennu yn fras ar glawr y ffeil: 23/10/1949

Y dyddiad roedd Willi Whiff wedi cadarnhau yr agorwyd tafarn Y Llwyn Celyn, y diwrnod wnaeth Wilfred Lewis estyn gwahoddiad i bawb o'r pentref i ddathlu'r digwyddiad, y diwrnod gwnaeth pawb dderbyn y cynnig. Y dyddiad cafodd Eira Huws ei lladd – a neb wedi dweud gair.

Tu mewn i'r ffeil roedd copi o gyffes Twm Ifans, 'Gwranda ar hyn,' dywedodd wrth Morwenna, '*Having been invited to a social gathering at a local hostelry*,' daliodd ei llygad, 'Ti'n galler clywed Twm Ifans yn dweud hyn, dyw'r boi ddim hyd yn oed yn siarad yr iaith heb sôn am ddefnyddio geiriau fel rhain?'

Rhedodd ei fysedd yn gyflym trwy weddill y papurau, 'Dim sôn am ddod o hyd i unrhyw arf troseddol, fach iawn am y corff ond o leiaf mae 'na adroddiad byr gan y crwner, llythyr neu ddau wrth Goronwy Roberts ond does na ddim...'

Roedd ar fin rhannu ei feddyliau ymhellach pan ddechreuodd y curo gwyllt ddi-baid ar y drws ffrynt.

★ ★ ★

Heb feddwl am ddim byd arall, trodd Ann ar ei sodle a rhedeg nerth ei thraed yn ôl tuag at y tŷ heb oedi am eiliad nes cyrraedd ei char bach. Tynnodd y drws ar agor, neidiodd i mewn a gwasgodd y bwtwn i gloi y drws. Plygodd ei phen ymlaen yn erbyn yr olwyn i ddal ei hanadl cyn sylweddoli nad oedd ganddi syniad beth i'w wneud nesaf. Gwelai eto yr olygfa wrth yr afon fach, roedd yr olygfa yn fyw yn y cof. Gwyddai bod y ferch neu'r fenyw yn gelain felly beth ddylai wneud? Gwyddai mae dim ond un person fedrai fod yn gymorth iddi mewn sefyllfa fel hyn, ond roedd e draw ym Mhwll Gwyn ymhell i ffwrdd. Ar y gair cofiodd bod merch Morgan yn blismones a'i bod yn byw yn agos. Taniodd yr injan, trodd y car o amgylch, ac, er yn grynedig gyrrodd tuag at Drefach Felindre.

Ar ôl i Ann ddod ati ei hun a dweud beth roedd wedi darganfod yn Y Berllan, ffoniodd Morwenna ei meistri yn Heddlu Caerfyrddin. Penderfynwyd y dylai hithau fynd i archwilio ac i aros gyda'r corff nes bod cymorth yn cyrraedd. Roedd Arfon a Morgan yn bendant nag oedd yn cael mynd ar ben ei hunan ac felly mi aeth y tri gyda'u gilydd tra fod Elisabeth yn cymryd gofal o Ann.

Doedd un o'r tri erioed wedi bod yn agos i'r lle o'r blaen. Mewn gwirionedd, heblaw am Morgan, ac yntau ond am fod Ann wedi dweud peth o'r hanes wrtho, doedd 'run ohonynt wedi sylweddoli bod Y Berllan yn bodoli – heb sôn am yr hen felin. Trwy ddilyn cyfarwyddiadau Ann daethpwyd o hyd i'r corff neu digwyddiad y byddent wedi dod ar ei draws am hydoedd.

Yn annhebyg i'w thad doedd delio gyda corff marw ac honno wedi ei llofruddio ddim yn un o'r profiadau roedd Morwenna wedi ei wynebu erioed o'r blaen yn ei gyrfa gyda'r Heddlu ac, felly, roedd yn ddigon bodlon i'w thad gymryd drosodd. Gwelai Morgan yn syth yr hollt ar draws gwddw'r wraig. Er ei bod yn gorwedd â'i phen i lawr yn y dŵr roedd ei hwyneb wedi ei droi i waered. Gwyddai mai nid yn y fan yma roedd y drosedd wedi cymryd lle. Gwyliau Arfon ef yn syn wrth iddo troedio'n bwyllog tuag at y corff, a phlygu lawr wrth ei hochr. Llifai'r hen ddoniau yn ôl yn naturiol iddo. Sawl blwyddyn ers iddo ddod o hyd i'r corff diwethaf? Mawredd, sawl blwyddyn ers iddo ddod o hyd i'r corff cyntaf?

O'i flaen gorweddai gorff gwraig yn ei thridegau canol, tybiai. O'r ffordd y gorweddai'r corff roedd yn amlwg iddo ei bod wedi ei lladd rhywle arall cyn cael ei thaflu yn ddiseremoni i'r afon a'i gadael. Teimlai nad oedd wedi bod yno am yn hir, diwrnod, efallai dau, doedd yr anifeiliaid bychain heb ddifrodi llawer o'r corff eto ond roedd rigor mortis yn blaen arno. Gorweddai'r corff ar fin yr afon, y gwallt yn y dwr ac hwnnw yn annaturiol ddu ar ôl ei liwio; dim colur ar y wyneb er efallai bod hwn wedi ei olchi i ffwrdd yn y dyfroedd glân; clais mawr ar ei boch ac iriad o rhywbeth coch ar ei garddwrn. Crafodd Morgan ewyn ei fys ar ei hyd a daeth i ffwrdd yn hawdd. Minlliw, synhwyrodd?

Minlliw ar ei braich ond dim ar ei gwefusau? Rhyfedd. Cael ei distyrbio cyn cael cyfle i addurno ei hun, efallai? Bosib.

Cadarnhad mai dim fan hyn oedd lleoliad y drosedd. Absenoldeb colur, ymosodiad cyflym, yn ei ystafell wely, efallai? Dim colur ond minlliw? Minlliw ar ei braich. Minlliw wrth law, iriad ar y fraich.

Cododd y fraich yn ofalus. Roedd y blowsen yn denau a'r dŵr wedi ei wneud yn gwbl tryloyw. Gwelodd marciau coch ar y corff gwyn, Minlliw eto ar draws ei brest a hwn eto bron a'i olchi i ffwrdd. 'Dere 'ma, Morwenna,' galwodd, 'Beth ti'n gwneud o hwn?' Edrychodd y ddau ar y marciau coch oedd yn araf troi yn binc.

'S' dechreuodd Morwenna sillafu'r llythrennau, 'F,'

arhosodd am eiliad, roedd yn methu gwneud synnwyr o'r un nesaf, edrychai fel 'V' ar ei phen ac wedyn 'll. SF rhywbeth un ar ddeg?' Edrychodd ar ei thad.

'Fan hyn y'ch chi, te?' daeth llais o'r tu cefn iddynt wrth i Morgan rhoi'r corff yn ôl yn ei fan gwreiddiol, 'Mawredd, gyf, mae'n braf i'ch gweld!' Safai Ditectif Arolygydd Ron Powell yng nghwmni gŵr ifanc arall uwch ei pennau. Eglurodd eu bod wedi eu hanfon lawr o Aberystwyth gan ei feistri yng Nghaerfyrddin gan nad oeddent wedi sylweddoli fod Caerfyrddin lawer agosach i'r lle.

Gwyddai Morgan mai nid ei le ef oedd torri ar draws gweithgareddau'r heddlu, felly dewisodd adael y cyfan yn nwylo Ron Powell a Morwenna, ac aeth Arfon ac yntau yn ôl i Drefach. Roedd wedi gweld digon am nawr.

Gwyddai bod rhyw fath o neges yn y marciau – ond neges i bwy, a beth oedd ei hystyr?

29

Safai Gwenda Roberts yn noeth o flaen y drych mawr yn ei ystafell wely. Edmygai ei adlewyrchiad ar ôl dod allan o'r bath twym. Oedd, roedd ei chorff yn dal yn ddigon deniadol. Doedd heb fynd yn dew fel gwnaeth ei mam. Ei bol wedi cadw yn fflat, ei bronnau sylweddol dal yn gadarn – bodlondeb. Ond roedd Gwenda Roberts ag angen, angen cwmni, cwmni arbennig – a gwyddai doedd hi ddim yn rhy hen i fynd i hela amdano.

Gwelai'r twyll cyfarwydd yn ei llygaid, a gwyddai'n iawn beth oedd yn ei meddwl. Sawl gwaith oedd hyn wedi digwydd iddi o'r blaen? Ar hyd ei bywyd y 'run oedd y drefn, pryd bynnag roedd hi eisiau unrhyw beth; boed yn ffafr, yn rhodd, marciau uchel mewn arholiad, gwyliau rhad, dillad drud, gwell swydd, gwyddai'n iawn sut i'w cael. Ond methiant oedd cael unrhyw ŵr i rhannu ei bywyd, rhywun i fod yn ŵr ac yn dad i'w phlant – gan adael gwagle enbyd yn ei bywyd.

Aeth yn ôl lawr i'r gegin yn gwbwl noeth, doedd neb yn medru ei gweld trwy'r ffenestri – a pha ots pe byddent? Tywalltodd brandi sylweddol arall i'w hun cyn rhoi'r botel yn ôl yn y cwpwrdd a dychwelyd i'w hystafell i orffen ei pharatoadau. Gwyddai'n iawn i ble roedd am fynd ar y nos Sadwrn hafaidd yma.

Ond pa ots os oedd wedi yfed dau wydraid mawr o'r brandi? Gyrrai o dan ddylanwad alcohol yn ddigon amal erbyn hyn i fedru'r daith fer i Aberteifi. Gyrrodd yn ddigon pwyllog cyn gweld goleuadau llachar milltir neu ddwy cyn cyrraedd y dre. Gwelodd fynediad a maes parcio mawr nad oedd yn cofio eu gweld o'r blaen. Shwt, yn y byd nad oedd wedi bod yma o'r blaen? Trodd i mewn i'r maes parcio, gwelodd yr arwydd mawr "Croeso i'r Tarw Gwyllt" yn fflachio yn llachar ar hyd ochr yr adeilad. Cofiai glywed fod gan y lle yma enw drwg ofnadwy yn ôl rhai. Gwenodd, dringodd allan o'r car a dilynodd sŵn y miwsig i'r fynedfa.

Gwyddai mai yn y Bar Cyhoeddus byddai'r hwyl orau. Er hynny synnodd pa mor llawn oedd y lle er ei bod yn gymedrol gynnar. Camodd i mewn i ganol y dorf a'r miri. Dynion yn bennaf oedd y mwyafrif oedd yno a theimlai dipyn bach ar goll yn ei plith. Ymddangosai'r menywod oedd yno yn lawer iau na hi, rhai yn edrych lawer rhy ifanc i fod yno. Dechreuodd deimlo efallai ei bod wedi gwneud camgymeriad, methai weld neb oedd yn adnabyddus na neb oedd yn gyfeillgar iawn iddi. Dechreuodd yr amheuaeth dyfu, teimlai ei bod yn rhy hen i'r lle 'ma ond gyda hynny gwnaeth dyn mawr, cyhyrog â gwallt tywyll, hir, seimllyd rwymo ei fraich o'i hamgylch a'i thywys tuag at y bar. Sylwodd Gwenda ei fod yn dal yn ei ddillad gwaith ac hefyd yn drewi o chwys.

'A beth mae pishyn bach fel ti ishe i yfed, te?' gofynnodd â'i dafod yn dew.

Teimlai Gwenda y dylai wrthod y cynnig ond cyn iddi sylweddoli beth oedd yn gwneud atebodd, 'Brandi a Bebisham,' gan edrych yn syth i lygaid molglafaidd ei chymar. Er ei dymuniad, coctel cafodd ei rhoi o'i blaen a hwnnw yn wyrdd. Mewn llai na hanner awr roedd Gwenda â'i phen yn chwyldro. Ni wyddai ble 'r ydoedd na pham roedd yn sefyll yng nghanol criw o ddynion a hwythau yn sefyll yn rhy glos iddi, yn chwerthin yn uchel, ac yn rhwbio ei hunain yn ei herbyn. Roedd ganddi wydraid o ddiod yn ei llaw ac un arall ar y bar yn disgwyl. Ond teimlai'n ifanc, ac yn rhydd unwaith eto – ac roedd 'na gysur mawr yn hynny. Teimlai law rhywun yn mwytho ei phen ôl trwy ei ffrog denau. Cododd ei chwant. Gwasgodd ei hunan yn ôl yn erbyn y llaw i'w erfyn i gario 'mlaen. Gwagiodd yr un wydraid ac estynnodd am y nesaf. Nid brandi a Bebisham mo rhain o gwbwl. Ond pa ots? Chwarddodd yn uchel eto wrth ateb y cwestiynau a'r holi heb unrhyw syniad beth oedd hi'n ddweud na chlywed.

Yn rhy hwyr daeth Gwenda ati ei hun. Beth yn y byd oedd hi'n gwneud yn y lle yma ymysg yr hen ddynion brwnt a drewllyd hyn? Pwy yn y byd oeddent yn meddwl oeddent? Ond yn fwy pwysig – beth yn y byd oeddent yn meddwl oedd hi?

Penderfynodd adael y lle a mynd adref. Dechreuodd wthio ei ffordd trwy'r dorf o ddynion roedd wedi cynyddu o'i hamgylch. Teimlodd ddwylo yn mwytho gwahanol ddarnau o'i chorff. Roedd rhai yn gwrthod gadael iddi fynd heibio; rhai yn ceisio ei chusanu. Teimlai ei hun yn dechrau drysu.

Ar y gair teimlodd fraich ar ei hysgwydd a gwelodd y dynion o'i blaen yn cilio a gadael ffordd iddi gerdded heibio iddynt. Gwyddai mai'r dyn â'r gwallt seimllyd oedd y tu cefn iddi ac wedi sibrwd rhywbeth yn ei chlust ond doedd heb ei ddeall, amneidiodd ei phen a gadawodd iddo ei gwthio tuag at y mynediad. Teimlai ei choesau yn wan a phwysodd yn ôl yn ei erbyn. Rhwymodd yntau ei freichiau o'i hamgylch a'i harwain trwy'r criw ac allan trwy ddrws cefn y dafarn i'r maes parcio.

Tarodd yr aer ffres ei hwyneb yn rhyfeddol ar ôl y gwres a'r mwg sigaréts yn y bar. Daeth pendro gwyllt drosti wrth i'r diodydd cryf gymryd eu heffaith. Cafodd ei harwain tu cefn i fan wen. Na, doedd hi ddim yn teimlo'n iawn o gwbwl; doedd hi ddim yn gwbod beth oedd yn digwydd. Tynnwyd ei chot ledr a datodwyd gweddill ei ffrog. Teimlai law ar ei bronnau noeth. Pwy ddiawl oedd yn ei chusanu ac yn tynnu ei dillad? Teimlai law yn rhedeg i fyny ei choes gan wthio'i ffrog i fyny ymhellach......Pwy uffern oedd yn gwasgu ei hyn yn ei herbyn? Teimlai fysedd yn ceisio...yn ceisio......O! Na!

Clywai lais arall, roedd 'na ddau ohonynt!

Roedd un yn rhwbio ei hun yn galed yn ei herbyn. Teimlodd ei groen noeth yn erbyn ei choes. Roedd yn gwneud ei orau i wthio ei hunan tu mewn iddi. Clywai'r llais arall yn ei annog i frysio gan mae ei dro ef byddai nesaf wrth iddo ddal ei breichiau yn dynn. O, na! doedd hyn ddim yn iawn. Roedd y ddau yn ei threisio. Roedd yn ei deimlo, yn teimlo ei galedrwydd yn...yn.. O, na! doedd hyn ddim i fod.

Rhywsut gwthiodd ei phen-lin i fyny yn nerthol – mor nerthol a fedrai. Clywodd y dyn yn sgrechian ac yn rhegi. Torrodd yn rhydd o'r gafael. Aeth i rhedeg i ffwrdd ond gafaelodd y llall ynddi a rhwygo ei ffrog yn gwbwl rhydd. Roedd yn noeth. Tynnodd hi tuag ato. Ond yn sydyn aeth ei freichiau yn llipa. Gwelodd ef yn cwmpo yn un darn i'r llawr. Tu cefn iddo safai rhywun arall. Dyn tal, cyhyrog. Dyn oedd yn gwenu lawr arni. Adnabu ef yn syth wrth iddi geisio tynnu ei dillad o'i hamgylch.

'Dyw e ddim byd dwi heb weld o'r blaen, cariad,' chwarddodd Hefin Lewis mab Willi Whiff arni, 'Rwy'n credu dylet ti fynd adre cyn gynted â galli di, cyn bod y ddau yma yn dod ar dy ôl.'

Cerddodd gyda hi tuag at ei char ond heb gynnig ei hebrwng

adref, 'Bydd yn ofalus,' gwenodd arni cyn cerdded yn ôl mewn i'r dafarn.

Gyrrodd Gwenda yn araf iawn tuag at Cwmcelyn Coch, ei phen yn dal yn chwyldro, ei choesau yn crynu yn ddi-baid. Diolchodd bod y ffordd yn dawel, parciodd y car yn ei le arferol, rhedodd i ddrws cefn y Mans cyn chwydi'r coctels gwyrdd dros llwybr yr ardd i gyd. Aeth yn syth i'w hystafell ac i'w gwely – ac hynny heb edrych unwaith yn y drych.

Ar y bore Sul doedd ganddi'm achos i godi o'i gwely nag unrhyw awydd i wynebu'r byd, ac heb unrhyw gynllun yn ei meddwl heblaw ceisio cael gwared o'r cur pen ofnadwy a chuddio'r cleisiau piws ar ei breichiau a'r marciau eraill ar ei chorff meddal.

30

Methai Morgan cael gwared o'r olygfa yn Y Berllan. Yn
ei feddwl gwelai'r corff yn gorwedd yn nyfroedd yr
afon fach, a gwyddai yn reddfol fod 'na ddirgelwch erchyll
tu cefn iddo. Ond gwyddai hefyd na fedrai fod yn rhan o'r
ymchwiliadau swyddogol. Gwyddai yn well na gofyn y
cwestiynau roedd yn ysu gofyn i Ron Powell. Felly rhoddodd
y ffôn 'nôl lawr ar ei grud heb gynnig unrhyw help yn yr
ymchwiliadau. Cofiai am Ann Rhys yn sôn am rhywrai yn
aros yn Y Berllan, dylai fod wedi talu fwy o sylw iddi ar y pryd.
Ceryddodd ei hunan wrth geisio cofio. Rhywbeth am gar
mawr du, rhywun yn tacluso'r lle. Fach iawn o'r hanes roedd
yn cofio. Pwy oedd wedi bod yn aros yno? Pa nifer oedd wedi
aros yno? Dechreuodd ei ddychymyg weithio. Ai morwyn
fach oedd y wraig yn gweinyddu dros berchen y car mawr du
– ac eraill, efallai.

Ond wedyn, pam dim colur ar y wyneb ond minlliw ar y
corff? Corff hanner noeth – neu efallai wedi hanner gwisgo.
Oedd rhywun wedi ymosod arni tra yr oedd yn gwisgo ac
hynny ar frys? Y brysio yn ei harbed rhag rhoi colur ar ei
hwyneb, ond digon o amser i rhoi minlliw ar ei braich ac
ar ei chorff. Pam? Damwain esgeulus? Ymosodiad rhywiol?
Cosb?Trosedd oedd yn ddigon gwael i'w lladd? Methai'n lân
cael darlun clir yn ei feddwl.

'Helo, Dadcu,' torrodd Anwen fach ar draws ei feddyliau

wrth iddi ruthro mewn i'w ystafell, ei gofleidio a rhoi cusan mawr ar ei foch. Roedd Morgan wedi anghofio'n llwyr ei bod yn ddydd Sul, a bod Morwenna a'r teulu wedi derbyn gwahoddiad Elisabeth i ddod i Awel Deg am ginio.

'Helo, Ffloss,' Morgan byddai'r unig un a ddefnyddiau'r ffug enw arbennig ac hynny, efallai, gan mae ef oedd wedi ei rhoi e iddi yn y lle cyntaf. Gwelai'r ferch fach yn ei feddwl pan oedd hi ond yn bedair mlwydd oed, yn mynnu cael y Candi Ffloss pinc mwyaf oedd ar gael ar y stondin arbennig ar Y Pier yn Aberystwyth ac yntau'n ddigon twp i'w brynu e iddi yn groes i gyngor pob un. Ac y fe cafodd y bai i gyd wrth i'r melysfwyd hwnnw chwythu 'nôl dros ei hwyneb a'i gwallt wrth iddynt gerdded ar hyd y Prom.

'Dadcu-u-u-u-u, ydy hi'n bosib.....hynny yw byddai'n....'

Gwenodd Morgan arni, gwyddai'n iawn beth oedd yn mynd i ddod, dychmygai ei llais bach yn erfyn 'Gawn ni fynd ar y cwch, plîs, plîs, plis,' Ond nid hynny ddigwyddodd 'O, dadcu, beth mae se – an yn feddwl?' edrychai Anwen yn syn ar y wal.

Dilynodd lygaid ei wyres i'r darn o bapur roedd wedi hongian ar y wal uwchben ei ddesg. Ar y papur roedd wedi argraffu y marciau fu ar gorff y wraig ddienw yn ofalus er mwyn gwneud rhyw fath o synnwyr ohonynt ond, hyd yn hyn, doedd heb gael unrhyw lwyddiant.

'Pam ti'n dweud se-an?' gofynnodd.

'Wel,' dechreuodd Anwen gan bwyntio ei bys, 'S E..... O! nage,' gwenodd yn swil, 'Wên i'n meddwl mai S E A N ydoedd,' sillafai'r plentyn y llythrennau yn araf, 'Ond nid na beth yw e, ie fe?'

Edrychodd Morgan ar y marciau eto. Oedd hi'n bosib fod y plentyn wedi gweld rhywbeth oedd mor amlwg wedi'r cyfan

– mor amlwg iddi hi ond nid iddo ef? Gwelai'r llythrennau yn glir nawr, synnodd pa mor glir oeddent. Gan bod y dŵr wedi golchi darnau o'r minlliw i ffwrdd roedd yn ddigon posib fod y marciau gwreiddiol wedi sillafu

SEAN.

Enw dyn, meddyliodd, gŵr, plentyn, cariad? Enw Gwyddeleg. Rhewodd Morgan er fod Anwen yn tynnu ei fraich. Atseiniai geiriau Ann Rhys yn ei feddwl yn sydyn "dyn cyhyrog, hanner noeth a gwallt coch yn clirio'r llwybrau".

Ai dyna oedd ystyr y minlliw. Neges yn rhoi enw y llofrudd i'r Heddlu. Tybed a'i Sean oedd yn aros yn Y Berllan; a'i Sean oedd yn gyrru y car nawr du; a'i Sean oedd wedi mynnu cael ei ffordd gyda'r wraig a pham wnaeth hithau wrthod fe'i lladdodd?

Neu, efallai, mai ei chariad oedd Sean ac mae neges oedd hon i'r Heddlu rhoi gwbod iddo ei bod wedi ei llofruddio. Ie, efallai, neges o ffarwel iddo, ei fod yn ei meddyliau hyd at y diwedd.

'Be sy'n bod, Dadcu?' edrychai Anwen yn syn arno, 'Pam wyt ti'n chwerthin?'

'Dim rheswm, fi sy'n bod yn dwp unwaith eto ac yn dychmygu pethau.' Rhwymodd ei fraich o amgylch ei hysgwyddau, 'Dere, dere i fynd i weld am y cwch 'na.'

* * *

Cinio ysgafn roedd Elisabeth wedi paratoi i bawb, ac er iddi ddweud nad oedd eisiau dim byd i'w fwyta fe wnaeth Anwen lenwi ei bol. Hithau oedd y cyntaf, fel arfer, i neidio lawr i'r traeth. Methai ddeall pam roedd yn cymryd mor hir i'r oedolion gyrraedd ond, o leiaf, roeddent ar ei ffordd – o'r diwedd. Gwelodd Gwynfor yn dod â'i gwch i'r lan a rhedodd tuag ato. Roedd Gwynfor ac Anwen yn ffrindiau mawr. Braf oedd gweld y ddau yng nghwmni eu gilydd. Fe yn dal a chyhyrog ond yn gam o gorff, a hithau yn fach, yn ysgafn ond yn syth fel polyn.

Pan welodd Morgan mab Sal yn rhwyfo'n nerthol tua'r lan, gwyddai nad oedd rhaid iddo ef lansio ei gwch ei hunan. Gwyddai byddai Gwynfor yn fwy na pharod i fynd allan am un siwrne fach arall gyda pwy bynnag oedd isio mynd – a byddai Ffloss gyda'r cyntaf. Gwyddai hefyd byddai twmpath o facrell ffres i ginio'r noson hynny.

Gwneud ei farc fel pysgotwr pen ei gamp yn y cylch oedd uchelgais Gwynfor. Ar ôl i'w hen ffrind rhoi'r gorau iddi, prynodd pob dim roedd Morlais yn gwerthu boed yn gychod, rhwydau, leiniau, popeth. Byddai allan ar y môr trwy'r dydd a byth yn dychwelyd yn waglaw. Yn yr Haf byddai'r ymwelwyr yn disgwyl iddo lanio er mwyn prynu ei helfa heb sôn am y masnachwyr lleol. Ond heddiw, Anwen oedd y feistres.

'Dwi wedi gorffen â'r ffeiliau nawr,' dywedodd Morgan wrth Morwenna, 'Diolch yn fawr i ti am chwilio amdanynt.'

'Oedden nhw o unrhyw help?'

'Oedden wir, ac o leiaf dwi'n galler dyfalu beth ddigwyddodd i Twm Ifans,' cadarnhaodd.

'Beth te, Dad?'

Eisteddai Elisabeth, Morwenna, a Morgan ar Garreg y Fuwch yn gwylio cwch Gwynfor yn araf ddiflannu ar ei daith heibio Tresaith ac Aberporth a lawr tuag at Mwnt a Gwbert.

'Wel, yn ystod yr ail rhyfel byd,' dechreuodd, 'Cafodd Habeas Corpus ei roi o'r neilltu am gyfnod er mwyn cosbi y rhai oedd yn cefnogi gweithgareddau ffiaidd y gelyn fel y bradwyr ac ysbiwyr ac eraill oedd yn danseilio ymdrechion y wlad yma a'i cynghreiriaid. Felly roedd unrhyw un oedd yn cael ei ddal yn gweithio dros y gelyn yn cael ei farnu a'i daflu i'r carchar heb gorfod mynd o flaen ei well yn y Llys. Fel arfer byddai Barnwr a rhywun uchel o'r fyddin yn penderfynu pa gosb byddai'n deilwng. Ond, mewn gwirionedd, er mwyn arbed amser ac arian, wrth gwrs, cafodd y gyfundrefn yma ei ymestyn yn gwbl anghyfreithlon i ddelio gyda unrhyw un oedd wedi torri'r gyfraith yn ddifrifol. Felly cafodd nifer fawr eu cosbi, eu carcharu neu yn waeth, yn bennaf lle roedd na ddim amheuaeth am ei euogrwydd.'

'Ie, ond yn ystod y rhyfel oedd hyn, roedd honno drosodd erbyn bod Twm Ifans yn y ddalfa,' awgrymodd Morwenna.

Edrychodd Morgan arni yn syn, 'Yn anffodus dyma lle mae'r twyll a'r llygredd yn dod mewn. Mae'n debyg bod y Llywodraeth wedi anghofio am y gyfundrefn ar ôl y rhyfel ac felly, am amryw resymau, roedd rhai heddweision a rhai Barnwyr dal yn ddigon parod i daflu dihirod i garchar heb fod yr achos yn dod o flaen unrhyw Lys neu Rheithgor wedi i'r rhyfel orffen.'

'Heddwas fel Bob Preece?' gofynnodd Morwenna.

'Heddwas yn union fel Bob Preece; a phan ddown ni ar draws y cofnodion perthnasol, ac mi fyddan nhw yn bodoli rhywle, dwi'n siŵr y bydd y dyddiadau wedi ei newid i ddangos fod y feirniadaeth wedi cymryd lle tua mil naw pedwar deg a phump yn hytrach na'r dyddiad cywir, a bod Twm Ifans yn euog gan ei fod wedi cyfadde ar bapur, ac yng ngolwg Preece ar Barnwr, siŵr o fod, roedd Twm yn estron i'r wlad gan nad oedd yn siarad Saesneg yn dda iawn, ac felly cafodd ei garcharu am ugain mlynedd a mwy. Pryd cafodd e ei rhyddhau?'

'Yn sydyn iawn ym mil naw saith deg a dau,' dywedodd Elisabeth yn ddistaw.

'Dyna ti, faswn i'n dweud bod rhywun wedi anghofio'n llwyr amdano yn y cyfamser, y truan.'

Daeth tawelwch rhwng y tri tra roeddent yn pendroni awgrymiadau Morgan.

'Ond i ba bwrpas, Alun?' gofynnodd Elisabeth oedd yn cael diffyg deall y mater.

Edrychodd Morgan arni, 'Pwy a ŵyr, cariad, dwi'n credu dyrchafiad oedd ar feddwl Preece ond am y Barnwr – rhagor o arian yn ei law, efallai; atgas yn erbyn ei gyd-ddyn?

Yn anffodus gawn i byth wbod y gwir.....mae Preece yn farw, ac mae'n siŵr fod y barnwr yn ei fedd ers blynydde hefyd.'

'Ond roeddwn i'n meddwl fod Goronwy Roberts wedi bod yn y Llys i wylio'r achos?'

'Yn ôl ei nodiadau methodd gyrraedd Gaer mewn pryd gan fod y trenau yn rhedeg mor araf, a'r drws wedi cau a phob dim drosodd erbyn iddo droi lan.'

'Roeddet ti ddim yn gweithredu fel hyn, Alun?' gofynnodd Elisabeth. Roedd wastad wedi credu yn gonestrwydd a sancteiddrwydd y gyfraith ond roedd Morgan newydd agor ei llygaid i fyd nad oedd yn adnabod. Byd anonest, byd o dwyll, byd hollol ddiarth iddi hi, ond byd yr oedd e yn gwbl gyfarwydd efo.

'Nag oeddwn, cariad.' Edrychodd i fyny, 'A sôn am rhwyd rwy'n credu bod ein pysgotwyr yn dychwelyd.'

Codwyd yr awyrgylch trwm wrth iddynt wylio Anwen yn sefyll ar flaen y cwch ac yn chwifio ei breichiau fel melin wynt – oedd, roedd Ffloss wedi mwynhau ei hantur.

* * *

Tua 'run pryd roedd Aisling yn siomedig bod y siwrne ar draws y môr o'r Iwerddon i Gymru wedi dod i ben wrth i'r llong fawr dynnu mewn i borthladd Caergybi. Dyma'r tro cyntaf iddi fod ar gwch, heb sôn am long – a honno yn long fawr. Safai ar y dec yn gwylio'r tonnau geirwon ac roedd Anti Anette wedi dweud wrthi bod ei thad yn gweithio o dan y môr, ac yn gwneud tyllau o dan y tonnau ond nid y tonnau yma. Teimlai hiraeth mawr am ei thad er eu bod wedi siarad â'u gilydd yn ddiweddar. Ond wedi dweud hynny doedd hi'n methu deall sut roedd e'n galler gwneud twll o dan y tonnau. Bob tro roedd hi wedi ceisio gwneud twll o dan ddŵr roedd y ddaear wedi cau mewn a'i lenwi o'r ail. Yn amlwg fod Anti Anette yn iawn pan ddwedai bod ei thad yn ddyn dawnus ac arbennig iawn. Tybiai a oedd yn dal i wisgo'r loced fach roedd wedi rhoi iddo yn anrheg cyn iddo fynd i ffwrdd? Mae'n siŵr mai'r loced oedd yn rhoi'r gallu iddo i wneud y tyllau a'i cadw'n sych.

A nawr roedd hithau ar ei gwyliau. Roeddent ar eu ffordd i aros gyda ffrind i Anette. Doedd hi ddim yn cofio enw'r lle ond roedd yn cofio enwau plant y cyfaill sef Ollie ac Anya ac roeddent i gyd yn mynd i aros mewn carafán cyn hir. Oedd, roedd pawb yn edrych 'mlaen i hynny.

Tybiai sawl ceffyl byddai'n tynnu'r garafán? Er iddi ofyn i Anti Anette doedd heb gael ateb hyd yn hyn.

31

'Pwy wyt ti te, Sean?' holai Morgan i'r tawelwch o'i amgylch. 'A beth wyt ti wedi gwneud?'

Ond, meddyliodd, os mai Sean oedd y dyn ifanc roedd Ann wedi ei weld yn tacluso lonydd Y Berllan, rhywun oedd yn barod i weithio'n galed yn y lle, doedd e ddim yn ei daro fel y fath o berson byddai'n gadael corff i bydru yn yr afon lle fedrai gael ei ddarganfod. Na, byddai hwn wedi ei guddio rhywle os nad ei gladdu, hyd yn oed – a mwy na thebyg byddai wedi sylwi bod ei enw wedi ei ysgrifennu ar y corff ac wedi ei lanhau i ffwrdd.

Felly, yn ôl i'r cwestiwn gwreiddiol – 'Pwy ddiawl wyt ti, Sean,' a'r cwestiwn nesaf, 'Pam mae dy enw ar y corff?'

Teimlai dylai ymchwilio ymhellach draw yn Y Berllan ond gwyddai byddai'r Heddlu yno yn ymchwilio pob cnwc a chornel o'r lle – o leiaf, roedd yn gobeithio eu bod. Felly, yn hytrach na thorri ar eu traws penderfynodd fynd draw i weld pa wybodaeth oedd ar gael o amgylch.

Os mai edrych ar ôl y tŷ roedd y wraig wedi gwneud synhwyrodd byddai'n rhaid iddi fynd i siopa am fwyd rhywle yn agos ac felly dechreuodd ei ymchwiliadau ym mhentref bach Henllan. Heblaw am gangen o'r Co-op Agricultural Supplies roedd pob man i weld ar gau ac yn dawel heb neb i'w gweld o amgylch y tai er gwyddai fod llygaid anweledig yn ei wylio. Gwelodd ddyn yn llwytho bagiau o nwyddau ffermio i gefn lori yn warws y Co-op ac er ei fod yn ddigon cyfeillgar doedd yn gwbod dim am unrhyw estroniaid.

'Erioed wedi gweld nhw rownd ffordd hyn,' medde fe, 'Mae'n well i chi ofyn yn y siop,' ategodd gan bwyntio'i fys tuag at adeilad ar ochr arall y ffordd.

'Shwt mae heddiw?' safai dyn canol oed tu cefn i'r cownter â gwên lydan ar ei wyneb siriol.

'Iawn, shwt y'ch chi?' atebodd Morgan.

'Newyddiadurwr, ie fe?' gofynnodd bron cyn i Morgan gamu dros y trothwy, roedd yn amlwg o'r croeso mai nid ef oedd yr ymwelydd cyntaf ynglŷn a'r achos ac roedd hwn yn awyddus i siarad am y peth. 'Hen ddigwyddiad brawychus draw 'cw,' amneidiodd y dyn ei ben i gyfeiriad rhywle tu cefn i Morgan.

Cytunodd Morgan, 'Oeddech chi'n ei adnabod hi?' gofynnodd.

'Wel, oeddwn mewn ffordd,' dechreuodd Gerwyn Siop, fel y'i adnabu yn lleol, 'Yma roedd hi'n arfer dod i siopa rhan fwyaf o'r amser. Doedd hi ddim yn dod bob dydd, cofiwch, ond tua dwy waith neu dair yr wythnos. Wastad yn talu lawr. Oedd wir, roedd hi wastad yn gyfeillgar ond dim llawer gyda'i i ddweud. Braidd yn swil fyddwn i'n dweud – ac yn unig.'

'Pa acen oedd ganddi?'

Taflwyd Gerwyn am eiliad, doedd neb wedi gofyn y cwestiwn 'na o'r blaen – ond, wrth gwrs roedd hwn yn heddwas blaenllaw iawn. Erbyn hyn cofiai Gerwyn ymhle roedd wedi dod ar draws y wyneb gyfarwydd o'r blaen. Cofiai weld ei lun yn y papur newydd sawl blwyddyn yn ôl. Gwyddai'n iawn pwy oedd Morgan ond roedd e'n meddwl ei fod wedi ymddeol o'r heddlu.

'Acen?' arhosodd i feddwl, 'Nawr te, fel wedwn ni? Fasen

i'n dweud De Cymru, De – Ddwyrain efallai ond nid y Cymoedd.'

'Ond Cymraes?'

'O, ie, Duw, Duw ie, Cymraes ond sa i'n siŵr a oedd hi'n siarad Cymraeg, cofiwch. Ac oedd, roedd hi'n ddigon, chi'n gwbod, yn ddigon, fel wedwn ni nawr te,' dechreuodd Morgan wenu, 'Wel chi'n gwbod, gadwch i fi rhoi e fe fel hyn, byddwn i ddim yn ei chicio'i mas fel mae nhw'n dweud.' Daliodd lygad Morgan, 'Chi'n deall be' s' da fi!' ategodd gyda chwerthiniad fach nerfus.

Gofynnodd Morgan amryw gwestiwn arall, sut gymeriad oedd hi; oedd ganddo unrhyw syniad o'i hoedran; beth oedd hi'n prynu a faint, oedd hi'n galw ar unrhyw ddyddiau arbennig ac yn y blaen i geisio creu rhyw fath o ddarlun ohoni yn ogystal a'r ymwelwyr eraill. Aeth yr amser yn gyflym ac erbyn y diwedd roedd Gerwyn yn teimlo bod Morgan ac yntau wedi tyfu yn ffrindiau agos. Teimlai Morgan ar y llaw arall fod Gerwyn yn rhywun ag amser ar ei ddwylo, yn brin o gwmni, a'i fod e wedi dewis yr amser iawn i wneud yr alwad.

Gwyddai fod Aberbanc 'run mor gyfleus i'r Berllan ag Henllan. Anelodd ei gar i'r cyfeiriad hynny gan daflu cipolwg sydyn i gyfeiriad Y Berllan wrth fynd heibio. Methai weld unrhyw weithgaredd yn cymryd lle ond roedd yn benderfynol i beidio galw yno. Mewn chwinciad roedd yn parcio tu allan i Siop y Pentref, Aberbanc – yn ôl yr arwydd uwchben y ffenestr fawr ar y blaen.

Safai gŵr ifanc tu ôl i'r cownter pren, uchel. Yn wahanol i Gerwyn doedd hwn ddim yn edrych yn or-gyfeillgar yn ei groeso. Tybiodd Morgan a oedd rhywun wedi ei rybuddio am yr ymchwiliadau neu efallai mai dyn diflas ydoedd yn naturiol.

'Shwt mae heddi'?' dechreuodd ond dim ond rhyw sŵn bach rhyfedd cafodd fel ateb.

Ar y gair daeth dyn arall allan o du cefn i ddrws a arweiniai i gefn y siop, neu efallai i'r tŷ drws nesaf oedd yn rhan o'r adeilad. Edrychai hwn lawer mwy awdurdodol yn ei got wen, roedd tipyn yn hŷn na'i gymar. Dyma, yn bendant, oedd perchen y siop roedd hynny'n ddigon amlwg. Safai yn llawn o'i hunan bwysigrwydd; nid yn unig oedd hwn yn berchen y siop, ond roedd hefyd yn flaenor blaenllaw yn y capel, yn gadeirydd bwrdd llywodraethwyr ysgol y pentref, ac yn cael ei alw yn Bob y Lwmp – gan fod ei siwgr wastad yn llawn lympiau. Er ei agwedd awdurdodol roedd yn ddigon cyfeillgar ac yn barod i ateb cwestiynau ond dim ond cadarnhau atebion Gerwyn yn gynharach a wnaeth. Daeth yn amlwg fod Bob y Lwmp yn fwy prysur na'i gymar yn Henllan ac felly gorffennwyd y cyfweliad yn fuan.

'Wyt ti'n gwbod pwy oedd hwnna?' clywodd Morgan y geiriau wrth gerdded allan o'r siop, clywodd y chwyrniad o ateb cyn i Bob y Lwmp ddweud, 'Diawl, beth o'dd ei enw fe 'fyd?' Gwenodd wrth ei hun wrth gau'r drws, roedd bod yn ddienw yn ei siwtio i'r dim.

Sylweddolai wrth ddychwelyd i Bwll Gwyn mai fach iawn o wybodaeth defnyddiol oedd ganddo ond o leiaf roedd yr achos yma yn fwy at ei flas nag achos Eira Huws. Dau lofruddiaeth heb unrhyw gysylltiad rhyngddynt. Trïodd greu fraslun yn ei feddwl o'r bywyd yn Y Berllan. Er bod y wraig wedi bod yn ddigon cyfeillgar ac yn awyddus i gymysgu gyda'r bobol lleol, fach iawn o gyfle roedd wedi cael am mai dim ond am fyr amser roedd wedi aros yn Y Berllan. Yn amlwg y wraig wedi bod yn awyddus i gymysgu gyda'r bobol lleol ond bod rhywbeth, neu rhyw un yn ei harbed; roedd y pryniant o'r ddwy siop yn awgrymu fod yna dri person yn y tŷ am gyfnod ond bod pedwerydd wedi ymuno â nhw dwy neu dair wythnos yn ôl. Cwcw yn y nyth, efallai?

Rhywun oedd yn talu sylw i'r wraig yn hytrach na'i thrin fel morwyn fach? Rhywun oedd wedi bod yn fwy na chyfaill? Efallai. Sean? Efallai.

Am ryw reswm anesboniadwy daeth Cwmtydu i'w feddwl.

* * *

Medrai Elisabeth glywed y cyffro yn llais Siwsan bob tro roedd yn dechrau siarad am yr Eisteddfod. Er mai dim ond ffonio i gadarnhau y byddai Morwenna ac Anwen yn ymuno a nhw yn y garafán dros wythnos yr Eisteddfod yr ydoedd – a'i rhybuddio efallai byddai Morgan ac Arfon yn galw draw o bryd i'w gilydd, ond dim ond am y diwrnod os byddent o gwbwl.

'O, dwi ddim yn gweld John yn ffwdani dod i'm gweld i,' arhosodd am eiliad cyn ategu, 'Diolch byth.'

Teimlai Elisabeth fod pethau heb fod yn rhy dda rhwng Siwsan a'i gŵr yn ddiweddar. Waeth dod â'r maen i'r wal dywedodd wrth ei hun, 'Ydy popeth yn iawn rhyngddo chi'ch dau?' gofynnodd.

'Dwi'm yn gwbod beth sy'n bod arno fe i ddweud y gwir, Elisabeth fach. Mae e mewn breuddwyd rhan fwyaf o'r amser. Does ganddo fe ddim diddordeb yn ddim byd. Wnes i sôn wrtho fe am y corff yn Henllan ond dim ymateb wrtho fe o gwbwl. Ar y dechrau roeddwn i'n poeni ei fod mewn dolur neu rhywbeth ond pam wnes i ofyn iddo fe beth oedd yn bod rhoi llond ceg i mi wnaeth e. Fel ti'n gwybod, dyw hi erioed yn beth hawdd i fod yn briod i blismon ond djiw, djiw, mae e wedi ymddeol ers blynydde.'

'Oes 'na rhywbeth fedraf i neu Alun wneud, ti'n meddwl?' gofynnodd.

'O! A dyna beth arall mae e wedi dweud wrthai os bydd Morgan yn galw 'ma i mi ddweud wrtho nad yw e adre.'

'Be?' methai gredu beth oedd wedi clywed,' Ond roedden nhw shwt gymaint o ffrindiau.'

'Gwbod, ond paid a phoeni, a paid a dweud gair wrtho fe. Fe ddaw John dros hyn 'to yn enwedig pan fydd e'n cael ei adael ar ei ben ei hunan tra'n bod ni yn mwynhau ein hunen yng nghwmni Tom Jones.'

Methodd Elisabeth ag arbed ei hunan rhag chwerthin a gwthiodd John Jones a'i broblemau i gefn ei meddwl am y tro. Newydd rhoi'r ffôn i lawr ydoedd pan ddaeth Morgan ti, 'Wyt ti wedi gweld y loced fach 'na wnes i ffeindio, Bwts?' gofynnodd yn ddi-fater.

'Do roeddwn i wedi meddwl rhoi hi i Anwen am ddal y pysgod 'na i gyd ond wnes i ddim gan byddai'n well yn dod wrthyt ti.'

'Ti'n iawn, ond dal sownd iddi am nawr,' cymerodd ei wraig yn ei freichiau a'i gwasgu yn agos iddo ond cofiai yr enw oedd wedi ei ysgythru yn daclus tu mewn i'r loced.

Gwelai ef yn glir – Aisling.

32

Gwnaeth Morgan yr alwad ffôn i'w feistr yn MI5 i rannu ei ofidiau ynglŷn a'r posibilrwydd fod 'na gysylltiad rhwng y digwyddiadau yn Y Berllan a Cwmtydu gan rhoi enw Sean iddo i'w archwilio ond yr ymateb gafodd oedd:

'Are you aware of how many Sean 's there are on the suspect's lists, Morgan? Every damned Irishman appears to be a Sean or a Michael or a Kevin – bloody thousands of them! '

'Look for one with a connection to an Aisling that's A-I-S-L-I-N-G, either a wife, or sister, mother whatever.' awgrymodd Morgan iddo ond doedd yr ymateb heb fod yn addawol iawn. Trodd ei sylw yn ôl i achos Twm Ifans.

Ail edrychodd a'r ganlyniadau post mortem Eira Huws – peth arall nad oedd yn gwneud lawer o synnwyr iddo. Doedd na ddim pendantrwydd ynddo. Rheithfarn Agored ym marn y crwner ac hynny heb lawer o eglurhad. Tybiai a oedd Denzil Harries wedi bod yn bresennol yn y cwest.

'I fod yn onest â chi roedd yr holl beth yn tipyn o ffars,' oedd barn yr hen ohebydd, 'Os dwi'n cofio'n iawn, doedd 'na neb yno ond y Crwner ac un neu ddau swyddog, y ddau rhiant a fi. Roedd Bob Preece wedi anfon neges i ddweud ei fod yn rhy brysur ar fater arall ac heb anfon neb yn ei le o'r heddlu, roedd y patholegydd wedi anfon ei adroddiad mewn dogfen gan ddweud bod ganddo lawer gormod o waith i fod yn bresennol ac felly doedd na'm dewis gan y Crwner ond i ddychwelyd Rheithfarn Agored a disgwyl am rhagor o wybodaeth.'

'Cafodd e fwy o wybodaeth?' holodd Morgan heb fod yn siŵr bod yr Hen Den yn cofio pethau yn glir, 'Achos does dim byd yn y ffeil.'

'Dim trwy wbod i fi, ond chi'n gweld mae pawb wedi marw erbyn hyn a neb wedi poeni dim amdano hyd nawr. O leiaf cafodd y ferch ifanc ei chladdu yn barchus ond am y rhieni ...... wel.'

'Mm, mae'r tad yn farw wrth gwrs ond beth am y fam?'

'Dim syniad,' atebodd Harries mewn eiliad synhwyrol, 'Diflannodd hi o'r ardal, Duw a wir i ble. Wnes i ddim ffwdanu ymchwilio – roedd na wastad rhywbeth bach yn rhyfedd amdani, medden nhw.'

Sylweddolai Morgan pa mor anodd oedd ymchwilio mewn i Achosion Oer fel eu galwyd, byddai'n lawer haws dadansoddi Achosion Byw. Gwnaeth yr alwad nesaf i Ysbyty Bronglais yn Aberystwyth, gan mai dyna'r cyfeiriad ar ddogfennau y Patholegydd.

'Ifor Roberts,' dywedodd yr atebydd, Cymro, o leiaf, teimlai Morgan wrth glywed yr enw yn ogystal a'r acen leol. Cyflwynodd ei hun a dweud pwrpas ei alwad, gofynnodd am David Hatch, yr enw ar y dogfennau.

'Mae'n ddrwg gennyf ond mae David Hatch, â phob parch iddo, wedi hen fynd o'i swydd ac o'r byd, yn anffodus. Pa achos oeddech chi'n archwilio yn union?' gofynnodd Ifor Roberts ar ôl iddo gyflwyno ei hun fel Pennaeth yr Adran patholeg.

'Rwy'n edrych mewn i achos merch ifanc cafodd ei llofruddio a'i threisio dros ugain mlynedd yn ôl ac....'

'Eira Huws, dwy ar bymtheg o Gwmcelyn Coch,' torrodd Ifor Roberts ar ei draws.

'Mawredd,' ebychodd Morgan wedi ei synnu.

'Na, na, dim byd hudolus,' chwarddodd Roberts, 'Eira, druan, oedd fy achos cyntaf oll ar ôl dod 'ma. Rwy'n cofio'n iawn amdani, doedd Hatch ddim ishe cyffwrdd â'r corff felly fi wnaeth y gwaith i gyd ond ei enw ef sydd ar y tystysgrif.'

Methai Morgan gredu pa mor lwcus roedd wedi bod, teimlai, efallai, bod y gwynt yn dechrau troi yn ffafriol o'r diwedd. 'Mo'yn gofyn ichi am gyflwr y corff ar ôl yr ymosodiad a'r treisio oeddwn i,' eglurodd, 'Nawr te, yn yr adroddiad mae....'

'Gaf i'ch stopio chi fan 'na, fel ddwedes i Hatch wnaeth 'sgwennu'r adroddiad a dw i erioed wedi ei weld e.'

'Ha!' efallai nad oedd ei lwc yn troi wedi'r cyfan.

'Fedrai ddweud wrthych beth wnes i ddarganfod ar y corff os mynnwch,' cododd ysbryd Morgan unwaith eto.

'Dim ond ynglŷn â'r llofruddiaeth a'r treisio i ddechrau,' cadarnhaodd Morgan.

'Chi wedi sôn am y treisio, dwi ddim yn gwbod o ble gawsoch chi'r syniad o drais, mae'n rhaid i mi ddweud, wnes i ddim darganfod unrhyw arwyddocâd o drais o unrhyw fath ar y corff. Achos y marwolaeth oedd trawiad uffernol o galed i'r pen gan hollti'r penglog, dyna dw i yn cofio.'

'Rhyfedd, ydy chi'n siŵr?'

'Mister Morgan rwy'n hen gyfarwydd ag arwyddion trais, hyd yn oed y pryd hynny, a credwch chi fi doedd ddim y fath olion ar Eira, dim ond niwed i'r penglog.'

'Tipyn o waed, te?' gofynnodd.

'Digonedd, fel pob clwyf i'r pen.'

'Ond chi'n dweud dim arwydd o drais, dim cleisiau, gwaedu, clwyfau....'

'Mister Morgan,' teimlai Morgan fod Ifor Roberts yn dechrau colli ei amynedd gydag e, ond fe aeth ymlaen i egluro,

'Nawr, roedd Eira yn ferch ifanc ond doedd hi ddim yn wyryf ac oedd roedd yn ymddangos ei bod wedi cael rhyw yn agos i'w marwolaeth ond, fyddwn i'n dweud, rhyw cydseiniol yn hytrach na chael ei threisio.'

'Welai,' dywedodd Morgan yn dawel.

'Gaf i ofyn, Mister Morgan, pa heddlu ydych chi'n cynrychioli?'

Bu bron i Morgan ddweud Sgotland Iard fel yr arferai ond stopiodd mewn pryd. Disgrifiodd ei sefyllfa i Ifor Roberts gan egluro pam roedd wedi bod mor bendant bod Eira Huws wedi cael ei threisio a'i llofruddio ac un rheswm am hynny gan fod Twm Ifans wedi cyfadde i'r ddwy drosedd ac wedi cael ei farnu a'i gosbi.

'Wel, 'na i gyd gallai i ddweud, Mister Morgan, yw bod camarweiniad a thwyll wedi cymryd lle rhywle. Yn bendant doedd hi heb cael ei threisio ac roedd wedi cael yffarn o glec ar ei phen ond does dim syniad gyda fi gyda beth, pam, na gan bwy. Felly pob lwc i chi yn eich ymgyrch ond os fedrai fod o unrhyw help yn y dyfodol dewch nôl ata i.'

Diolchodd Morgan iddo, aeth y ffôn yn ddistaw, a rhoddodd y peiriant lawr yn ei grud. Aeth yn araf tuag at y ffenestr fawr, edrychodd lawr ar draeth Bwll Gwyn. Oedd e'n dychmygu gweld amlinell hen ffigwr cyfarwydd iawn yn cerdded yn araf, fel yr arferai, ar hyd y traeth, tybed? Gwelodd ef yn troi, hen wyneb cyfarwydd yn edrych i fyny arno, gwenu a chodi ei law. Clywai Morgan chwerthiniad fach rhyfedd yr hen Gapten yn atseinio yn ei feddwl cyn i'r ddrychiolaeth ddiflannu a gadael y lle yn wag unwaith 'to.

* * *

'Duw, Alan,' er iddynt fod yn ffrindiau agos am dros i ddeng mlynedd ar hugain, ac er i'r Comander lwyddo yn ei ymdrechion i ddysgu siarad Cymraeg – gyda acen Cocniaidd gref ar brydiau – roedd yn dal i alw Morgan yn Alan yn hytrach nag Alun, 'Ble ddiawl wyt ti wedi bod?' cyfarchodd y Comander ef wrth dynnu peint o'r cwrw chwerw lleol iddo. Doedd Morgan heb sylweddoli faint o ddyddiau oedd wedi mynd heibio ers iddo alw yn y Ffrwd Wen.

Y Comander oedd meistr Morgan pan oedd y ddau yn y Flying Squad ond roedd eu hanes yn mynd yn ôl am sawl blwyddyn cyn hynny. Mabwysiadwyd ef gan Edgar, neu Eager Edgar fel y galwyd ef yn y dyddiau hynny, a'i gymryd dan ei adain. Deunaw oed oedd Morgan ar y pryd ac yn hollol ddiniwed ar ôl iddo cael ei orfodi i ymuno naill â'r banc yn Llundain neu efo'r Heddlu. Wedi ei eni a'i fagi yn yr awyr agored dewisodd Morgan yr Heddlu a newidiwyd ei fywyd yn llwyr.

'Problem gen ti?' gwelai'r Comander arwyddion ansicrwydd ar wyneb ei gyfaill.

Edrychodd Morgan ar ei hen ffrind, 'Oni bai bod mater Twm Ifans a Eira Huws mor ddifrifol,' dywedodd, 'Mi fyddai'r holl sefyllfa yn chwerthinllyd.' Eglurodd Morgan beth yr oedd wedi darganfod ynglŷn â'r achos hyd yn hyn.

'Ti'n gweld, os yw'r peth yn wir, beth wnaeth i Twm Ifans fynd draw i Dan-y-Graig ar y noson honno pan oedd rhan fwyaf o'r pentref yn y tŷ tafarn? Pam wnaeth e dorri mewn i'r tŷ? Os na wnaeth e dorri mewn i'r tŷ, pam wnaeth Eira Huws ei adael i mewn gan wbod nad oedd ei rhieni adre? A pam nad oedd hithau yn y tŷ tafarn – rhy ifanc mwy na thebyg. A pam bydde rhywun fel Twm Ifans, rhywun roedd pawb yn ei barchu, rhywun oedd dros ei hanner cant ac yn ŵr ac yn dad ffyddlon a chariadus, wedi ymosod a'r ferch dwy ar bymtheg, a'i lladd? Does na'm synnwyr yn y peth o gwbl, ac eto mae pawb wedi bod yn ddigon parod i'w dderbyn diolch i Bob Preece a'i griw – neu mae pawb yn rhy barod i ddweud celwydd a chuddio'r gwirionedd.

'Mawredd Dad, doeddwn i heb sylweddoli bod y diwylliant o dwyll mor gyffredin. Ydy pawb yn llygredig, dwed?' oedd ymateb y Comander.

Gwenodd Morgan arno, 'Heblaw am ti a fi,' atebodd.

'O! fedrai'm dweud fod yr un ohonom ni yn hollol ddiniwed ar brydiau, cofia, ond dim byd fel hyn,.' Arhosodd am seibiant gan gymryd lwnc o'i gwrw, 'Ond shwt ddiawl daethon nhw i ben a chuddio'r gwaith papur a'r dogfennau a phethe?

'Meddylia am eiliad; diwedd y pedwar degau, rwyt ti'n cofio shwt oedd pethau arnom ni pryd hynny. Llywodraeth newydd anaeddfed, uffern o waith ail drefnu a gwella pethau ar ôl y rhyfel, yr hen farchnad ddu yn cynyddu ac yn datblygu i fod yn Is-fyd lewyrchus, ceisio sefydlu y Bwrdd Iechyd Cenedlaethol, a llwyth o bethau eraill – digon hawdd i bethau fynd ar chwâl,' eglurodd Morgan ei theori.

'Felly bydd Twm Ifans yn haeddu uffern o iawndal ar ôl hyn,' awgrymodd Edgar ar ôl cymryd lwnc arall o'i gwrw, 'Wyt ti wedi dweud wrth Bronwen?'

'Wel, naddo – i ddweud y gwir dwi ishe cael atebion i'r cwestiynau yma a darganfod beth yn union ddigwyddodd yn iawn os fedrai.'

* * *

Clywai Morgan y ffôn yn canu wrth iddo gerdded mewn i Awel Deg.

'58? This is 37. Dammit, you've given me one hell of a run around but I think I've come up with something.'

Dewis o bedwar "Sean" yn ffitio disgrifiad Morgan oedd ar gael yn ôl gwybodaeth MI5. Doedd 'run o'r pedwar yn cael ei alw wrth ei enw bedyddiol felly roedd un â'r ffug enw "Y Bugail"; un arall "Y Meddyg"; un "Y Trafeiliwr"; ar olaf un "Y Taniwr". Y teimlad oedd mae y "Sean" olaf un oedd yr un agosaf i ddisgrifiad Morgan. Roedd MI5 wedi cadarnhau fod hwn wedi ei gysylltu ag amryw weithgaredd ffiaidd yn yr Iwerddon ac ym Mhrydain a'r teimlad oedd ei fod draw yma ar hyn o bryd yn cynllunio rhyw drosedd blaenllaw; cadarnhawyd hefyd ei fod yn briod ac mai Aisling oedd enw ei wraig.

'So we're convinced he's your man, fifty eight, in which case there's no need for you to worry as he's somewhere in the West Country and we think he's about to return to Ireland. Clearly his mission has been abhorted.'

'But aren't you going to arrest him?' gofynnodd Morgan.

'Not the way things are done, old boy, we watch him and he will lead us to others but, naturally, we won't allow him to do anything untoward. Keep up the good work and sleep easy.'

Er waetha'r geiriau o gysur teimlai Morgan yn aflonydd o hyd ond methai rhesymu pam.

* * *

Symudai bywyd ymlaen ym mywyd hunanol James Burt yn Y Swyddfa Gartref. Dyn ifanc a ganddo wendid mawr am y merched – yn enwedig y rhai oedd yn gweithio yn y swyddfa agored gerllaw. Felly, wedi tacluso ei ddesg ei hunan aeth draw yno i herwa, ond doedd heb ddisgwyl y llond pen gafodd wrth y ferch fach bert â'r gwallt golau, wrth iddi ddweud yn glir iawn wrtho beth fedrai wneud â'i syniadau. Dim syndod, felly, na sylwodd ar y darn o bapur yn cwmpo o'r ddesg a'i sathru wrth iddo godi i fyny a'i gadael i chwilio am ferch arall – un byddai'n ymateb yn fwy ffafriol i'w awgrymiadau rhywiol.

Sylwodd neb arall ar y darn o bapur chwaith, gwnaeth neb ddarllen y neges bwysig oedd arno; doedd neb byth yn talu llawer o sylw ar beth oedd yn mynd ymlaen ar ddesg Materion Cymreig yn y Swyddfa Gartref.

33

Er bod wythnos wedi mynd heibio, methai Gwenda Roberts gael y digwyddiadau yn y tŷ tafarn allan o'i meddwl, roeddent yn dal i greu corwynt o wahanol emosiynau yn ei meddwl ac yn ei chorff. Ar yr un llaw teimlai cywilydd am ei hymddygiad wrth iddi adael ei hun i gael ei cham-drin gan y dynion ofnadwy o'i hamgylch ond eto cofiai y gwefrau pleserus teimlodd yn ei chorff ar y pryd, gwefrau nad oedd wedi teimlo am yn hir. Y fath o deimladau yr arferai deimlo pan yn fyfyrwraig ym Mangor, lle roedd dwywaith gymaint o ferched na bechgyn ar y pryd. Cofiai'r hwyl a sbri yn y Vaults a'r Glôb yn enwedig ar nos Sadwrn. Gwenodd yn dawel wrth yfed ei choffi a cofio am ei anturiaethau yno ac yn Llundain ar ôl hynny, heb sôn am Manceinion a Lerpwl nes ymlaen. Wastad yn ffefryn mawr gyda'r bechgyn a'r dynion boed nhw'n sengl neu yn briod wrth iddi fanteisio ar eu chwantau. Oedd, roedd ei bywyd wedi bod yn braf, felly pam ddiawl oedd hi wedi dychwelyd i'r twll yma? Gwyddai'n iawn pam – cafodd ei gweithgareddau eu darganfod ac roedd perygl iddynt gael eu cyhoeddi yn y papurau newydd – ac hithau yn ferch i weinidog. Felly, dychwelodd adre i gadw ei pharchusrwydd.

Ar goll yn ei meddyliau, roedd wedi codi yn sydyn o'r bwrdd ac yn sefyll o flaen y drysau gwydr a arweiniai i'r ardd. 'Diawl, Gwenda, rwy'n galler gweld reit trwy dy ddillad nos,' gwenodd Hefin arni o'r ardd gefn.

'Paid edrych, te, y mochyn' atebodd yn siarp.

'Roeddet ti'n ddigon hapus i ddangos pob dim i'r dynion eraill 'na, y noson o'r blaen,' cariodd Hefin ymlaen i'w phlagio.

'Beth wyt ti ishe?' anwybyddodd yr her.

'Dod draw am goffi bach oeddwn i ac i weld a oeddet ti'n iawn?' camodd tuag ati a'i thynnu tuag ato, 'Ond dwi'n gweld dy fod ti.'

Teimlai Gwenda ei law yn mwytho ei phen-ôl noeth a thrïodd ei wthio i ffwrdd, 'Dere mlân, Roberts, roeddet ti'n ddigon bodlon unwaith,' tynnodd hi'n agosach ato. Gwyntiai Gwenda ei anadl sur yn agos i'w hwyneb a theimlai ei farf un-dydd yn crafu ei boch. Rhywsut cafodd ei breichiau rhyngddynt a'i wthio i ffwrdd.

'Rhywbryd arall te, falle,' dywedodd Hefin heb unrhyw gywilydd dros ei ymdrechion rhywiol.

Eisteddodd Gwenda lawr a'i choesau'n crynu ac yn wan, 'Gwranda. dwi wedi newid....' dechreuodd.

'Nag wyt ddim,' gwenodd Hefin gan eistedd wrth y bwrdd, 'Wnei di byth newid. Rwyt ti'n hapus yng nghwmni dynion neu gwragedd – wastad wedi bod ers ein dyddiau ysgol, felly paid a chwarae'r diniwed gyda fi. '

'Cer i grafu,' methai ddal ei lygad ond gwyddai ei fod yn iawn.

* * *

Cyfiawnder o'r diwedd, meddyliai Bronwen gan ddal llygad Morgan, cyfiawnder ar ôl yr holl ddioddefaint i'r teulu bach dros y blynyddoedd. Methai arbed y dagrau rhag rhedeg lawr ei gruddiau, 'Dwi ddim yn gwbod shwt i ddiolch i chi a'ch gwraig,' dywedodd yn ddagreuol.

Cydiodd yn dyner yn ei llaw, 'Dy' ni ddim cweit 'na 'to, er 'y mod i'n siŵr ei fod yn ddieuog. Fe yw'r unig un sy'n gwbod beth ddigwyddodd y noson 'na, ac rywsut neu gilydd mae'n rhaid i ni gael e i gofio.' Sychodd Bronwen ei llygaid, sylwodd y ddau fod Twm Ifans yn slwmbran yn dawel yn ei gadair freichiau.

'Fe fydd e mor falch hefyd,' gwenodd arno, 'Os wneith e sylweddoli be' sy'n mynd ymlaen. Byddai'n braf i'w glywed yn chwerthin unwaith eto, a'i glywed e'n dweud "Wedes i wrthoch chi o'n do fe te?".' Chwarddodd y ddau.

Ar ôl i Morgan adael, dychwelodd Bronwen i'r lolfa. Oedd hi'n bosib bod y dyn yma yn mynd i'w rhyddhau o hunllef ei bywyd? Edrychodd yn drugarog ar ei thad. 'Mae e bron drosodd, Dad,' sibrydodd.

Ond pam yr holl gwestiynau am y bywyd yn y pentref, ar hen ddyddiau ysgol. Fach iawn o'r hanes yma roedd am ddatgelu. Mewn fflach daeth hen olygfeydd i feddwl Bronwen. Gwelai wynebau ifainc y bechgyn fesul un, roedd pob un ohonynt wedi ei thalu am ei gwasanaeth dros y blynyddoedd diwethaf, talu iddi wneud hyn ar llall fel roedd eu chwantau wedi eu harwain. Ond ar tripiau Ysgol Sul, Bethania roeddent wedi cael ei pleserau am ddim.

Gwelai, hefyd, wynebau ifainc y merched, ni fyddai'r un ohonynt yn edrych ddwywaith arni y dyddiau yma heb sôn am siarad â hi er ei bod wedi eu gweld droeon yn cerdded heibio gan esgus nad oeddent yn ei hadnabod, neu yn croesi'r ffordd i'w hosgoi.

* * *

Rhoddodd Siwsan derbynnydd y ffôn lawr ar eu grud yn araf ac yn bwyllog. Tro arall i'w gŵr wrthod siarad â Morgan, tro arall lle roedd hithau wedi dweud celwydd drosto.

'Beth sy' wedi digwydd rhyngddo ti a Morgan te, John?' gofynnodd yn betrusgar. Cyn hir byddai'n treulio wythnos gyda Elisabeth a'i merch mewn carafán a byddai hynny yn anghysurus iawn os oedd 'na deimladau drwg rhwng y ddau ŵr.

'Be ti'n feddwl?' oedd ymateb John Jones.

'Dere nawr, paid a gofyn i mi egluro, rwyt ti'n gwbod yn iawn be sy'n bod.'

'Dim ishe siarad ag e, dyna 'i gyd,' atebodd yn blwmp ac yn blaen.

'Am dros i fis!' cododd gwrychyn Siwsan gyda'i ymateb, 'Dwyt ti heb siarad ag e am dros i fis, John!' Daliodd ei lygad gan weld golygon rhyfedd ynddynt, golygon doedd heb weld o'r blaen er treulio hanner ei bywyd yn ei gwmni. Am eiliad teimlai ei fod am ddweud rhywbeth wrthi, cyn iddo droi ei wyneb i waered.

'Wyt ti'n poeni gan 'y mod i'n mynd i ffwrdd am wythnos?' ceisiodd rhoi cyfle iddo rhoi ei resymau, boed yn wir neu gelwydd. 'Achos dwi'n ddigon parod i ganslo os ti ishe.'

'Na, na, duw, duw na, na, na cer di – fydda i'n iawn.'

'Meddwl oeddwn bydde'r ddau ohonoch yn gwmni i'ch gilydd tra wên i bant ond ....'

Cododd ei gŵr o'r bwrdd, rhwymodd ei freichiau o'i hamgylch, 'Paid a poeni amdana i, mae 'na rhywbeth sy'n rhaid i mi sortio mas 'na i gyd.' A rhoddodd gusan bach ar dop ei phen. Pwysodd Siwsan yn agos ato gan rhoi ei phen yn erbyn ei frest. Teimlai ei galon yn curo yn gyflym. Gwyddai fod rhywbeth mawr ar ei feddwl, roedd yn methu cofio y tro diwethaf iddo ei chyffwrdd fel hyn heb sôn am rhoi cusan iddi.

Penderfynodd cael gair bach tawel gyda Morgan cyn iddi fynd i'r Eisteddfod. Yn bendant byddai hynny yn ei gwneud i deimlo lawer mwy cysurus.

34

Methai Morgan synhwyro pam oedd Bronwen mor amharod i ateb ei gwestiynau am ei phlentyndod, ac roedd yn amlwg yn anfodlon i ateb unrhyw gwestiwn am noson agoriadol y dafarn. Beth oedd hi'n cuddio?

Gwyneb newydd oedd tu cefn i'r bar i groesawi Morgan pan gerddodd mewn i'r Llwyn Celyn ac archebu peint o gwrw chwerw. Fel arfer, roedd y lle yn wag, rhedai gwirionedd geiriau Ann Rhys am ddyfodol anobeithiol y lle trwy ei feddwl unwaith eto.

'Willi Whiff ddim yma?' holodd.

'Oeddech chi ishe'i weld e?' gofynnodd y dyn tra'n tynnu'r hylif.

'Na, i fod yn onest busnesan ydw i,' atebodd.

'Hefin ydw i,' cynigiodd y llall wrth iddo rhoi peint llawn i lawr yn daclus o flaen Morgan, 'Ei fab,' ategodd.

Doedd na'm tebygrwydd o gwbwl rhwng Hefin Lewis a'i dad. Lle roedd Wilfred yn fach roedd Hefin yn gawr; lle roedd Wilfred yn wan ac yn dew roedd Hefin yn gryf ac yn gyhyrog; lle roedd Wilfred yn foel ac yn hyll roedd Hefin yn olygus gyda llond pen o wallt tywyll. Lle roedd y tad yn ddiflas safai Hefin a gwên cyfeillgar ar ei wyneb. Gwelai Morgan pam byddai merched, yn ogystal a gwragedd, mae'n siŵr, yn cael eu denu tuag ato. Mwy tebyg i'w fam nac i'w dad meddyliodd – pwy bynnag oedd y tad gwreiddiol.

'Fedra i'ch helpi chi o gwbwl? cynigiodd.

'Ydych chi'n cofio'r noson wnaeth y lle 'ma agor?' waeth gwneud yr ymholiadau teimlai Morgan.

'Pwy na sydd?' chwarddodd Hefin, 'Yr hen le dan ei sang fel mae nhw'n dweud. Pob un o'r pentre 'ma, hyd yn oed Y Parchedig Goronwy Roberts a'i wraig.'

'Mister a Missis Huws y prifathro?' daliodd Morgan ei lygaid..

'Ym, oedden...ym... dwi'n siŵr, pam y'ch chi'n gofyn?' methodd Hefin ddal llygad Morgan, yn hytrach trodd i ffwrdd i dynnu peint i'w hunan.

'Roeddech chi yn yr ysgol ar yr un adeg a Gwenda Roberts, ac Eira Huws a Bronwen Ifans?'

'Oeddwn......pam?' ceisiodd rhoi argraff di-hyd i'w atebion ond clywai Morgan y pryder cuddiedig.

'Pa mor gyfeillgar oeddech chi gyda nhw?'

'Hey, dewch nawr, beth yw hyn chi'n swnio fel rhyw dditectif?' roedd Hefin yn teimlo braidd yn rhwystredig, cymerodd lwnc fawr o'i beint.

Gwenodd Morgan arno gan gadarnhau ei fod yn edrych mewn i ddigwyddiadau y noson honno ar ran rhywun arall. 'A dwi wedi clywed eich bod chi wedi bod yn foi am y merched pan roeddech yn 'r ysgol,' ategodd.

Ymlaciodd Hefin rhywfaint, 'Wel, chi'n gwbod shwt ma' plant ysgol.'

'Mm,' synhwyrodd Morgan, 'Ond oedd y plant ysgol yma ar y noson, te?'

'Rhai ohonom ni...wel...chi'n deall. Ac roedd yr heddlu lleol 'ma, hefyd ond doedd neb yn dweud gair. Roeddwn i'n helpi Dad. Ond doeddwn i ddim yma drwy'r amser os dwi'n cofio'n iawn.....ond mi ddes i 'nôl nes ymlaen.'

'Ble aethoch chi, te?'

'Duw, dwi ddim yn cofio mae tipyn o amser ers hynny....
mas rhywle. Ond roedd hi'n noson uffernol o rwff, dwi'n
cofio hynny – y gwynt a'r glaw. Mae gennyf ffotos rhywle yn
cofnodi'r noson, fe â'i i hôl nhw i chi,' a gyda hynny diflannodd
i'r cefn.

Teimlai Morgan bod Hefin wedi dechrau drysu ac yn falch
o'r esgus i fynd o'i ffordd am eiliad neu ddwy. Clywodd ddrws
y dafarn yn agor tu cefn iddo a throdd i weld Cliff Caib a Rhaw
yn cerdded i mewn,

'Wên i'n meddwl mod i wedi adnabod y'ch car chi tu fas,'
cyfarchodd, 'A shwt ma' pethe ym Mhwll Gwyn y dyddiau
'ma?'

Atebodd Morgan yn gyfeillgar, ond dychwelodd Hefin a'i
ffotograffau cyn i'r sgwrs fynd ymhellach. Rhoddodd nhw i
lawr ar wyneb y bar gan droi i weinyddu ei gwsmer newydd.
Syllodd Morgan ar y lluniau: roedd yna un o'r dafarn o'r tu
allan ac un arall o'r tu mewn ond yn wag; un o Willi Whiff
â'i fraich o amgylch menyw, mwy na thebyg ei wraig a'r ddau
yn gwenu'n llydan; ond y rhai a ddaliodd sylw Morgan fwyaf
oedd yr amryw rai oedd wedi eu cymryd o'r bobol eraill
ar wahanol amser o'r noson – rhai lle roedd yr unigolion
wedi sefyll yn bwrpasol mewn ystumiau, ac eraill yn hollol
anffurfiol.

'Wyt ti wedi anfon rhai i'r papur lleol?' holodd Morgan.

'Duw, naddo – i beth?'

'Doeddet ti heb glywed ei bod yn meddwl gwneud erthygl
wythnosol o dan y teitl "Ydych chi'n Cofio", lle mae nhw'n
dangos hen luniau fel hyn neu rhyw erthygl berthnasol i
atgofio'r darllenwyr am ddigwyddiadau arbennig yn yr
ardal?' Teimlai Morgan reit falch ei fod wedi meddwl am y

fath gelwydd, 'Rwy'n adnabod y gohebydd yn iawn, wyt ti ishe i fi fynd a rhain iddo, fe geu di nhw yn ôl.'

Gan fod ei dad wedi erfyn arno i gymryd gofal o'r lle a'i achub, gwelai Hefin gyfle i gael tipyn o gyhoeddusrwydd yn rhad ac am ddim i'r dafarn, rhywbeth oedd bron yn anobeithiol iddynt fel arfer y dyddiau yma.

'Na, na, fe anfona i nhw iddynt,' cwmpodd gobeithion Morgan rhyfaint, roedd am astudio'r lluniau yn fanwl ar ei ben ei hun.

'Iawn, mae lan i ti,' gwenodd gan gymryd llwnc helaeth o'i beint yn ddifater.

'Mae'n bwysig 'mod i'n cael nhw 'nôl, cofiwch,' dechreuodd Hefin ar ôl ystyried y cynnig a sylweddoli pa mor gyfleus y byddai pe bai'r dyn 'ma yn eu cymryd i'r papur. Wedi'r cyfan roedd i'w weld yn ŵr bonheddig ac yn onest, ac roedd Cliff Caib a Rhaw yn ei adnabod, 'A chi fydd yn gyfrifol amdanynt,' ategodd.

'Iawn,' gorffennodd Morgan ei beint. casglodd y lluniau gyda'u gilydd yn ofalus a ffarweliodd cyn i Hefin Lewis newid ei feddwl.

'Pam mae e'n dal i ddod 'ma, tybed?' myfyriodd Cliff cyn sylweddoli ei fod wedi cyhoeddi ei feddyliau.

'Pam, pwy yw e te?' gofynnodd Hefin.

'Diawl, y boi 'na, bachan, wyt ti ddim yn cofio rhai blynyddoedd yn ôl..' Atgoffodd Hefin o'r digwyddiadau ym Mhwll Gwyn ar ddechrau'r chwe degau.....'A fe oedd y boi, y boi oedd yn arfer bod yn uffernol o uchel yn Sgotland Iard.' Teimlai Hefin y nerth yn gadael ei gorff, aeth ei goesau yn wan, dechreuodd deimlo'n oer,

'Wrth gwrs mae e wedi ymddeol ers sawl blwyddyn erbyn hyn,' cadarnhaodd Cliff Caib a Rhaw. Cymerodd lwnc o'i ddiod heb sylwi fod gwyneb Hefin wedi mynd mor wyn â'r galchen yn sydyn.

* * *

'Wyt ti'n meddwl bod 'y ngwallt i'n iawn?' Newydd ddychwelyd o'r salon oedd Siwsan – yr un ddiweddaraf i agor yn Aberteifi a'i prisiau dal yn is na'r gweddill. 'Roedd yn ddigon rhad,' ategodd wrth geisio dynnu sylw ei gŵr.

'Ydy mae e'n siwtio ti,' doedd heb ddisgwyl ymateb mor canmoliaethus – fel arfer byddai'n lwcus i gael rhyw rhoch dawel oddi wrtho, 'Bydd Tom Jones yn siŵr o sylwi arnat ti yn yr Eisteddfod,' ategodd.

Gwenodd arno, teimlai ei fod ar ei ffordd yn ôl o'r iselder roedd wedi bod ynddi er nad oedd wedi sôn wrthi amdano na beth oedd wedi ei achosi.

'Wyt ti wedi siarad â Morgan, te?' mentrodd.

'Na, ddim 'to, ond fe â'i draw i'w weld e dwi'n credu,' atebodd yntau.

'O, John, dwi mor falch,' rhwymodd ei breichiau o'i amgylch a rhoi cusan mawr iddo. Fedrai fynd i'r Eisteddfod nawr heb ofidio amdano, byddai'n iawn yng nghwmni ei hen gyfaill a byddai hithau yn medru ymlacio – ac, efallai, cael gair bach gyda Tom Jones.

* * *

'Beth yw rheina, te?' gofynnodd Elisabeth gan gyfeirio at y lluniau oedd ar draws y ddesg o flaen ei gŵr.'

Daeth Morgan at ei hun gan egluro iddi beth oeddent ac o ble roeddent wedi dod.

'Meddwl oeddwn i, ti'n gweld, drwy astudio'r lluniau yma yn fanwl, byddwn i'n gweld pwy nad oedd yn y Llwyn Celyn ar y noson agoriadol, ac efallai byddai hynny'n arwain at y llofrudd.'

'Ydy o?'

'Na 'dy. Fach iawn dwi'n adnabod, mewn gwirionedd – ond mae 'na un sy'n amlwg drwy ei absenoldeb a Twm Ifans yw hwnnw.'

Plygodd Elisabeth dros ei ysgwydd gan edrych ar y tri llun yn benodol roedd wedi eu rhoi yn agos i'w gilydd er mwyn gwneud un llun cyflawn oedd yn cynnwys rhan helaeth oedd yn bresennol. Doedd y gwynebau yn golygu dim iddi hithau chwaith. Dilynodd bys Morgan, 'Wyt ti'n adnabod hon?' gofynnodd.

'Gwenda Roberts,' atebodd mewn syndod. 'Pwy fasa'n meddwl a hithau'n ferch i weinidog!'

'Roedd hi gyda'i rhieni,' eglurodd Morgan, ''Drycha fan hyn,' a phwyntiodd at ŵr a gwraig yn y llun nesaf, â'r gŵr yn bendant yn gwisgo coler crwn gwyn o amgylch ei wddw.

'Dwi wedi bod yn meddwl cael carped newydd i'r ystafell yma, beth wyt ti'n feddwl?' cymerodd Elisabeth y cyfle i dorri ar draws ei feddyliau er ei fod wedi golygu newid y pwnc yn llwyr.

'Cyn neu ar ôl i ti fod yn yr Eisteddfod?' gofynnodd yn goeglyd.

'Ar ôl, twpsyn,' gan ei daro yn ysgafn ar ei ysgwydd. 'Wyt ti'n cofio'r carpet roedd gan Eirian yn ei lolfa?'

Cofiai Morgan y carped yn iawn, roedd y cysgod gorweddai wrth yr aelwyd yn dal yn glir yn ei feddwl.

'Mae'r lliw yn addas, a dydi o ddim yn dangos y marciau ac, O! roedd e mor drwchus.'

Arhosodd Morgan yn dawel, methai ddweud gair.

'Ond wnes ti edrych oddi tano?'

'Naddo, pam?' atebodd heb gyfaddef ei fod wedi rhewi yn y fan a'r lle.

'Wel, fe wnes i godi'r darn o flaen y lle tân, ac roedd gynno nhw yndyrlei trwchus o dan y carped. Dyna oedd yn ei wneud mor feddal a'r ystafell mor wresog,' eglurodd Elisabeth.

'Wên i'n teimlo'r ystafell yn oer,' dywedodd Morgan,

'O, cysgod rhyw gwmwl o'r tu allan mae'n siŵr pan oeddet ti yno,' awgrymodd Elisabeth a'i anwybyddu yn syth, 'Ac o dan yr holl beth, be' ti'n feddwl?'

'Llawr pren, mae'r tŷ yn weddol hen,' atebodd.

'Nage, teils mawr coch a du. Dyna pam roeddent yn ei alw yn "Rwm Fflags" Meddylia gorfod sgrwbio rheiny bob dydd a'u polisho!' Erbyn hyn roedd Morgan wedi troi ei sylw yn ôl i'r lluniau unwaith eto, felly dychwelodd Elisabeth â'r cwpanau yn ôl i'r gegin cyn mynd i ddechrau paratoi am ei gwyliau.

Clywai Morgan ei wraig yn symud o amgylch i fyny'r llofft a theimlai braidd yn euog. Doedd heb ddangos lawer o ddiddordeb yn ei bwriad i fynd i'r Eisteddfod ond cafodd y teimlad nad oedd hithau yn awyddus iawn i fynd, chwaith. Aeth i godi o'i ddesg i fynd ati – ond canodd y ffôn.

'Dad!' cyfarchiad cyffrous Morwenna, 'Rwyf wedi dod o hyd i Rhiannon Huws, mam Eira Huws.'

'Mawredd, ymhle?' diflannodd unrhyw euogrwydd ynglŷn a'r Eisteddfod yn llwyr.

'Rwyf wedi bod yn gweithio mewn cyswllt â Gwenda James draw yn Llundain,' eglurodd ei ferch, 'A rhwng y ddwy ohonom ni, a help Ann Rhys – oeddech chi'n gwbod bod y ddwy yn perthyn yn agos gyda llaw – wel, rydym wedi creu darlun manwl o'r digwyddiadau ynglŷn a diflaniad y fam. Mae

Gwenda yn anfon swsys i chi hefyd, gyda llaw, ond wnewn ni ddim trafod hynny fan hyn, Dad!' Clywai Morgan y melltith diniwed wrth i'w ferch dynnu ei goes.

Gwenodd wrth glywed y frwdfrydedd yn ei llais. Teimlai gysur bod Morwenna a Gwenda James yn dod i adnabod eu gilydd – un yn ferch iddo a'r llall wedi gweithio drosodd cyn priodi â'i hen ffrind. A nawr roedd y ddwy yn gweithio gyda'i gilydd – oedd, roedd 'na obaith i ddyfodol yr heddlu wedi'r cyfan – chwarddodd yn uchel.

35

Ar y dechrau dim ond briwsion bychain o stori Rhiannon Huws a ddaeth i'r golwg wrth i'r dair archwilio ei hanes fan hyn a fan draw. Gofyn cwestiynau i hwn a'r llall, edrych mewn i amryw ffeiliau, rhai ohonynt yn breifat, eraill ar gael yn gyhoeddus, nes dod a'r darnau i gyd at eu gilydd, ac yn y diwedd dod o hyd i mam Eira Huws ei hunan.

Er i'w chymdogion agos ac eraill o'r pentref bod yn garedig iawn iddi ar y pryd, methai Rhiannon Huws dderbyn ei sefyllfa ac ymadawodd ar Gwmcelyn yn fuan ar ôl claddedigaeth ei gŵr yn dilyn ei hunan laddiad a'r cwest. Dihangodd bron dros nos gan adael y tŷ fel yr oedd – gadawyd y dodrefn, y llestri, ac hyd yn oed y bwyd yn y pantri. Mi aeth heb ddweud gair wrth neb.

Wedi dioddef rhyw fath o doriad meddwl ac wedi danto ar bawb a phopeth, derbyniodd gwahoddiad ei chwaer i fynd i aros am gyfnod gyda hi a'i gŵr yn eu cartref yn agos i Lundain. Yn araf bach dychwelodd ei hysbryd nes ei bod yn medru wynebu'r byd unwaith eto. Gwnaeth ymuno a chapel Cymraeg lleol cyn i'r tri fynd ar ei gwyliau gyda'u gilydd.

Penderfynodd dorri'r cysylltiad â Chwmcelyn yn gyfan gwbwl. Gwyddai na fyddai byth yn dychwelyd i'r pentref, ac felly mi anfonodd cyfarwyddiadau i'w chyfreithiwr, Graham Lloyd yn Abergwaun, i wagu'r tŷ a'i werthi. Cynhaliwyd ocsiwn lleol lle cafodd pob dim ei werthu am byrsiau digon isel heblaw am y tŷ – methodd hwnnw gyrraedd y pris nodedig ar y diwrnod a chafodd ei adael ar werth. Fe'i werthwyd yn y diwedd am bris oedd lawer yn is na'r gofyn ac yn is o lawer na'r cynnig uchaf yn yr ocsiwn.

Arhosodd Rhiannon Huws gyda'i chwaer gan fod honno wedi cwmpo'n wael efo cancr. Edrychodd ar ei hôl a'i nyrsio ond yn y diwedd er yr holl driniaeth a'r gofal bu farw.

Yn ôl rhai, roedd Rhiannon ac Albert, ei brawd yng nghyfraith, wedi bod yn rhannu carwriaeth, mae'n debyg, ac hynny am dipyn o amser cyn i'r chwaer gwmpo'n wael. Mynnai eraill bod y tri yn rhannu'r un gwely ac yn ei meddwdod yn rhannu'r carwriaeth hefyd. Ar ôl i'r chwaer farw gwnaeth y ddau gario mlaen a buont yn cydfyw am sawl blwyddyn er wnaethon nhw ddim priodi. Bu farw Albert tua pum mlynedd yn ôl gan adael ei holl eiddo i Rhiannon. Doedd na'm plant ganddo ef ac wrth gwrs roedd Eira wedi marw felly doedd na'm teulu ar ôl i gadw cwmni iddi.

Unwaith eto roedd ar ben ei hunan ac er ei bod, erbyn hyn, yn hen gyfarwydd a'r cymdogion o'i hamgylch, yn araf bach torrodd ei hunan i ffwrdd oddi wrthynt. Mynnai siarad Cymraeg a phob un er doedd neb yno yn ei deall heblaw am aelodau y capel Cymraeg. Stopiodd fynd i'r capel a chuddiodd ei hun yn ei chartref ac i bob pwrpas diflannodd o'r gymdeithas. Gan fod neb wedi gweld smic ohoni am wythnosau, a gan nad oedd allwedd i'r tŷ gan neb, penderfynodd un o'i chymdogion fynd at yr heddlu lleol.

Er ei bod dal yn fyw pan dorrodd yr heddlu i mewn, roedd mewn cyflwr difrifol. Roedd fel sgerbwd o denau ac yn dioddef o ddiffyg maeth, roedd yn garpiog, ac heb ymolchi na chadw ei hunan yn lân am ddyddiau er fod 'na ddigon o arian ganddi o amgylch y lle ac yn y banc. Cludwyd hi i'r ysbyty lleol ac er i'w chorff wella rhywfaint roedd ei meddwl wedi mynd. Cymerodd gweinidog y capel Cymraeg gyfrifoldeb amdani a chafodd ei throsglwyddo i gartref gofal heb fod ymhell o'i thŷ yn Ilford – hithau a'i meddwl yn racs.

'Esgyrn Dafydd, shwt yn y byd wnes ti ffeindio hyn mas i gyd?' gofynnodd Morgan wrth i Morwenna orffen ei adroddiad llawn. Er bod wythnosau wedi mynd heibio ers iddo sôn am y fam, doedd heb ddisgwyl i'r ymchwiliad i fod mor drwyadl – ac roedd fwy i ddod dros yr wythnosau nesaf.

* * *

Cerddai Gwenda James ar hyd y coridor hir yn Green Fields, Ilford. Cartref arbennig i hen bobol oedd yn dioddef o ddiffyg meddwl ydoedd ac yn agos i'w chartref hithau yn Upminster. Doedd hi ddim yn rhy siŵr pa fath o groeso y cawsai wrth ymweld â Rhiannon Huws gan fod aelodau o'r staff wedi ei rhybuddio fod cyflwr yr hen wraig ddim yn dda. Amrywiai'r meddwl o adeg ei phlentyndod hyd at ei chanol oed ond fach iawn ar ôl hynny. Doedd ganddi'm syniad ble roedd hi na phwy oedd o'i hamgylch nac ar brydiau pwy ydoedd hi ei hunan, hyd yn oed.

Gwyddai Gwenda nad oedd Rhiannon Huws mor hen â hynny. Er ond yn ei saith degau cynnar, hen wraig fach llwyd a bregus yr olwg, gwelai wrth gerdded mewn i'r ystafell, un oedd yn eistedd ar ben ei hunan bach yn y cornel pellaf. Eisteddai mewn cadair freichiau esmwyth gan edrych fel pe bai yn boddi ynddi. Eisteddodd Gwenda yn y gadair gyfagos, 'Helo,' dywedodd yn gwbwl anffurfiol, 'A shwt y' chi heddiw?'

'Eira?' gofynnodd Rhiannon mewn llais bach gwan gan droi ei phen ac edrych yn graff arni a'i llygaid yn ddagreuol,

'Eira, ti sy' na?' Doedd neb wedi siarad Cymraeg â hi am flynyddoedd.

'Eira fach, wyt ti wedi dod i'm gweld i o'r diwedd?'

'Na, Gwenda, ydw i, Missis Huws.'

'O, Gwenda fach, 'na fe dwi'n eich gweld chi nawr; chi'n edrych yn dda,' gwenodd Rhiannon yn wan arni, 'A shwt mae'ch tad a'ch mam?' Gwyddai Gwenda ei bod wedi ei chymysgu â rhyw Gwenda arall, 'Ydych chi wedi galw i weld Eira?' gofynnodd yn sifil. 'O, Gwenda fach, dyw Eira ddim yma, mae hi mas rhywle.'

'Mas ymhle?' penderfynodd Gwenda gario 'mlaen i sgwrsio yn naturiol i weld ble byddai'n arwain.

'Sa i'n gwbod i ddweud y gwir,' atebodd yn sarrug, 'Dyw hi byth yn dweud wrtha i ble mae'n mynd,'

Gostyngodd Rhiannon ei phen, ochneidiodd, teimlai Gwenda dyna ddiwedd ar y sgwrs fach na, te. 'Mas gyda'r hen fachgen 'na, siŵr o fod,' dechreuodd Rhiannon o'r ail.

'Pwy fachgen yw hyn, te?' gofynnodd Gwenda fel pe bai yn awchi am dipyn o glonc lleol ond cyn i Rhiannon ddweud gair ymhellach rhuthrodd gwraig fach dew, cwta mewn i'r ystafell fel corwynt du.

'Chi yw hi!' gwaeddodd yn groch ac acen dwyreiniol Llundain yn dew ar ei thafod, 'Chi...... chi yw'r angel....Angel y Nef,' aeth yn ei blaen. 'Wel, dyma fi, Elsi Burpitt, ac rwy'n barod i ddod gyda chi. Cymerwch fi fel yr wyf, mae'n hen bryd.'

'Cerwch o' ma,' bloeddiodd Rhiannon arni gan droi yn naturiol i'r Saesneg, 'Mae hwn yn breifat.'

Ciliodd y wraig fach wrth glywed y dicter yn y llais, aeth allan o'r ystafell gan rhegi a grwgnach dan ei thafod.

'Pwy fachgen, te?' gofynnodd Gwenda o'r ail.

'Beth, bach, be chi'n feddwl?' gwelodd Gwenda yr annealltwriaeth yn y llygaid – roedd Rhiannon Huws wedi dychwelyd i'w chragen unwaith eto.

Aeth sawl diwrnod heibio ac ar ôl cael sgwrs gyda Morwenna a J-J, ei gŵr, penderfynodd Gwenda ddychwelyd i Green Fields i geisio cael fwy o synnwyr allan ohoni. Yr un oedd y cyflwyniad, doedd gan Rhiannon ddim cof o'r cyfarfod diwethaf ond gwenodd yn siriol pan ddeallodd mai Gwenda oedd o'i blaen – ond unwaith eto y Gwenda anghywir.

'Gwenda fach, mae Eira wedi mynd, meddyliwch. Wedes i ddigon wrthi am beidio mynd mas yn y gwynt a'r glaw 'na.' Plygodd Gwenda 'mlaen er mwyn clywed yn well gan fod Rhiannon yn dueddol i sibrwd a dweud pethau fel pe baent yn gyfrinachol er doedd na neb yno i wrando arni – ac yn enwedig gan ei bod yn siarad yn y Gymraeg.

'Hithau'n mynd mas bron yn noeth....' dechreuodd wrth i'r dagrau gronni yn ei llygaid, 'Double pneumonia, meddyliwch.' Edrychodd yn ddagreuol ar Gwenda, 'Fu farw, rhyfedd meddwl, mae Eira ni wedi marw.'

Erbyn hyn roedd y dagrau yn llifo lawr ei gruddiau ond yn sydyn newidiwyd yr hwyl yn gyfan gwbwl, 'A minnau 'n cael fy ngadael ar ben fy hunan ar y platfform yn y stesion ...... Roedd e fod i ddod i gwrdd a fi......Ond na, fel arfer roedd e wedi anghofio a'm gadael i sythu. Double pneumonia ......Hy! mae'n rhyfeddod mod i yn dal 'ma.'

Roedd Gwenda ar fin dweud rhywbeth pan aeth Rhiannon yn ei blaen, 'A ble oedd e chi'n meddwl....? Hy! yn y dafarn 'na yn swancan bant a'i blydi wisgis dwbwl a'i gwrw. Hwfft iddo, dyna weda i.... Hwfft i'r diawl – a ble mae e heddi? Byth yn dod i'm gweld i, byth yn ffonio,....dim gair wrtho fe, fel arfer.'

Gwyliodd Gwenda llygaid Rhiannon yn cau yn raddol wrth

iddi gwmpo i gysgu. Doedd hi ddim yn credu y byddai mwy o wybodaeth yn dod wrthi am nawr. Cododd i fyny o'r gadair ond wrth gerdded allan o'r ystafell gwaeddodd Rhiannon arni, 'A peidiwch chi a galw 'ma byth 'to, chwaith.'

Syfrdanwyd Gwenda, safodd yn ei hunfan a throdd i wynebu'r hen wraig,

'Ych a fi,' bloeddiodd Rhiannon, 'Oni bai amdanoch chi, bydde Eira ni yn dal yn fyw,' pwyntiodd ei bys esgyrnog tuag ati, 'Chi laddodd hi, chi a'ch math,' sgrechiodd wrth i ddwy o'r gofalwyr rhedeg heibio i'w thawelu, a'i chysuro cyn rhoi chwistrelliad o gyffur yn ei braich a'i chludo i ffwrdd. Diolchodd Gwenda nad oedd neb arall yn y lle yn deall Cymraeg. Dychwelodd adre i wneud galwad ffôn er mwyn ail-ddweud wrth Morwenna air am air beth oedd Rhiannon Huws wedi yngan.

Gadawodd Gwenda James ei i'w theimladau i ostwng rhywfaint ar ôl ail ddweud yr hanes. Teimlai bod ei hymdrechion wedi bod yn fethiant gan na fedrai gael unrhyw synnwyr allan o Rhiannon Huws, dim byd byddai'n cyfrannu mewn unrhyw ffordd o gwbwl i ymchwiliadau Morgan – nes iddo fe ei ffonio. Eglurodd wrthi pa mor rhwystredig oedd ei ymchwiliadau yntau wedi bod hyd yn hyn a pha mor werthfawr oedd ei chyfraniad. Fel yn yr hen ddyddiau, fe wnaeth ei hysbrydoli ac ar ôl yr alwad gwyddai ei bod am wneud un ymweliad arall i'r cartref gofal. Teimlai'r ddau fod 'na fwy na gronyn o wirionedd rhywle yn ngeiriau'r fam, er eu bod yn gymysglyd. Felly, unwaith eto cafodd ei harwain lawr y coridor adnabyddus yn Green Fields.

'Mae Rhiannon wedi bod yn ddistaw iawn ers eich ymweliad diwethaf.' dywedodd un o'r gofalwyr. 'Mae wedi bod yn bleser i'w gofalu,' ategodd.

Eisteddai Rhiannon yn union yn yr un man ag arfer.

'Gwenda wedi dod i'ch gweld chi unwaith eto, Rhiannon,' datganodd yr ofalwraig. Cododd ei phen rhywfaint wrth glywed ei henw. Adnabu y nyrs ond doedd ganddi'm syniad pwy oedd y wraig ifanc arall – yn bendant nid Gwenda oedd hon.

'Nid Gwenda ydych chi,' dywedodd yn grac, 'Pwy y'ch chi?'

Brawychwyd Gwenda gyda llais yr hen wraig. Ymddangosai yn wan ac yn fregus ac ar goll yn ei chadair esmwyth ond doedd na'm amau y cadernid a'r pendantrwydd yn y llais.

'Os ydych chi ishe gofyn am Eira ni, wel, rydych chi'n rhy hwyr.'

Er nad oedd yr ofalwraig yn deall gair o Gymraeg, medrai deimlo yr herfeiddiad yn yr agwedd tuag at Gwenda. Dechreuodd ymddiheuro ond wnaeth Gwenda arwyddo gyda'i llaw fod popeth yn iawn.

'Pam hynny, Missis Huws?' gofynnodd yn dawel. Sylwodd ar ei gwedd yn newid. Daeth tynerwch ar draws wyneb yr hen wraig – lle roedd atgasedd caled eiliadau yn ôl.

'Mae wedi mynd, bach, fe aeth jest cyn i chi adael y pentref. Dyw hi erioed wedi dod yn ei hôl, nac anfon gair i ddweud lle mae, na dim byd.'

'Fuoch chi'n chwilio amdani....?'

'Wel, do wrth gwrs hynny,' torrodd caledrwydd y llais ar ei thraws unwaith eto, 'Cywilydd, chi'n gweld, cywilydd! Wnes i ddweud wrthi, hy! ar ôl gadael yr holl fess 'na...credwch chi ddim....roeddwn i'n sgrwbio a sgrwbio am ddiwrnodau. Ac wrth gwrs doedd e ddim help i mi. Dim gair allan o'i geg ef. Ond roedd yn rhaid sgrwbio ....sgrwbio a gwneud y lle yn lân unwaith eto.'

Daeth seibiant yn y traethu, cwmpodd distawrwydd rhwng y ddwy a caeodd Rhiannon Huws ei llygaid fel o'r blaen. Cymerodd Gwenda ei bod wedi penderfynu fod y cyfarfod drosodd a phlygodd i lawr i hel ei bag.

'Ble 'aethoch chi te, Gwenda fach, weloch chi Eira ni 'na?' un cwestiwn arall cyn iddi gilio'n ôl i'w byd bach tywyll, unig, unwaith eto. Gwyddai Gwenda nad oedd yna unrhyw bwynt i'w hateb.

Gadawodd Gwenda y lle; aeth adre a'r tro yma hi wnaeth ffonio Morgan i ail adrodd geiriau Rhiannon Huws.

36

'Na, dyw e ddim yma,' disgwyliai Morgan y geiriau adnabyddus, y rhai oedd wedi dod yn arferiad yn ddiweddar bob tro y byddai'n ffonio a gofyn am John Jones, ond doedd heb ddisgwyl i Siwsan ddweud, 'Mae e ar ei ffordd draw i'ch gweld chi,' ac ar ôl seibiant bach, 'Dylai fod wedi cyrraedd erbyn hyn, 'fyd.'

Clywai John Jones y gwahanol leisiau yn atseinio yn glir trwy ei feddwl yr holl ffordd i Bwll Gwyn. Yr un lleisiau clywai bob tro dros yr wythnosau diwethaf. Gwyddai'n iawn pwy oeddent a pam daethant i'r golwg nawr. Llais ei dad oedd un, llais oedd yn llawn edmygedd i'w "fachgen mawr", llais ei fam oedd un arall yn hiraethu am ei gwmni ac yn erfyn arno i ddod adre, llais ei wraig yn dal yn dyner trwy bob dim, a llais Alun Morgan cyn bod llais cras, awdurdodol Bob Preece yn torri ar eu traws nhw i gyd.

'Rwy'n dal ddim yn deall beth ddigwyddodd yn iawn.....'

'Gwna fe'r diawl....'

'Pam ddiawl wnest ti fe, te?'

'Dylet ti fod yn gwbod yn well....'

'Ti sy'n gwbod, dw i ddim yn deall y pethe 'ma, t' weld...'

'Dylet ti fod wedi gwbod yn well.'

'John bach, dere di gartre, gwneith dy dad a fi sortio hyn mas i ti....'

'Gwna fe 'r diawl......'

Ac ymlaen, ac ymlaen, wrth i'r môr glas dod i'r golwg ac yn ymestyn fel llyn tuag at y gorwel o'i flaen. Dim ond un ffordd oedd ganddo i dawelu'r lleisiau. Parciodd ei gar yn daclus wrth ochr y ffordd gan sicrhau na fyddai'n amharu ar neb oedd am yrru heibio. Diolchodd fod na'm llawer o'r ymwelwyr i weld o amgylch – roedd hi dal yn gynnar yn y dydd. Dringodd allan o'i gar, teimlai ei goesau yn grynedig. Rhedai teimladau anarferol trwy ei gorff nawr, ond roedd y lleisiau yn dal yno. Dechreuodd gerdded yn araf, camu ymlaen â'i ben i lawr. Cau ei glustiau cystal a fedrai i'r bygythiadau atseiniol. Daeth amser i dalu ei ddyled – a'i thalu yn llawn.

Rhyfedd nad oedd John Jones wedi cyrraedd Awel Deg eto yn ôl Siwsan. Aeth Morgan i'r gegin i gael gwell golwg o'r ffordd byddai'n arwain o'r ffordd fawr hyd at Bwll Gwyn. Doedd na'm sôn o neb ar ei hyd nag ar y traeth. Dim ond y gwylanod yn sgrechian uwchben wrth iddynt chwilio am loches. Rhedai hen deimladau reddfol drwy feddwl Morgan a gobeithiai yn erbyn gobaith nad oeddynt yn iawn – er gwyddai yn ei galon eu bod. Rhedodd allan o Awel Deg heb ddweud gair wrth Elisabeth, neidiodd mewn i'w gar a gyrru'n gyflym drwy'r pentref ac i fyny'r ffordd allan o Bwll Gwyn. Gwelodd gar bach glas wedi ei barcio yn daclus wrth ochr y ffordd. Gwyddai mai car John Jones ydoedd. Gwyddai yn union i ble roedd ei hen ffrind yn mynd, gwyddai yn iawn beth oedd yn mynd i wneud. Gwyddai hefyd beth oedd ei gam nesaf. Dringodd allan o'i gar yn gyflym, aeth drwy y bwlch yn y clawdd a rhedodd yn gyflym ar draws y cae.

Methai John Jones gerdded yn gyflym, gwelai wyneb hyfryd ei wraig, y wyneb adnabyddus, diniwed, ei gymar dros y blynyddoedd. Yr un oedd yn ei charu ac hithau wedi ei garu er waetha' pob dim – petai ond yn gwbod pa fath o berson ydoedd, pa fath o bethau roedd wedi gwneud. O'r diwedd byddai'n cael gwbod y gwir amdano, rhan o'r ddyled i'w thalu.

Byddai, byddai pob dim yn dod mas nawr. Y twyll, y llygredd, y celwydd, pob dim heb unrhyw reswm. Fedrai ddim byw gyda'r cywilydd. Pob dim yn chwalu, ei holl fywyd yn deilchion ymysg y cregyn mân wrth i'r môr eu golchi'n lân. Doedd na'm cuddio mwyach.

Gwelai Morgan y ffigwr adnabyddus yn sefyll yn stond o'i flaen, ei gefn tuag ato.

Safai John Jones ar frig y clogwyn yn agos i'r fan lle llifai y rhaeadr fechan lawr i'r creigiau oer islaw. Yn agos nawr. Clywai'r dwr yn rhedeg. Dwr pur y rhaeadr yn tywallt ei llanw dros y dibyn. Dim ond un cam bach arall nawr. Dere mlân. Dim llythyr, dim nodyn, dim gair, damwain gas, byddai neb yn gwbod....neb....heblaw un – heb os bydde fe yn gwbod y gwir.

Doedd y lleisiau ddim mor gryf mwyach. Sŵn y tonnau yn torri ar y creigiau islaw, dyna glywai nawr. Oedd y lleisiau yn cael ei boddi o dan y dwr fel y byddai ef? Clywai tincial swynol y rhaeadr, y sŵn olaf byddai'n clywed cyn ...clywai lais, oedd y lleisiau yn ôl unwaith eto, tybiodd? Oedd yna ddim diwedd iddynt. Oedd yna ddim maddeuant iddo hyd yn oed nawr? Oedd y lleisiau yno i'w farnu hyd at yr eithaf. Clywai'r llais, roedd yn agos ac yn uwch na'r arfer. Nid atsain oedd hwn, llais iawn, llais cryf, llais dyn, llais roedd yn adnabod... Teimlai law gadarn yn cydio yn ei fraich. Teimlai fraich cryf yn rhwymo o amgylch ei ysgwyddau. Teimlai rhywun yn ei gofleidio ac yn ei dynnu yn ôl o'r clogwyn.

'Sdim ishe hyn, John.'

Cododd John Jones ei ben i wynebu y llais, daliodd lygaid ei ffrind wrth i ddagrau cywilydd rhedeg lawr ei ruddiau.

'Shwt..... Beth?' gofynnodd.

Daliodd Morgan ei lygad, gwelodd John Jones y tynerwch ynddynt, gwelodd y cydymdeimlad, clywodd y geiriau cyfeillgar, 'Paid a phoeni am hynna nawr. Dere mlân, dere am ddisied o de – mae hen creigiau creulon lawr fan' na.' Plygodd ei ben a gadawodd i Morgan ei arwain fel plentyn bach i ffwrdd o'r perygl, i ffwrdd o'r hunllef.

Erbyn i Elisabeth glywed Morgan yn gadael y tŷ ar ras, roedd yn rhy hwyr iddi fynd ar ei ôl yn enwedig gan ei bod i fyny'r llofft. Gwyliodd ei gar yn mynd drwy'r pentref, dilynodd ei gyfeiriad heb unrhyw syniad beth oedd yn digwydd, na pam na ble roedd yn mynd. Yn sydyn, i fyny ar y pentir, daliodd ffigwr adnabyddus John Jones ei sylw. Gwelai ef yn sefyll uwchben y ffrwd wrth iddo blygu ei ben lawr a gwylio'r dŵr yn byrlymu lawr dros y clogwyn – ond pam? Sylweddolodd ar unwaith beth oedd yn bwriadu gwneud. Cododd ei dwrn i'w cheg, dechreuodd lefain,, 'O, na....O, na.' Ond gwyddai ei bod yn rhy bell i ffwrdd iddi fedru gwneud dim i'w arbed.

Trwy ei dagrau gwelodd ei gŵr yn rhedeg yn gyflym ar draws, cwmpodd ar ei gliniau gan weddïo ei fod yn cyrraedd mewn pryd. Gwelodd ef yn achub bywyd ei hen ffrind. Methai symud, arhosodd ar ei phengliniau ar lawr y gegin gan wylio Morgan yn rhwymo ei fraich o amgylch ysgwyddau John Jones a'i arwain i ddiogelwch. Yn araf bach daeth at ei hunan, gwyddai byddai Morgan yn dod ag ef yn ôl i Awel Deg; gwyddai hefyd bod yn rhaid iddi hi ymddangos yn ddi-fater fel pe bai dim byd anarferol wedi digwydd.

'Rwy'n ormod o gachgi i wneud e,' dywedodd John Jones yn dawel wrth edrych mas ar y traeth euraid. Teimlai'n wan o hyd, edrychai'n llwyd, roedd angen cysur arno wrth iddo deimlo cywilydd.

'Diolch byth am hynny,' dywedodd Morgan yn ysgafn.

Daeth Elisabeth i mewn gyda hambwrdd o luniaeth a dwy fyged o de cryf,

'Popeth yn iawn?' gofynnodd, er mai 'Pawb yn iawn?' roedd wedi golygu dweud.

'Perffaith,' atebodd Morgan gan ddal ei llygad, darllenai'r neges oedd ynddynt,

'Rhowch waedd os fyddwch chi ishe rhywbeth,' gadawodd yr ystafell gan wbod y byddai'n cael yr holl hanes nes ymlaen.

'Paid a dweud wrth Siwsan, Alun' gofyn am ffafr yn hytrach na roi gorchymyn.

'John, mae hwn yn rhywbeth bydd yn rhaid i ti ei goroesi – ond cofia r'yn ni i gyd yma i dy helpi.' Cymerodd y ddau lwnc helaeth o'r te, 'A paid a meddwl am wneud dim byd fel 'na 'to – Oce?'

'Iawn, paid a poeni, wnâi ddim,' cymerodd anadl fawr o rhyddhad, 'Reit te, beth wyt ti ishe gwbod am y blydi noson 'na?'

'Oce, i ddechre busnes, doeddet ti ddim yn y dafarn 'na, oeddet ti ar y noson nodedig?' datganiad nid cwestiwn.

Gostyngodd Jones ei ben, 'Shwt ti'n gwbod?' Trodd i ffwrdd o'r ffenest fawr; gwelodd yr hen luniau ar y ddesg, gwyddai bod na'm angen dweud celwyddau mwyach.

'Dwi wedi edrych ar y lluniau 'ma yn fanwl,' dechreuodd Morgan, 'Ac er fod 'na ugain mlynedd wedi mynd heibio ers y noson, dwi'n siŵr nag wyt ti ynddynt. Felly naill roeddet ti'n feddw gaib yn y tŷ bach neu doeddet ti ddim yno o gwbwl – felly beth am ddweud wrthai beth ddigwyddodd yn iawn.'

'Roedd pawb o'r stesion wedi mynd draw i Gwmcelyn i

ddathlu agoriad tŷ tafarn newydd,' dechreuodd y gyn-rhingyll ar ôl cymryd llwnc arall o'i de. 'Wrth gwrs fi oedd y boi newydd, ac felly ges i'm gorfodi i aros ar ôl yn y stesion i fod ar ddyletswydd. Roedd hi'n noson dawel o ran digwyddiadau, mae'n siŵr roedd pawb yn cysgodi rhag y gwynt a'r glaw – roedd 'na uffern o storm, ti'n gweld. Ychydig bach cyn hanner nos dyma gar yr heddlu yn tynni lan tu fas. Cerddodd Bob Preece o Gaerfyrddin i mewn gyda heddwas arall – boi o'r enw Francis. Mae'n debyg eu bod wedi derbyn galwad ffôn yn dweud fod merch wedi ei llofruddio yng Nghwmcelyn a'u bod nhw ar eu ffordd yno ond doedd ganddynt ddim syniad ble roedd y lle. Felly gorchmynnodd Preece i mi fynd gyda nhw yn enwedig gan fy mod i'n siarad Cymraeg neu "yr iaith" yn ei eiriau ef.

'Roedd hi wedi hanner nos erbyn i ni gyrraedd ac er bod y dafarn wedi tawelu tipyn roedd pobol yn dal yn yfed yno. Roedd ein bois ni i gyd yn feddw dwll. Doedd gan Preece ddim amser iddynt ac aeth y tri ohonom draw i Dan-y-Graig lle roedd corff merch ifanc yn gorwedd yn yr ardd. Roedd rhywun, y fam neu'r tad, wedi taflu blanced drosti ond roedd yn ddigon amlwg ei bod yn noeth. Cefais orchymyn i chwilio o amgylch am unrhyw beth oedd yn ymwneud â'r drosedd fel rhyw arf neu rhywbeth tebyg. Mi....'

'Pwy oedd yn yr ardd ar y pryd?' torrodd Morgan ar ei draws.

'Preece, Francis, fi, y tad, â'r gweinidog.'

'Y Fam?'

'Nag oedd,' meddyliodd am eiliad, 'Na, doedd y fam ddim yno, Roedd hi bownd o fod yn y tŷ – cofia roedd hi'n uffern o nosweth rwff.'

'Faint o waed oedd yno?'

'Be ti'n feddwl?'

'Roedd y ferch wedi dioddef ymosodiad erchyll yng ngeiriau'r adroddiad, ei threisio cyn cael trawiad i'w phen a niwed gwael i'w chorff; mae'n debyg fod y trawiad wedi bod yn ddigon i'w lladd, felly faint o waed weles ti?'

Arhosodd John Jones am eiliad, 'Fel wedes i doeddwn i ddim yn agos iawn i'r corff. Preece oedd yn sefyll drosto a'i guddio rhywsut.... ac roedd y tywydd mor wael,' atebodd gan geisio esgusodi ei esgeulustod.

'Oce. Be wnes ti wedyn?'

'Mi es i chwilio o amgylch ac mi ddes i ar draws Twm Ifans yn y gwter ac roedd....'

'Ymhle yn union, John, ar y ffordd yn mynd tuag at y pentref o'r tŷ, hynny yw troi i'r dde fel ti'n gadael y tŷ, neu'r ffordd arall – i ffwrdd o'r pentref?'

'Tuag at y pentref, bron ar draws y ffordd o'r Mans fyddwn i'n dweud.' Arhosodd am eiliad i gasglu ei feddyliau cyn mynd yn ei flaen, 'Roedd e'n gorwedd ar waelod y gwter wrth y clawdd yn feddw gaib, ei ddillad ar agor yn gwbwl anymwybodol o'i sefyllfa na'i gyflwr. Wnes i chwythu fy chwiban a daeth Preece a Francis ar garlam. Cario ni Ifans nôl i Dan-y-Graig a'i rhoi e yn ein car. Unwaith bod rhywun wedi casglu'r corff, aethom ni ag e yn ôl i'r stesion yn Aberteifi. Roedd Preece yn benderfynol mai Twm Ifans oedd y troseddwr.

'Erbyn i ni gyrraedd Aberteifi roedd Twm yn dod at ei hunan. Dechreuodd Preece saethu cwestiynau ato ond doedd Twm ddim yn ei ddeall. Cynigais gyfieithu'r cwestiynau ond penderfynodd Preece mai gwastraff amser oedd yr holl beth ac y byddai'n well mynd ag e i Gaerfyrddin i'w gwestiynu ymhellach. Dyna pryd ddywedodd e wrtha i y bydde arestio Twm Ifans mor gyflym yn bluen enfawr yn ein capiau.

Doeddwn i ddim i boeni ..... bydde fe yn gwneud yn siŵr bydde'n enw i yn flaenllaw iawn yn y canlyniadau ffafriol. Plismon ifanc fel fi, dywedodd, synnai ddim os na byddai dyrchafiad sylweddol i mi yn dilyn y mater. Roedd y ddau ohonynt, Preece a'r boi arall yn gytûn bod Twm Ifans yn euog nid yn unig o lofruddiaeth ond hefyd o dreisio Eira Huws. Doeddwn i ddim wedi cael golwg dda o'r corff ond rhoddodd y ddau ddisgrifiad llawn o'r hyn roeddent wedi gweld. Gwnaeth y tri ohonom gytuno ar ein stori ac fel 'na y buodd hi a'r peth nesaf roeddwn i'n gwbod roedd Twm Ifans wedi cyfadde' i'r holl beth. Wnes i ddim amau, ti'n gweld, Alun, ddim amau o gwbwl – jest ishte nôl heb ddweud gair a disgwyl am y ddyrchafiad. Cafodd Preece ei ddyrchafiad a'i symud i fyny i'r gogledd rhywle, cafodd Francis ei ddyrchafiad yntau.... ond ces i ddim byd. Wnes i gysylltu â Francis ond yr unig ateb cefais oedd i mi fod yn amyneddgar byddai'n siŵr o ddigwydd rhyw ddydd. Erbyn hynny roeddwn i'n teimlo ei bod yn rhy hwyr i mi ddweud dim byd. A pwy fydde'n barod i'm credu?'

'Dyw hi byth yn rhy hwyr, John, mae Twm yn dal ishe help.'

'Diawl erioed, Alun, dwi wedi cario'r euogrwydd yma ers hynny a'i wthio i gefn fy meddwl ond bob hyn ac hyn mae'n mynnu dod i'r wyneb. Pan wnes ti ddweud wrtha i am Bronwen gwyddwn fedrwn ni ddim cwato ymhellach. Doeddwn i ddim ishe i Siwsan wbod pa mor wan roeddwn i wedi bod. Dwi'n gwbod fy mod heb gyrraedd yr uchelfannau wnes ti gyrraedd ond mi wnes ennill rhywfaint o barch fel rhingyll.'

Edrychodd y ddau ar eu gilydd heb un yn dweud gair wrth y llall, y ddau ynghlwm yn eu meddyliau.

'Rwy'n barod i dy helpu, be' fedrai wneud i ddechre rhoi pethau'n iawn?' gofynnodd John Jones yn dawel.

'Es ti 'nôl 'na wedyn?'

'Wên i na y bore wedyn. Roedd 'na angladd fawr yn y lle a fi oedd yr unig un oedd yn ddigon ffit i fynd i warchod y lle – o leiaf cefais hawl i ddefnyddio'r car y tro 'ma. Roedd dim sôn am neb arall o'r heddlu yn unman.'

'Wnes di siarad â unrhyw un lleol?'

'Dim ond mab y dafarn, fe ddaeth e draw i ofyn shwt oedd pethau'n mynd,'

'Wnes di 'weud wrtho fe?'

'Doedd dim byd gyda fi i ddweud pryd hynny.'

'Wnes ti fynd i'r tŷ?'

'Cipolwg ar yr ardd dyna 'i gyd. Daeth y fam mas i weld beth oeddwn i'n gwneud ond, na, doedd 'na ddim gwahoddiad i fynd i mewn.'

'Daeth Preece neu Francis yn ôl?'

'Dim ond Francis i ddweud bod Twm Ifans wedi cyfadde ac er mwyn i fi arwyddo dogfen swyddogol a'm henwi fel y Swyddog Arestio. Er i mi amau mai nid fi oedd wedi ei arestio, dywedodd Francis byddai'n edrych yn well gan fy mod i'n lleol ac yn siarad Cymraeg.'

Unwaith eto rhedodd Morgan ei fys lawr ar hyd y graith ar ei foch. O'r diwedd, teimlai, roedd y darnau yn dechrau dod at ei gilydd.

37

'Weles i e'n cerdded heibio ac fe wnes i ei berswadio i ddod mewn, chweld.' Eisteddai Morgan unwaith eto ym mynwent Bethania gyda Cliff Caib a Rhaw wrth ei ochr. Gwyddai byddai hwn yn medru ateb nifer o'r cwestiynau oedd wedi codi ar ôl iddo astudio'r lluniau; gwyddai'n iawn lle i ddod o hyd i'r dyn. A'r cwestiwn cyntaf oedd, ble roedd Twm Ifans os nad oedd e yn y tŷ tafarn?

'Felly, chi'n dweud ei fod e yno er ei fod yn ddirwestwr mawr?'

'Dwi'm yn credu ei fod wedi yfed peint o gwrw erioed o'r blaen ond fe wnes i'n siŵr ei fod yn cael un neu ddau y noson hynny. Diawl, wedd e'n feddw gaib cyn bo ni'n troi rownd.'

Oedd, mae'n siŵr, yn enwedig ar ôl i chi gymysgu ei ddiodydd, y diawl, meddyliai Morgan. Hyn i gyd wrth rhywun oedd fod yn ffrind gorau iddo. Gwelai'r twyll yn y llygaid ond cadwodd yn ddistaw. 'I ble roedd e'n mynd te?' holodd.

'Be' chi'n feddwl?'

'Wedoch chi eich bod wedi ei weld yn cerdded heibio, felly i ble roedd e'n mynd â'r tywydd mor wael?'

'Diawl, dwi ddim yn cofio. Fe wnaeth e ddweud hefyd ond...' rhoddodd Cliff chwerthiniad fach, 'Wên i wedi 'i dal hi hefyd, chweld!'

'Faint o'r gloch wnaeth e adael y Llwyn Celyn, te?' trïodd Morgan sbarduno cof Cliff.

'Diawch, chi'n gofyn rhywbeth nawr,' aeth yn ddistaw,

'Arhoswch eiliad nawr te, dwi'n cofio ddes i o hyd iddo fe yn y tŷ bach tu fas. Diawl, ond yw cof yn beth rhyfedd! Fan 'na oedd e'n gorwedd wedi pisio ei hunan a chwydu dros y lle. Trïes i ei berswadio i fynd adre, dweud wrtho byddai Myfi yn poeni amdano. Ond, er yn sigledig, roedd e'n benderfynol i fynd i weld cyflwr bedd Jams Tŷ Cornel achos ei bod hi'n harllwys y glaw ac roedd yr angladd y diwrnod wedyn. Duw, 'na i chi angladd fawr, oedd hi hefyd.'

Pwyntiodd i'r tu cefn i ddangos i Morgan lleoliad y bedd, 'Ie, Twm Bedde iawn oedd e.'

'Ydych chi'n cofio gweld teulu Dan-y-Graig yn y dafarn o gwbwl? '

Meddyliodd Cliff am eiliad neu ddwy cyn ateb. 'Dwi ddim yn cofio gweld y ferch yno ond, oedd, roedd y tad a'r fam 'na. Dew, 'na ddau arall oedd wedi 'i dal hi – y fam yn waeth na'r tad. Cofiwch hen bishyn rhyfedd oedd Rhiannon Huws, roedd unrhyw deimladau oedd ganddi i'w gŵr wedi hen farw. Pawb yn gwbod ei bod hi'n cario mlân â Willi Whiff, ac roedd Willi Whiff yn ddigon parod bob amser – unrhyw un mewn sgert. Ma 'i fab yn union 'run fath.'

Methai Morgan ddychmygu unrhyw wraig gall yn ffansio Willi Whiff mewn gwirionedd – ond dyna fe, beth oedd e'n wbod? Penderfynodd fod na'm llawer mwy o wybodaeth defnyddiol a'r gael wrth y dyn. Teimlai bod hanner y geiriau yn gelwydd beth bynnag ac felly ymadawodd a'r fynwent i fynd, yn anfodlon tua'r Mans.

Agorodd Gwenda Roberts y drws yn wyliadwrus iawn cyn iddi sylweddoli pwy oedd yno, 'O! chi sy 'na,' dywedodd gyda rhywfaint o rhyddhad yn ei llais.

'Pam, oeddech chi'n disgwyl rhyw niwsans arall?' gwenodd Morgan yn gyfeillgar arni.

'Na, na meddwl mai Hef.....ym.... mae rhywun arall oedd 'na,' trïodd anwybyddu'r cwestiwn wrth i Morgan esgus nad oedd wedi talu sylw i'w hateb.

'Dwedwch wrthai, oeddech chi yn y Llwyn Celyn ar noson yr agoriad?' gofynnodd wrth iddynt eistedd yn y gegin a'r ddau yn mwynhau disied o de. Gwyddai'n iawn ei fod wedi gweld ei hwyneb yn y lluniau ond doedd ddim eisiau datgelu hyn wrth neb.

'Oeddwn wrth gwrs,' atebodd Gwenda yn ysgafn, 'Roedd pawb yno – hyd yn oed fy mam a'm tad.' Oedd e wedi ei cham farnu neu oedd hon yn gelwyddgast pen ei champ? Cofiai ei gweld mewn un llyn ond dim ond mewn un, doedd na'm sôn amdani yn y gweddill.

'Roedd criw ohonom ni yno, roeddwn ni i gyd wedi cael gwahoddiad i fynd er ein bod yn rhy ifanc i yfed,' amneidiodd ei phen, 'Cefais hwyl hefyd – a tipyn bach gormod i yfed,' chwarddodd, ond methai Morgan gredu gair roedd hi'n ddweud chwaith.

* * *

'Dylwn ni ddim fod wedi bod yno, dwi'n gwbod hynny,' cyfaddefodd Bronwen wrth ateb cwestiwn Morgan, gwyddai na fedrai guddio'r gwirionedd oddi wrtho.
'A sawl un ohonoch chi oedd yna, te?'

'Ni i gyd,' atebodd yn hyderus, 'Y dosbarth ysgol Sul i gyd.'

'Doedd Eira Huws ddim yna,' pwyntiodd Morgan ei fys ar y llun.

'O, nag oedd,' atebodd Bronwen yn dawel.

'Gwenda?' cododd Morgan ei aeliau, 'Hefin?'

'Nag oedd .....wel hynny yw oedd,' dechreuodd Bronwen

deimlo'n rhwystredig gan nad oedd yn cofio'r noson mor glir a dylai. Cofiai weld ei thad yn feddw am y tro cyntaf erioed cyn iddo yntau ddiflannu i rhywle.

'Hefin Lewis?'

'Wel, mae'n anodd dweud, achos dwi'n cofio fe yn helpi mas tu cefn i'r bar ar un adeg, wedyn daeth i ymuno a ni. O do, 'na fe,' codai ei llais yn uwch wrth i'r atgofion ddychwelyd, 'Roedd Gwenda ag e yn ymddwyn yn rhyfedd, roedd yn amlwg fod y ddau wedi cwmpo mas ac fe wnaeth e adael a mynd rhywle.'

'I ble?'

'Sa i'n gwbod, 'nôl i helpi ei dad wên i'n meddwl. Cyn hir fe wnaeth Gwenda adael, wedodd hi ei bod hi ddim yn teimlo'n dda – wedi yfed gormod. Cofiwch, roedd Hefin wedi bod yn cymysgu ein diodydd.'

'Hen fochyn brwnt!' gwaeddodd Twm Ifans yn uchel o'i gadair gan eu syfrdanu.

Edrychodd y ddau ar eu gilydd cyn troi eu sylw at yr hen ddyn oedd i'w weld yn cysgu'n drwm yn ei gadair arferol. Cododd Bronwen i fyny ac aeth ato,

'Pwy yw'r hen fochyn brwnt, Dada?' gofynnodd yn dyner gan fwytho ei fraich.

Edrychodd Twm yn syth ar ei ferch, 'Yr Hefin 'na, mae e ar ôl y merched i gyd, tebyg iawn i'w dad.'

'Dada,' syfrdanwyd Bronwen o'r ail. Shwt yn y byd roedd ei thad wedi ymateb fel hyn, 'Ydych chi'n deall ni, te?' gofynnodd heb wybod beth i'w ddweud wrth yr hen ddyn.

'Wrth gwrs 'ny, ferch, a pwy chi'n dweud y'ch chi nawr te?' edrychodd ar Morgan. Rhwymodd Bronwen ei breichiau o'i amgylch a rhoi cusan mawr ar ei foch.

'Mawredd, be sy'n bod arnat ti. ferch?'

Oedd hi'n bosib bod cof ei thad yn dychwelyd yn raddol?

Oedd e'n dod 'nôl i'w plith? Teimlodd Morgan yn cydio yn dyner yn ei braich a'i chodi i fyny. Gwelodd yr amheuaeth yn ei lygaid a'r rhybudd gyfrinachol yn ei olwg, wrth iddo ddarllen ei meddwl.

'Ydych chi'n cofio bedd Jams Tŷ Cornel, Twm?' gofynnodd.

Caeodd Twm Ifans ei lygaid unwaith eto ac aeth yn dawel. Yn araf bach roedd yn gostwng yn ôl i'w fyd bach tawel, unig. Teimlai'r ddau ei fod yn dychwelyd i'w freuddwydion.

'Glaw, ... glaw....glaw trwm,' dechreuodd a'i lygaid yn dal ar gau,' Rhaid tsheco'r cynfas 'na, chweld...' Tro Morgan oedd hi i benlinio o flaen yr hen ddyn oedd hi nawr.

38

"'Mond am rhyw eiliad fach neu ddwy oedd hi,' eglurai Morgan cyflwr Twm Ifans wrth Elisabeth, 'A wedyn ciliodd yn ôl i'w dywyllwch, yn union fel y gwnaeth e gyda ti ond dwi'n siŵr wneith fy nghynllun i weithio. Dwi'n ffyddiog bod ei atgofion am y nosweth yna wedi eu cloi tu mewn i focs bach rhywle yn ei feddwl. Beth dwi ishe gwneud yw agor y clo.'

'Ac wyt ti yn wir feddwl mai hyn fydd yr allwedd?' edrychodd Elisabeth yn syn ar ei gŵr.

Cofiai'r cyngor cafodd gan y meddyg John Davies pan oedd Morgan ei hunan wedi colli ei gof dros ddeng mlynedd ynghynt ar ôl iddo gael ei herwgipio a'i arteithio gan ei elyn, a neb yn gwybod ble'r ydoedd ar ôl iddo ddianc oddi wrthynt.

'Rhaid i ti fod yn ofalus, Alun,' rhybuddiodd wrth ystyried pa mor bendant roedd Morgan i weithredu y cynllun roedd newydd ddatgelu iddi, 'Mae 'na beryg' fe wneith golli ei feddwl yn llwyr, ti'n gwbod. Ond, wedi dweud hynny, efallai ei fod yn galler cofio neu ail-fyw rhai o'r digwyddiadau. Rwy'n cofio John Davies yn dweud y 'run peth wrtha i pan doedd neb yn galler dod o hyd i ti, dy fod, mwy na thebyg, yn crwydro ac efallai wedi mynd i rhywle cyfarwydd cyn bod dy feddwl yn setlo 'nôl yn iawn. A ble roeddet ti trwy'r amser? Ie,' gwenodd arno, 'Fanna oeddet ti yn eistedd ar Garreg y Fuwch yn edrych ar y ffrwd, y mwnci.'

'A! roeddet ti'n falch o'm gweld i serch hynny,' gwenodd arni. Gwyddai byddai'r cynllun yn rhoi cyfle i John Jones, hefyd, deimlo ei fod yn gwneud cyfraniad i ddatrys y dirgelwch. Oedd, roedd yn gynllun mentrus, cynllun i ddod ac atgofion Twm Ifans yn ôl – neu eu difetha am byth.

Edrychai Bronwen yn syn ar Morgan wrth iddo egluro ei gynllun wrthi. Treiddiai gofid ac ofn trwyddi, teimladau oedd i gyd yn dangos ar ei hwyneb. Gwyddai Morgan y dylai fod wedi dod ac Elisabeth gydag ef i rannu ei awgrym, ond doedd e ddim yn rhy siŵr pa mor ffyddiog oedd hithau dros y cynllun mewn gwirionedd.

Gwyddai Bronwen fod Morgan yn ddidwyll, ac wedi bod yn berffaith onest wrth rhoi awgrym o'r canlyniadau bosib. Eisteddai'r ddau yn dawel ar Garreg y Fuwch, y ddau yn ddall i'r gweithgareddau o'i hamgylch. Clywai 'run ohonynt y chwerthin na'r gwichio, na'r gweiddi – roedd y ddau ynghlwm yn eu meddyliau. Yn y diwedd, er ei phryderon teimlai mai fach iawn oedd i'w golli, ac felly trodd tuag ato, daliodd ei lygad, ac amneidiodd ei phen mewn cytundeb.

Er nad oedd Elisabeth yn cytuno cant y cant gwyddai na fedrai stopio ei gŵr rhag gweithredu ei gynllun unwaith bod Bronwen wedi cytuno ac felly penderfynodd hithau i fod yn gymaint o gymorth i'r fenter a fedrai. Ond er y difrifoldeb methodd peidio chwerthin yn uchel wrth i Morgan a John Jones ddod allan o'r ystafell wely yn ei gwisgoedd rhyfedd.

'Paid ti a dweud gair, Bwts,' rhybuddiodd Morgan gan bwyntio ei fys tuag ati.

Ac felly ymddangosodd y ddau yng nghartref dros dro Twm Ifans: Morgan wedi gwisgo hen got law lwyd a het, a honno wedi ei thynnu lawr dros un llygad, yn union fel y cofiai Ron Powell yn ei gwisgo; a Sarjant John Jones yn ei hen iwnifform dywyll gyda'r streipiau arian ar ei freichiau. Er ei fod wedi cael caniatâd i gadw ei hen iwnifform ar ei ymddeoliad, doedd heb ei gwisgo ers hynny ac roedd braidd yn dynn arno erbyn hyn.

Cynllun Morgan oedd i greu'r sefyllfa gallai fod wedi cymryd lle a'r noson y llofruddiaeth yn y gobaith y bydda'n sbarduno atgofion Twm Ifans. Y syniad oedd i esgus bod y ddau yn ymchwilio y drosedd ac wedi galw draw i ofyn rhai cwestiynau priodol i Twm. Teimlai efallai y byddai wedi bod yn well i ddychwelyd i Gwmcelyn i wneud y cyfweliad ond roedd Elisabeth yn iawn wrth ddweud byddai hyn yn codi gormod o chwilfrydedd yn y gymuned yn enwedig ymysg y cymdogion. Canai geiriau John Davies yn uchel yn ei feddwl, "ond mae'n bosib y gall ei feddwl gloi yn llwyr ac wedyn fydd na ddim gobaith o'i gael yn ôl."

'Dada, mae 'na ddau blismon wedi galw i'ch gweld chi,' dywedodd Bronwen wrth chwarae ei rhan yn y cynllun ac arwain y ddau i mewn i'r lolfa. Nawr amdani, meddyliodd Morgan. Ail greu hen ddigwyddiad? Ie efallai, ond mi fyddai'r cyfweliad yma yn hollol wahanol i gyfweliad Bob Preece ac roedd yn orfodol iddo osgoi unrhyw debygrwydd rhwng y ddwy.

Cododd Twm Ifans ei ben, syndod yn glir ar draws ei wyneb. Pwy yn y byd oedd y ddau yma, meddyliai? Ac eto roedd 'na rhywbeth cyfarwydd yn yr un a wisgai'r het ond methai weld ei wyneb yn glir, ac oedd, roedd wedi gweld y llall o'r blaen rhywle, hefyd, ond methai gofio ymhle.

'Mister Ifans,' dechreuodd Morgan, 'Diolch am weld ni ar fyr rybudd ond mae 'na hen beth cas wedi digwydd draw yn Dan-y-Graig dros nos a dwi'n clywed eich bod chi wedi bod yn agos i'r lle neithiwr.'

'Fi?' gofynnodd yr hen ddyn ag ofn yn ei lygaid.

'Ie, syr, pan ddaethoch chi mas o'r Llwyn Celyn,' ceisiai Morgan sbarduno y cof. Daliodd lygaid yr hen ŵr gan edrych yn syth arnynt am amser heb weld gronyn o dwyll yn agos iddynt. Yn hytrach beth welai oedd ymdrech galed i gofio, ymdrech galed i wneud synnwyr o'i feddyliau, ymdrech galed i fynd yn ôl dros y blynyddoedd gwag.

'Ie, ie, 'na fe, 'na fe, ydych, ydych, chi'n iawn,' dechreuodd. Synnwyd Bronwen. Clywai lais ei thad yn gryfach nag ar unrhyw gyfnod ers iddo ddod o'r carchar. Adnabu ei ffordd fach rhyfedd o siarad, clywai lais adnabyddus o'i phlentyndod.

'Yr hen Cliff Caib a Rhaw 'na, chweld, yn...yn.. gorfodi fi i fynd mewn i'r dafarn, do, do, a finne, chweld, ddim yn un... ddim yn un...wel ddim yn un am y ddiod. O, nac ydw...nac ydw....nac ydw wir, te. Ych a fi! Ond fe, chweld...pawb 'na... y lle yn llawn oedd.... oedd. A finne wedyn....fi, cofiwch, yn yfed peint, do...do. Cywilydd arnai.... ond 'na fe.' Clywai Morgan yr hen ddyn yn siarad yn naturiol, y tinc yn y llais, arwydd pendant bod ei gynllun yn gweithio – hyd yn hyn. Gadawodd iddo fynd yn ei flaen yn hytrach na thorri ar ei draws. Trodd Bronwen tuag ato a gwelodd y dagrau yn ei llygaid.

'Nefi bliw, wên i'n sâl, wên, wên, chwydu a phob dim, do, do, ddim yn gyfarwydd, chweld, a hwythe'n cymysgu drincs...do...do. Cofio dod at fy hun a Cliff yn fy helpi. Y glaw.... glaw trwm chweld..... a'r bedd...bedd Jams Tŷ Cornel....ie, ie. Roedd yn rhaid i mi fynd i weld a oedd y cynfas yn dal yn ei le ...oedd...oedd, glaw trwm chweld...roedd yn ei harllwys hi. Cliff ddim yn deall, chweld...na, na...Caib a Rhaw? Hy! Erioed wedi paratoi bedd....nagoedd....nagoedd....O nagoedd, te, erioed.'

Arhosodd am eiliad; doedd Morgan ddim siŵr ai casglu ei feddyliau ydoedd neu beth ond gwyddai fod y cyfweliad yn mynd yn union fel y dymunai. Pwysodd ymlaen ychydig i'w annog i fynd yn ei flaen.

'Cerdded wedyn ar hyd y ffordd, do...do..., diawch roedd hi'n noson wyllt oedd ... oedd ....oedd ac yn dywyll te. Djiw, djiw, mor falch i weld fod y bedd yn iawn...iawn... oedd...oedd. Wnes i rhoi rhagor o gerrig ar ochre'r cynfas i gadw fe rhag chwythi bant ond roedd y bedd yn sych – diolch i'r Nef...ie... ie...oedd....O oedd.'

Tawelodd Twm Ifans yn union fel pe bai wedi gorffen y cyfan roedd ganddo i ddweud.

'Ac wedyn?' gofynnodd John Jones yn dawel.

'Wedyn? Be' chi'n feddwl wedyn?'

'Ar ôl gweld bod y bedd yn iawn?'

'Wedi gweld bod y bedd yn iawn, mi es i adref...do, do... adref. Bydde Myfi yn poeni lle roeddwn i, bydde...bydde.... ddim yn iach, chweld, nag oedd, nag oedd, ddim yn iach o gwbwl...na...na....' sylwodd y tri shwt oedd llais Twm wedi newid, doedd yr eglurder yn diflannu, golwg fach rhyfedd yn y llygaid, methai ddal ei olwg arnynt wrth iddo ddistewi yn gyfan gwbwl.

'Naddo,' saethodd y gair ar draws y tawelwch. Doedd Morgan heb ei ddweud mewn llid nac i gythruddo Twm Ifans ond roedd wedi ei ddweud gyda awdurdod. Edrychodd Twm Ifans yn dawel ar Morgan, 'run ohonynt yn barod i edrych i ffwrdd.

Gwingai John Jones wrth iddo ysu i ddweud rhywbeth ond roedd y tawelwch yn pwyso arno i gadw'n ddistaw. Gwyddai bod Morgan yn meistroli'r sefyllfa. Gwyliai llygaid Morgan yn edrych yn syth ar Twm Ifans fel pe baent yn treiddio ei enaid.

'Naddo,' atseiniodd llais Twm Ifans ar draws y tawelwch

trwm o'r diwedd, 'Chi'n iawn, naddo, chi'n berffaith iawn.' Amneidiodd ei ben yn araf, 'Ydych, wir. Wnes i adael y bedd yn ddiogel a cherdded tuag at y iet, Doeddwn i'n dal ddim yn teimlo'n rhy dda, nag o'n wir, dal ishe chwydu ond fedrwn i ddim chweld, dim yn y fynwent ....o, na, na, na, dim y lle iawn, gormod o barch chweld. Pan cyrhaeddes i'r iet fe wnaeth rhywun gerdded heibio, a finne wedi gobeithio chwydu yn y clawdd. Wnes i ddim dweud dim byd wrtho – ond dyn oedd e yn cerdded heibio'n gyflym. Es tuag at y clawdd i chwydu a chlywais rhywun yn gweiddi, do, do, 'na fe...na fe.' Dychwelodd yr hyder yn ôl i lais Twm wrth i'r atgofion lifo 'nôl. 'Rhyw fenyw oedd hi, ie...ie. Wên i'n meddwl ei bod hi'n gweiddi arna i ar y dechrau, wên.....wên.... ond na, glywes i'r dyn wedyn yn gweiddi nôl ati, do....do...ac wên i'n meddwl eu bod nhw yn rhegi ar eu gilydd – ond cofiwch roedd hi'n wyntog iawn ......oedd ....oedd....na fe...y geiriau, chweld, yn cael ei cario bant .....a'r glaw... oedd oedd....dyna fe.' Tawelodd Twm Ifans yn y fan ar lle, yn union fel pe bai ar fin mynd yn ôl i gysgu.

'Ac wedyn?' torrodd John Jones ar ei draws yn ddiamyneddgar, doedd e ddim isio iddo stopio man hyn. Arwyddodd Morgan a'i law iddo gymryd pwyll.

'Clywed drws tŷ yn cau yn glep, drws trwm weddol agos a dyna pryd wnes i chwydi dros y lle i gyd, do wir i chi, cywilydd arnai chweld...oedd...oedd. Wên i'n gwbod fod 'na dap dŵr wrth y sticil ar y ffordd i mewn i'r fynwent a golchais fy hunan lawr yn ofalus do....do... er roedd y glaw yn ddigon mewn gwirionedd...wedd...wedd... ond doeddwn i ddim ishe i Myfi 'y ngweld i fel hyn...na....na....O nag oeddwn te.'

Arhosodd am seibiant arall a gwelai Morgan ei fod yn ymladd i gofio, 'Chi'n gwneud yn dda iawn, Mister Ifans,' dywedodd yn dyner, gwyddai yn reddfol fod na'm llawer i fynd nawr.

'Lleisiau menwod yn gweiddi....ie....ie... dyna oeddwn i'n clywed ond ddim yn eglur iawn.....gweiddi a rhegi....dwy wraig neu dwy ferch, 'falle, dw nim, chwerthin efallai. Dringais yn sigledig dros y sticil a cherddais draw tuag at y sŵn. Dyna pryd clywais sgrech.... do....do...'na fe....'na beth oedd hi.... sgrech....ie....ie.... Trïais rhedeg tuag at y lle...do...do...tuag at Dan-y-Graig. Rhywbeth wedi digwydd i'r ferch fach, chweld, oedd...oedd. Rhedodd rhywun heibio ar hast...o, do.. do, Mi es i groesi'r ffordd, daeth y goleuni mawr 'ma cyn....cyn....ac aeth popeth yn dywyll....do... yn dywyll ac yn dawel, chweld.' Tawelodd y llais yn llwyr, gwyddai Morgan bod yr hen ddyn yn ôl yng nghanol ei freuddwydion.

'Diolch yn fawr, Mister Ifans,' torrodd ar ei draws doedd ddim eisiau i Twm Ifans fynd ymhellach. Roedd am ei wahardd rhag iddo gofio ei gyfweliad gyda Preece a Francis – gwyddai mae yno oedd y perygl mwyaf gallai amharu ar ei feddwl.

Gadawodd Morgan a John Jones yn dawel.

'Dim ond chi a fi te, Dada,' dywedodd Bronwen yn ysgafn wrth harllwys ddisied o de iddynt. Wnaeth hi ddim sylwi ar y dagrau yn llifo lawr gruddiau ei thad nes ei bod yn estyn y cwpan iddo. Tynnodd hances allan a dechreuodd sychu ei wyneb.

Gafaelodd yntau yn ei llaw, edrychodd arni yn druenus, 'Gawn ni fynd i weld bedd dy fam rhyw ddydd, cariad bach?' gofynnodd.

39

Yn bwrpasol parciodd Morgan ei gar yn agos i'r Mans. Edrychodd ar y gwter fawr a redai ar hyd ochr y ffordd a arweinia'n syth o ganol y pentre ac ymlaen heibio i Dan-y-Graig – yr union le roedd Twm Ifans yn gorwedd ar y noson frawychus. Ar ôl pendroni y gwahanol hanesion am yr holl ddigwyddiadau y noson hynny, ac er bod rhain yn ddigon prin ac yn aneglur yn eu cyfanrwydd, roedd Morgan yn ffyddiog ei fod wedi eu dadansoddi. O brofiad, teimlai bod ei ganlyniadau yn creu darlun digon agos o'r hyn ddigwyddodd. Doedd heb golli ei ddawn, roedd yr amser wedi cyrraedd i gau pen yn mwdwl.

Gwnaeth osgoi mynd i ddrws ffrynt trwm, trwchus y Mans, – "clywais ddrws tŷ yn cau yn glep, drws trwm..." atseiniai llais Twm Ifans yn ei feddwl – aeth o amgylch y tŷ i'r drws cefn i wneud yn siŵr y byddai'n cael ateb i'w alwad. Edrychodd drwy'r drysau gwydr cyn cnocio – doedd neb i'w gweld yn y gegin. Gobeithiai nad oedd wedi gwastraffu ei amser wrth alw.

'Roeddwn i'n meddwl mod i wedi clywed rhywbeth,' gwelodd Gwenda Roberts yn rhuthro drwy'r ystafell i'w adael i mewn. Ymddangosai' n rhwystredig gan rhoi'r argraff iddo ei fod wedi galw ar amser lletchwith. 'Dim ond yn nal i adre chi wedi gwneud,' dywedodd wrth iddi baratoi dwy fwg o goffi, 'Roeddwn i ar hanner newid i fynd mas, dwi'n mynd ar fy ngwyliau yfory,' eglurodd tra'n ei arwain i'r lolfa ffrynt.

'Neis iawn,' atebodd Morgan. 'Wnâi ddim cymryd gormod o'ch amser chi, Miss Roberts, ond...' dechreuodd yn gwrtais ond yn sydyn iawn teimlodd ias oer yn treiddio trwyddo. Teimlai amheuaeth am ei ddadansoddiad – doedd pethau ddim yn gorwedd yn gyffyrddus wedi'r cyfan – ond pam?

'O! galwch fi' n Gwenda 'mwyn Duw, mae Miss Roberts mor ffurfiol,' torrodd ar ei draws. Cymerodd ddracht o'i goffi. Oedd hi'n bosib ei fod wedi cam-ddarllen y digwyddiadau, tybiodd? Oedd e wedi methu gweld rhywbeth? Os ydoedd, roedd yn dal heb ei weld. Ta waeth – roedd hi'n rhy hwyr nawr.

'Mae'r Mans 'ma wastad yn fy nharo i fel cartref cysurus,' gwenodd arni i rhoi amser iddo bendroni am ei feddyliau diweddaraf.

'Ydy, mae wedi bod yn gartref cysurus i mi dros y blynydde,' cadarnhaodd Gwenda gan feddwl bod y dyn yma yn siarad tipyn o lol yn sydyn, ystyriodd beth oedd pwrpas yr alwad. 'Ac rwy'n hen gyfarwydd â phob cnwc a chornel ohono erbyn hyn.' Galw i'w gweld am ei fod yn hoffi ei chwmni, tybiodd, gan wneud ymgais i groesi ei choesau a gwneud yn siŵr ei fod yn gweld rhan helaeth ohonynt. Pwysodd 'nôl yn ei chadair, 'A shwt fedrai'ch helpu chi heddi, te?'

Edrychodd yn syth ati heb ddweud gair. Gwyddai, er ei amheuaeth diweddaraf, ei fod yn iawn. Daeth yr amser i glywed y gwir. Tyfai tawelwch llethol rhwng y ddau, teimlai un yn anghyffyrddus ac heb fod yn siŵr beth i'w wneud, tra bod y llall yn gwbod yn iawn beth oedd yn gwneud. Yn araf bach gorchfygodd un a gostyngodd Gwenda ei llygaid ac edrych i ffwrdd.

'Dwi am i chi ddweud wrthai am y ddamwain, Gwenda,'
torrodd llais Morgan ar draws y tawelwch.

'Pa ddamwain yw hyn, nawr te?' gofynnodd hithau gan
geisio swnio'n ddifater, cododd ei phen, daliodd ei lygad.

Cadwodd Morgan yn dawel heb ddweud gair arall wrthi,
dim ond dal i syllu yn ddwfn i'w llygaid. Ffenestri i'r cydwybod
yn ôl y disgrifiad – ac yn araf bach gwelodd y newidiadau
bychain ynddynt wrth i'r euogrwydd gyrraedd. Syllodd hithau
ar y llygaid oedd nawr yn dywyll, yn galed, ac yn gyhuddol,
gwyddai fod y cuddio wedi dod i ben; edrychodd lawr eto,
llygaid dall oedd yn colli ei hyder, edrychodd i ffwrdd oddi
wrtho – mewn cywilydd.

'Roeddem yn ffrindiau â'n gilydd,' dechreuodd yn dawel,
'Yn ffrindiau gorau, a chi'n iawn, damwain oedd hi,' cymerodd
Gwenda anadl ddofn, cododd gwynt y coffi gyfog arni; gwyddai
ei fod yn disgwyl am yr hanes ac roedd ei ddistawrwydd yn
ei ansefydlogi yn llwyr. Gwyddai byddai'r pwysedd i gyd yn
codi pe bai yn rhannu'r hanes – gwneud beth ddylai fod wedi
gwneud blynyddoedd yn ôl. Cymerodd anadl fawr arall cyn
dechrau ei hanes,

'Roeddwn i'n agos iawn i Hefin Llwyn Celyn, roedd y ddau
ohonom wedi...wedi, wel chi'n gwbod, ond roedd e wedi
troi ei sylw at Eira. Doedd ddim gwahaniaeth gydag e pwy
oedd e'n...wel, dim ond un peth oedd ar ei feddwl e – ac nid
cwmpo mewn cariad oedd hwnnw. Rhoddodd wahoddiad i
mi fynd draw i'r Llwyn Celyn y noson hynny a dechreuais
feddwl efallai ei fod am ail gydio ym mhethau yn enwedig gan
fod Eira yn dost. Ond pan gyrhaeddes i'r dafarn roedd pob un
yno, pob un o'm cyfoedion ac yntau'n brysur yn helpu mas tu
ôl i'r bar. Sylweddolais pryd hynny mai dim ond un o'r criw
oeddwn i. Dyna fel oedd e'n fy nghyfri erbyn hyn – a minnau

wedi rhoi... wel, na fe. Arhosais iddo ddod draw ata' i ond dal i weithio wnaeth e ac i'w weld yn mwynhau ei hunan.

'Yn sydyn roedd e wedi mynd...wedi diflannu'n llwyr. Dim sôn amdano yn un man. Doedd neb wedi ei weld yn gadael nac yn gwbod i ble roedd e wedi mynd. Arhosais i weld a byddai'n dychwelyd ond wnaeth e ddim. Wên i'n gwbod yn iawn i ble roedd e wedi mynd yn enwedig gan fod mam a thad Eira yn y dafarn. Doedd na'm sôn amdani hi, wnes i feddwl amdani; wnes i feddwl am Hefin – y ddau gyda'i gilydd a'r tŷ yn wag. Wnes i esgus i fynd adre, dweud 'mod i ddim yn teimlo'n dda. A'r blydi Bronwen 'na yn dweud efallai 'mod i â'r un salwch â Eira.'

Arhosodd am seibiant gan blygu 'mlaen a rhoi ei chwpan ar y bwrdd, os oedd yn disgwyl i Morgan ddweud rhywbeth cafodd ei siomi wrth iddo gadw'n ddistaw. Gwyddai fod ei lygaid yn dal i syllu yn graff arni, teimlai ei fod wedi agor ei henaid a'i chydwybod yn llwyr, gwyddai fod yn rhaid iddi ddweud y cyfan wrtho.

'Roedd fy mam a'm tad wedi mynd i'r Llwyn Celyn fel pob un arall yn y pentref, felly pan ddes i adre', ar ôl crio yr holl ffordd, es i fyny i'm ystafell i newid. Weles i Hefin yn dod o gyfeiriad Dan-y-Graig. Rhedes i lawr i'r drws ffrynt ond erbyn i mi agor hwnnw roedd wedi mynd heibio. Gwaeddes i ar ei ôl e ond dim ond rhegi arna i wnaeth e, dweud wrthai ble i fynd a rhegais i ar ei ôl yntau cyn iddo ddiflannu o'r golwg yn y tywyllwch gwlyb.

'Roedd fy nghalon yn torri a gwyddwn er y tywydd garw, fod yn rhaid i mi fynd draw i Dan- y-Graig. Gwyddwn byddai'r drws cefn ar agor fel arfer, cerddais i mewn gan weiddi am Eira. Mi es drwy'r gegin i'r Rwm Fflags ac yno roedd hi, wedi dod lawr i weld beth oedd yn bod.

'"Be sy'n bod? Be ti ishe?" gofynnodd a hithau a dim ond â lliain gwyn o'i hamgylch. Gwyddwn yn syth beth oedd hi a Hefin wedi bod yn gwneud. Dechreuais rhannu fy meddyliau gyda hi – dweud yn union wrthi beth oedd yn fy meddwl. Fi yn wlyb diferu ac yn oer a hithau newydd ddod allan o'r bath twym. Dechreuodd chwerthin, chwerthin arna i, cymerais gam tuag ati, y ddwy ohonom yn gweiddi ar ein gilydd fel plant bach. Dwi wir ddim yn gwbod yn iawn beth ddigwyddodd nesa'. Roeddwn i'n dripio dŵr dros y lle, roedd lliain Eira ar lawr ac roedd hi'n gorwedd yn noeth mewn pwll o waed wrth yr aelwyd. Dychrynais, a rhedais adre cyn gynted a galle ni. Llithrais mewn i'r tŷ ac i fyny i'm ystafell, newidiais allan o'r dillad gwlyb a chuddio yn fy ngwely. Dwy' n gwbod dylwn i fod wedi aros gyda Eira neu mynd i chwilio am help – ond roedd y gwaed yn llifo bob man. Clywais rhywbeth, rhyw sŵn yn dod o'r tu allan, sŵn fel pe bai rhywbeth yn cael ei daro. Rhedais i'r ffenest ond doeddech chi'n methu gweld dim byd yn iawn achos y tywydd. Weles i car rhieni Eira yn troi mewn tuag at y tŷ.

'Roedd goleuni'r car arni am hydoedd a'i thad yn cerdded o'i amgylch fel pe bai yn chwilio am rhywbeth er ei bod yn harllwys y glaw. Roedd ei mam wedi mynd mewn felly roeddwn i'n disgwyl sgrech neu waedd wrth iddynt ddod o hyd i'r corff ond yn rhyfeddol daeth ddim byd a dechreuais feddwl, efallai, fod yr anaf heb fod cyn waethed ag oeddwn i wedi meddwl. Es i 'nôl i'r gwely. Clywais fy rhieni yn dod mewn heb unrhyw ffws na bodder a cwmpais i gysgu.

'Wnes i ddeffro nes ymlaen. Gwelais fod yr heddlu wedi cyrraedd erbyn hyn a sylweddolais fod beth oedd wedi digwydd yn ddifrifol wedi'r cyfan. Roeddwn yn disgwyl i'r heddlu cnocio ar ein drws unrhyw eiliad ond wnaethon nhw ddim. Gwelais Twm Ifans yn cael ei gludo i ffwrdd, a'r bore wedyn dywedodd fy nhad, yn anghredadwy, ei fod wedi ei gyhuddo o drais a llofruddiaeth. Er mod i'n gwbod bod hyn yn anghywir, cadwes yn ddistaw a mas o'r ffordd gan esgus mod i'n galaru dros Eira, wel roeddwn i hefyd,' fu bron iddi sibrwd y geiriau olaf.

'Felly, hen genfigen merched ysgol dros rhyw fachgen lleol yn arwain at marwolaeth ....,' dechreuodd Morgan er y teimlai yn anghysurus â'r geiriau, gwyddai fod yna fwy na hyn wedi cymryd lle.

Cododd Gwenda ei phen, edrychodd yn syth i'w lygaid ac yn sydyn sylweddolodd Morgan ei gamgymeriad.

'Cenfigen plant ysgol, wedoch chi? Dych chi'r dynion yn deall dim,' dywedodd mewn llais uchel, llais oedd yn cuddio'r tristwch, llais oedd yn argoeli dagrau ac yn ei dagrau dywedodd yn dawel, 'Roeddwn i'n caru Eira.'

Â'i balchder wedi diflannu, â'i dagrau yn rhedeg lawr ei gruddiau, edrychai Gwenda Roberts yn adlewyrchiad o rhywun oedd wedi torri'n llwyr. 'Gyda fi oedd Eira i fod y noson honno nid gyda Hefin. Roedd y ddwy ohonom yn caru ein gilydd er fod Eira heb sylweddoli hynny eto. Ond hon oedd y noson roeddwn yn mynd i ddangos iddi shwt mae dwy ferch yn medru caru ei gilydd heb unrhyw fachgen. Wedi'r cyfan roeddem wedi tyfu i fyny gyda'n gilydd, yn lawer mwy na ffrindiau agos, roedd 'na gariad tyner yn ein clymu at ein gilydd. Pam nad oedd Eira wedi gweld hynny?' Torrodd llais Gwenda Roberts yn llwyr.

'A dyna pam aethoch draw i Dan-y-Graig,' dywedodd Morgan yn dawel.

Amneidiodd Gwenda ei phen.

'Agor eich calon iddi a rhannu'r teimladau gyda hi, ond

pallodd Eira eu derbyn. Wnaeth chwerthin ar eich pen, dywedoch?' tyfai darlun clir ym meddwl Morgan nawr – dim amheuaeth mwyach.

'Cymerais gam tuag ati, meddwl ei chofleidio oeddwn i, cymryd hi yn fy mreichiau, egluro pethau iddi, synhwyro â hi,' arhosodd am seibiant, 'Ar peth nesaf....' methodd orffen y frawddeg.

'Ond mi ddwedoch chi wrth eich mam,' dywedodd Morgan yn oeraidd.

Cododd Gwenda ei llygaid dagreuol, gwelodd llygaid didrugaredd Morgan yn syllu arni, ymddangosai fel pe bai wedi dirnad ei chydwybod ac yn gwbod pob dim amdani.

'Do,' atebodd yn dawel, 'Ar ôl peth amser a chyn i mi fynd i ffwrdd i'r coleg, ac fe ddywedodd hithau wrth fy nhad – wnaeth e byth faddau i mi.'

'Ond fe wnaeth rhoi fyny ymladd dros achos Twm Ifans er mwyn i chi gael cadw'ch rhyddid a'ch enw da,' dywedodd Morgan yn sarrug.

Amneidiodd hithau ei phen yn dawel, teimlai fod ei nerth wedi llifo allan o'i chorff yn llwyr, oedd, roedd hwn yn gwbod y cyfan amdani. 'Beth chi'n feddwl dylwn i wneud nawr?' gofynnodd yn ofnus.

'I fyny i chi, Miss Roberts, rhyngddo chi a'ch cydwybod,' dywedodd wrth godi i fyny, 'Ond peidiwch a meddwl am eiliad y bydd hyn yn gyfrinachol, nid fi fydd yr unig un fydd yn gwbod beth yn union ddigwyddodd. Efallai mai damwain oedd marwolaeth Eira Huws ond nid damwain laddodd bywydau Twm Ifans a'i deulu.'

Daliai Gwenda Roberts i eistedd a'i phen i lawr wrth i Morgan droi ei gefn arni a cherdded allan o'r Mans. Edrychodd draw tua'r fynwent dawel. Dringodd mewn i'w gar. Tynnodd y teclyn recordio bychan, yr un newydd roedd J-J wedi anfon iddo, allan o'i boced a'i storio'n ddiogel cyn gyrru tuag adre. Ar y tâp roedd y gyffes dylai Bob Preece fod wedi derbyn tair blynedd ar hugain yn ôl.

40

'Ond dwi'n dal ddim yn deall yn iawn beth ddigwyddodd,' edrychodd Elisabeth yn syn ar ei gŵr. Heb gwmwl i'w weld unman ar draws yr awyr las, gorweddai'r ddau yn agos i'w gilydd ar Garreg y Fuwch gan fwynhau gwres yr haul.

'Pwy a ŵyr beth ddigwyddodd yn iawn, calon, dim ond dyfalu ydw i ond does na'r un tyst i'r digwyddiad,' cymerodd seibiant i feddwl, 'Y ffordd dwi yn ei weld e yw: daeth Gwenda draw i Dan-y-Graig wedi gwylltio'n llwyr gan fod Eira wedi mynd gyda Hefin, cofia dim ond un peth oedd ar feddwl Hefin heb ddim gwahaniaeth pwy fyddai'r ferch; ond roedd Gwenda yn llawn cenfigen, ond ddim am y rheswm roeddwn i wedi meddwl yn wreiddiol, roedd hi wedi sylweddoli ei bod hithau dros ei phen a'i chlustiau mewn cariad ag Eira ac yr oedd yn siŵr bod Eira mewn cariad â hi er nad oedd wedi sylweddoli hynny eto. Cofleidiodd Gwenda â Eira yn y Rwm Fflags, cofia roedd hi'n wlyb stecs ac Eira yn sefyll yno yn noeth heblaw am liain ac newydd cael rhyw gyda Hefin felly y peth diwethaf oedd ishe clywed oedd syniadau lesbiaid Gwenda; roedd y ddwy yn gweiddi ar eu gilydd, roedd Gwenda yn dripian dŵr ar y llawr; traed noeth ar gerrig gwlyb – llithrodd Eira wrth geisio osgoi cofleidiad Gwenda, trawodd ei phen ar yr aelwyd garreg; gwnaeth Gwenda ddrysu wrth weld y gwaed yn llifo a rhedodd adref gan feddwl ei bod wedi lladd ei ffrind; daeth Eira at ei hunan heb fod yn hollol ymwybodol o'i chyflwr a ceisiodd chwilio am help; llusgodd ei hunan mas o'r tŷ i'r ardd ond roedd yr ymdrech yn ormod iddi, roedd yr anaf yn rhy ddifrifol – ac mewn ychydig eiliadau roedd hi'n farw.'

'Felly dim trais na ymosodiad?'

'Dim trais o gwbwl; cwmpo mas rhwng dwy ferch ysgol yn ei harddegau, dim ymosodiad, nac unrhyw lofruddiaeth yn y gwir ystyr o'r gair.'

'Felly, beth am Twm Ifans?'

'A! nawr te, falch dy fod wedi gofyn. Doedd dim ddowt fod yr hen Dwm wedi dala hi ac yn feddw gaib. Aeth draw i'r fynwent, clywodd y rhegi, clywodd y gweiddi, clywodd y sgrechfeydd, doedd e'n methu meddwl yn syth, gwnaeth ymdrech i fynd draw i Dan-y-Graig i weld beth oedd yn mynd ymlaen ond digwyddodd groesi'r ffordd ar yr un pryd ag roedd rhieni Eira yn gyrru 'nôl o'r dafarn. Tua 'run amser ag oedd Eira yn llusgo ei hunan i'r ardd fyddwn i'n meddwl. Cofia roedd y ddau rhiant wedi meddwi'n dwll hefyd, roedd hi'n harllwys y glaw ac yn chwythu fel wn i'm beth. Gwelodd Twm goleuadau'r car yn rhy hwyr, cafodd ei daro fel yr oedd yn cyrraedd ochr arall i'r ffordd a cwmpodd mewn i'r gwter ar waelod y clawdd ac mae'n siŵr ei fod wedi bwrw ei ben a paso mas am gyfnod nes iddo ddod at ei hun pan wnaeth John Jones gyrraedd.'

'A'r rhieni?'

'Mmm, dwi'n meddwl fod tad Eira wedi sylweddoli ei fod wedi taro rhywbeth neu rhywun felly pan wnaeth gyrraedd adre cymerodd amser i chwilio a oedd unrhyw niwed i'r car – byddai hynny'n dangos pa mor ddifrifol oedd y trawiad wedi bod. Mae'n siŵr ei fod wedi edrych ar y ffordd ac roedd honno'n wag ac mae'n siŵr wnaeth e ddim croesi ei feddwl i gerdded yn ôl i chwilio ymhellach. Aeth y ddau mewn i'r tŷ, syth mewn i'r gegin, gweld olion gwaed yn mynd tua'r ardd lle roedd Eira wedi llusgo ei hunan, darganfod corff ei merch ond yn anffodus roedd yn rhy hwyr iddynt fedru gwneud dim byd drosti. Ffoniodd y tad yr heddlu ond doedd dim ateb yn stesion Aberteifi, felly aeth yr alwad trwodd i Gaerfyrddin er fod mwyafrif helaeth o heddlu Aberteifi yng Nghwmcelyn ar y pryd. Gwelodd Preece ei gyfle *and the rest,* fel mae nhw'n ddweud, fy nghariad fach i, *is history, my dear Watson.*'

'Felly be' sy'n mynd i ddigwydd rwan?' gofynnodd Elisabeth.

'Duw a ŵyr, ond cofia dim ond fy syniadau i ydy rhain, does na ddim tystiolaeth cadarn i ddweud mae dyna beth ddigwyddodd' atebodd Morgan.

'Ond mae Twm Ifans wedi colli dros ugain mlynedd o'i fywyd heb achos,' roedd y tristwch yn glir yn ei llais.

'A dyna'r drychineb fwyaf, ugain mlynedd o uffern i Twm, druan, a bywyd annioddefol i Bronwen yn ogystal. Mae i fyny iddyn' nhw beth mae nhw ishe gwneud am y peth. John Jones yw'r unig un all fod yn dyst i'r digwyddiadau ond dim ond rhan fach o'r hanes mae e'n wbod mewn gwirionedd ac mae'n ofnus iawn os bydd 'na ymchwiliad.'

'Wyt ti'n meddwl fydd un?'

'Dylai fod, ac rwy'n mynd i wneud yn siŵr fe fydd un – rhywsut neu gilydd,' atebodd Morgan.

'Felly, fedrai fynd i ffwrdd i'r Eisteddfod heb boeni dy fod ti'n crafu dy ben dros achos Twm Ifans a Bronwen?' gofynnodd Elisabeth.

'Wyt ti ishe i fi dy hebrwng, mae John Jones yn rhedeg Siwsan lawr 'na, ac mae Arfon yn rhedeg Morwenna a Ffloss lawr?'

'Na, mae'n well i fi fynd a char fy hunan, fydd gennym o leiaf un car yno wedyn rhag ofn fydd 'na rhyw fath o argyfwng.'

'A beth wyt ti'n mynd i wneud drwy'r wythnos, te?' rhwymodd Morgan ei freichiau o'i hamgylch a'i gwasgu'n dynn.

'Dwi ddim yn siŵr i fod yn onest,' atebodd, 'Syniad digon cyffrous ydoedd pan awgrymodd Siwsan e' gyntaf ond erbyn hyn...wel...ti'n gwbod....dwi ddim y teip i gymdeithasu yn ormodol ond mae Siwsan yn mynd i fynd dros ben llestri medde hi...mynd i bob dim mae'n medru.... cyfarfod a phob un, mae eisoes wedi ffonio llwyth o'i hen ffrindiau ac ati....a Morwenna hefyd, mae hithau wedi gwneud trefniadau tebyg. Ond fi? Dwi'n gweld fi'n dod adre ar ddydd Mercher wedi syrffedi ar bob dim.'

'Ti'n gwbod y bydda i ar goll hebddo ti,' edrychodd Morgan arni.

'O! Na fyddi, te, y cythraul. Fyddi di allan yn pysgota gyda Gwynfor ac yn gwledda gyda'r Comander a Dorothy, felly paid ag esgus y byddwn ni'n agos i'r un sefyllfa,' chwarddodd y ddau yn chwareus. Rhwymodd ei breichiau o'i amgylch unwaith eto, rhoddodd gusan bach ar ei geg, 'Tyrd ymlaen, gad i ni fynd yn ôl i Awel Deg,' dywedodd yn dawel gan dynnu ei fraich yn eiddgar. Er waetha'r tywydd braf, dychwelodd y ddau i'w cartref ym mreichiau eu gilydd heb unrhyw amcan beth oedd o'u blaenau yn ystod y dyddiau nesaf..

41

'Dilyn fi, a paid mynd ar goll,' oedd geiriau olaf y
Gwyddel cyn iddo neidio mewn i'w gar a gyrru i fyny
lôn Y Berllan tuag at y ffordd fawr ar y bore Sul penodol. Felly
yn ufudd i'r cynllun dilynodd Sean y car mawr du yn syth
heb gael cyfle i wneud dim ond taflu ei fagiau ar sêt gefn ei
gar ei hunan a mynd. Gyrrodd yn ofalus am filltir ar ôl milltir
ar hyd ffyrdd gwledig, gwag heb syniad i ble roedd yn mynd.
Trïodd ddyfalu'r cyfeiriad o leoliad yr haul ond gan ei bod yn
fore cymylog a thywyll, fach iawn o lwyddiant gafodd yn ei
ymdrechion. Heblaw am ei gweld ar y map roedd y rhanbarth
yma o'r wlad yn gwbwl estron iddo. Sylwodd pa mor debyg
oedd yr ardal wledig o'i amgylch i'r un roedd yn gyfarwydd
iddo o amgylch ei gartref. Heb sylweddoli trodd ei feddwl,
yn naturiol, tuag at Aisling. Er mwyn osgoi hiraethi amdani,
trïodd dalu sylw i'r ffordd a chwilio am arwyddion byddai'n
rhoi rhyw amcan iddo am ei leoliad terfynol ond roedd pob
dim yn estron iddo. Yn sydyn ac heb unrhyw rybudd trodd y
car mawr du i'r dde ac i lawr lôn garegog tuag at hen ffermdy.
Cerddodd y gyrrwr yn ôl tuag ato gan wthio amlen wen i'w
law a gyrrodd i ffwrdd a'i adael cyn bod Sean yn cael y cyfle
i ddringo allan o'i gar. Daeth gwraig draw i'w groesawi a'i
arwain tuag at fwthyn bach dau ben roedd yn amlwg ei bod
dan yr argraff ei fod e yn gwbod yn iawn beth oedd yn mynd
ymlaen.

Er ei bod hithau yn ddigon cyfeillgar, fach iawn o gyfathrebu gwnaeth Sean yn ôl ei arfer. Daeth yn amlwg nad oedd y wraig yn gwbod unrhyw beth ynglŷn â'i sefyllfa na pwrpas ei siwrne. Ar ôl iddi ei adael mewn heddwch agorodd Sean yr amlen. Y tu mewn roedd y cyfarwyddiadau o'r camau nesaf ddylai gymryd gan gynnwys map i ddangos y ffordd orau iddo gyrraedd ei le gwaith newydd.

Wrth i'r dyddiau droi yn wythnosau teimlai Sean rhwystredigaeth yn tarddu o bob cyfeiriad. Dydd ar ôl dydd byddai'n gwneud y siwrne a mynd i'w waith yn brydlon wrth iddo aros ac aros am y manylion cyfrinachol nesaf. Er mwyn peidio tynnu sylw i'w hun daeth i adnabod nifer o'r gweithwyr eraill yn bwrpasol, a phob un ohonynt wedi gorfod troi eu dwylaw at wahanol dasgau er mwyn cyflawni'r gwaith yn brydlon.

O dipyn i beth daeth yn amlwg bod y gwaith yn dod i ben wrth i wahanol rai ymadael ar lle i fynd ymlaen i rywle arall. Gwnaeth un neu ddau annog Sean i fynd gyda nhw gan addo dyfodol disglair iddo gan ei fod yn weithiwr da. Gwrthod pob cynnig y gwnaeth. Gwyddai nad oedd ei waith ef yn gorffen nes bod y cynllun wedi ei gyflawni. Gwyddai byddai manylion y cam nesaf yn cyrraedd unrhyw ddydd. Gwyddai "pam", "pwy", "ymhle" ond roedd yn dal i ddisgwyl am yr ateb i "pryd". Tyfai ei hiraeth yn fwyfwy pob dydd, yn enwedig pan clywai lleisiau a chwerthin plant bach eraill yn chwarae yn hapus o amgylch. Dychmygai Aisling yn chwarae yn eu plith ond ar hyn o bryd doedd yn methu hyd yn oed cysylltu â'i ferch fach, gan ei bod ar ei gwyliau rhywle gyda Anette.

Ac yna yn sydyn ac heb unrhyw arwydd daeth ar draws darn o bapur. Ni wyddai o ble y daeth na phwy oedd wedi ei adael wrth ei becyn bwyd – ond dyna oedd y drefn a gwyddai'n well na archwilio. Neges ydoedd i ffonio rhif ffôn arbennig. Gwyddai bod y diwrnod mawr yn agos o'r diwedd. Daeth o hyd i'r ciosg ffôn oedd wedi ei ddisgrifio yn y nodyn bach, ac oedd yr oedd mewn man digon anghysbell ar ei ffordd o'i waith, gwnaeth yr alwad.

Llais gwraig ag acen gref Gwyddeleg gwnaeth ateb – un oedd yn amlwg yn aros amdano i alw. Rhoddodd y manylion nesaf iddo cyn iddo ddweud dim. 'Wedyn rhaid i chi ddychwelyd yn gyflym i'r tŷ lle roeddech yn aros yn wreiddiol, fe wnewn ni eich casglu o'r fan 'na. Clir?' Aeth y lein yn ddistaw; dim un gair arall; dim cyfle i ofyn am unrhyw eglurhad – na, roedd yr alwad ar ben. Diwrnod neu ddau arall a byddai pob dim drosodd; ei waith wedi ei gyflawni, adre ag e i'r Iwerddon, a sesiwn rhywiol gyda Brenda, efallai yn Y Berllan ar y ffordd. Beth gallai fod yn well?

Ni wyddai Sean fod Brenda yn gorwedd yn gelain ym mortiwari Bronglais tra fod yr Heddlu lleol yn gweithio'n ddiwyd i ddarganfod pwy yn union oedd hi.

* * *

Teimlai Awel Deg yn rhyfedd i Morgan wrth iddo sefyll yn ei lolfa ac edrych lawr ar y traeth islaw. Er mai dim ond awr a hanner oedd ers i Elisabeth adael teimlai'r lle yn wag hebddi. Edrychodd ar ei wats unwaith eto, dylai fod wedi cyrraedd maes y carafannau erbyn hyn meddyliodd. Ar y gair canodd y ffôn. Nid Elisabeth yn barod, siŵr Dduw.

'Helo, Morgan, Ann Rhys sy' ma,' dywedodd y llais bach ofnus, llais bach mor wan doedd e heb ei adnabod.

'Rwyt ti'n swnio'n rhyfedd, beth sy' wedi digwydd.'

Eglurodd Ann wrtho bod perchennog Y Berllan wedi cael hen ddigon o'r lle, ei fod wedi colli gormod o arian arno yn barod a bod yr amser wedi dod iddo gael gwared ohono. Felly, os oedd y banc ishe cael ei benthyciad yn ôl mi fyddai'n rhaid iddyn nhw ei werthu. Ond yn waeth na hynny, roedd ei meistri wedi rhoi'r holl gyfrifoldeb arni hi gan ei bod yn byw yn lleol. Eglurodd ei theimladau ar ôl ei hymweliad diwethaf i'r Berllan a'i hofn pe byddai'r llofruddiwr yn dychwelyd i'r lle. Cyfaddefodd bod gormod o ofn arni i fynd draw i'r tŷ, hyd yn oed, er y gwyddai fod yn rhaid iddi.

Cytunodd Morgan ei chyfarfod yno ymhen awr ond cyn gynted ag y rhoddodd y peiriant yn ôl ar ei grud, canodd eto – pwy nawr, meddyliodd?

'58? This is 37,' ond cyn i Morgan gael cyfle i ddweud gair, 'Sorry to bother you but just had part of a message telling me that HRH is on his way to Wales apparently. He's calling to do something in Avonmouth that we already knew about, he's then crossing the bridge to Hey on Wye something to do with a book fair; following morning he's having a working breakfast in Cardiff with the dignatories and then away.'

Daeth seibiant a chlywodd Morgan papurau yn cael ei symud ar yr ochr arall, 'Where to?' gofynnodd.

'That's the embarrasing bit – bloody fool in Whitehall lost that part of the message – but look is there anything of note happening your end this week?' Ond cyn i Morgan gael y cyfle i'w ateb, bloeddiodd 37 lawr y lein, 'Got it, of course, HRH went to University down there didn't he? Abaisteeth, wasn't it?'

Dechreuodd Morgan ei gywiro ond cyn iddo ddweud Aberystwyth yn llawn 'There's probably some sortof reunion there that he wants to go to – bloody fool. Is Abaisteeth anywhere near Cwm Tidy?'

'*Not far,*' cytunodd Morgan.

'*That'll be it, I'll send some of my men down there – no need for you to do anything. Well done fifty eight, good man.*'

A gyda hynny diffoddwyd y ffôn.

* * *

Eisteddai Ann yn dawel yn ei char bach pan gyrhaeddodd Morgan Y Berllan. Edrychai'n ofnus ac yn fregus wrth iddi ddringo allan o'i char i'w gyfarfod.

'Beth sy'n bod, te?' gofynnodd Morgan wrth amau efo'i hun a ddylai rhwymo ei freichiau o'i hamgylch a'i chysuro neu o leiaf rhoi ei fraich rownd ei hysgwyddau – yn y diwedd wnaeth e mo'r un.

'Maddeuwch i mi, fi sy'n bod yn stiwpid. Dylwn i ddim fod wedi'ch ffonio; fy mhroblem i yw hwn,' methai ddal ei lygaid.

'Gwranda, mae arna' i sawl ffafr i ti, felly os dyw'r allweddi gyda ti......'

Yn araf bach cododd Ann ei llygaid a gwelodd ei wên gyfeillgar a'r olwg wresog yn ei lygaid tywyll. Cododd ei hysbryd a thynnodd yr allweddi allan o'i phoced a'i cynnig iddo.

'Na, cer di i agor y drws ac mi fydda i wrth dy ochr. Does 'na neb yma – dim ond hen ysbrydion,' y llais cadarn cyfarwydd yn deffro fwy o hyder fyth ynddi, 'Ac mae rhan fwyaf o rheini yn perthyn i ti.' Chwarddodd y ddau, ac yn sydyn roedd Ann yn teimlo'n barod i wynebu her ei hen gartref.

Cerddai'r ddau yn araf drwy'r ystafelloedd lawr grisiau a phob un yn hollol wag. Synnodd Ann gan nad oedd y perchennog wedi awgrymu wrthi ei fod yn bwriadu gwagu'r lle, a'i wneud e mor sydyn â hyn. O leiaf byddai hyn yn gwneud y tŷ yn lawer haws i'w werthu. Er yn wag roedd oelion ymchwiliad yr heddlu yn dal yno, yn enwedig lle roeddent wedi bod yn chwilio am olion bysedd a gadael llwch gwyn dros y lle.

Gadawodd i Morgan fynd i fyny'r grisiau gyntaf gan aros am eiliad cyn ei ddilyn. Gwyliodd ef yn mynd o un ystafell i'r llall ac roedd wedi dal i fyny ag e erbyn iddo ddod allan o'r ail ystafell. Yn annhebyg i lawr grisiau, doedd yr ystafelloedd yma ddim yn hollol wag. Sylwodd fod hen ddodrefn cyfarwydd ei theulu wedi mynd i gyd ac un neu ddau ddarn rhad wedi cymryd eu lle – ond gwnaeth yr un sôn amdanynt.

'Mae nhw wedi ymchwilio'n drwyadl,' awgrymodd Ann wrth weld mwy o olion y powdwr gwyn ar siliau'r ffenestri ac ar y carpedi ym mhob ystafell.

'Mmm,' oedd unig ymateb Morgan. Yn bendant, os mai yn y tŷ roedd y wraig wedi ei lladd, doedd 'na 'm oelion o'r drosedd yn un man. Wrth adael yr ystafell olaf plygodd 'nôl mewn gan estyn ei fraich i dynnu'r drws ar gau, daliwyd ei lygad gan fflach fechan yn y cornel pellaf wrth i olau'r haul daro rhywbeth hanner cuddiedig rhwng y carped a'r wal. Aeth draw i weld beth oedd yno.

'Edrych ar hon,' dywedodd wrth godi i fyny. Yn ei law agored gorweddai ceiniog ddisglair.

'Mae'n edrych fel ceiniog newydd,' dywedodd Ann.

'Mae'n edrych fel ceiniog Gwyddeleg,' atseiniodd yntau gan weld y llythrennau a'r delyn Geltaidd ar un ochr a'r iâr fawr gyda'i chywion bach ar yr ochr arall, 'Pwy wnaeth adael hon, te?' tybiodd.

Cofiai Ann y dyn ifanc roedd wedi ei weld yn gweithio ar y

lôn, ei gorff cyhyrog hanner noeth, ei wên lydan, a'i wallt coch
yn chwythu yn yr awel.

* * *

Gyrrodd Morgan yn ôl tuag at Bwll Gwyn â'r geiniog
Gwyddeleg yn pwyso'n drwm yn ei boced ac ar ei feddwl. Ond
cyn cyrraedd Awel Deg gwyddai fod ganddo un alwad arall
i wneud. Hyd yn hyn roedd wedi osgoi galw mewn i rhoi'r
newyddion i Bronwen a Twm. Gwyddai byddai un ohonynt
yn gweithio'n galed tan amser te tra fod y llall ym myd bach
ei hunan.

'Chi wedi profi fod 'y nhad yn ddieuog?' gofynnodd
Bronwen yn gyffrous gan ddal ei lygad wrth adael Morgan
mewn i'w cartref.

'Do,' atebodd yn sifil.

'Chi'n clywed 'na, Dada, mae Mister Morgan yn cadarnhau
mae nid chi wnaeth e.' Treiddiai'r hapusrwydd trwyddi wrth
iddi rhwymo'i breichiau o amgylch ei thad a rhoi cusan mawr
ar ei foch. 'Ond pwy....' rhewodd y cwestiwn ar ei thafod wrth
weld yr olwg ddwys ar y wyneb gyferbyn.

'Neb, Bronwen,' atebodd yn dawel, 'Damwain oedd e.'
Doedd na'm unrhyw ffordd arall i dorri'r newyddion iddi.
Edrychodd ar yr anghrediniaeth ar ei hwyneb tra fod Twm yn
cymryd lwnc o'i de ac i weld yn cymryd dim sylw o'r sgwrs –
testament i'r ffordd roedd ei feddwl wedi dirywio dros amser.

Edrychai Bronwen yn syn arno wrth iddo ail ddweud ei
hanes am y digwyddiadau erchyll yn y Rwm Fflags ac erbyn
iddo orffen roedd Twm hefyd yn talu rhywfaint o sylw.

'Roeddech chi, Twm, wedi mynd i'r fynwent i weld am
gyflwr y bedd yng nghanol y gwynt a'r glaw. Glywsoch chi

hyn ac arall fel dywedoch chi ac roeddech ar eich ffordd draw i Dan-y-Graig i ymchwilio'r achos. Wrth groesi'r ffordd cawsoch eich taro gan gar tad Eira a'ch taflu i'r gwter lle wnaeth Sarjant Jones ddod o hyd i chi.' Tawelodd Morgan am eiliad, 'A dyna pryd gwmpoch chi mewn i grafangau a thwyll Bob Preece â'i freuddwydion am ddyrchafiad,' ategodd yn dawel.

Daeth distawrwydd dros yr ystafell a dim ond sŵn tonnau'r môr yn torri ar y cregyn mân oedd i'w glywed, ac hynny'n yn eglur yn y cefndir.

'Druan fach,' dywedodd Twm yn dawel gan siglo'i ben yn araf, 'Oni bai mod i wedi meddwi, gallwn i fod wedi ei helpi.'

42

'O leiaf rwyt ti wedi cyrraedd yn sâff,' doedd gan Morgan ddim lawer o synnwyr am y ffordd o Bwll Gwyn i Hwlffordd na lle roedd meysydd yr Eisteddfod a'r carafannau – ac roedd mor falch i glywed llais Elisabeth er mai dim ond ychydig oriau oedd wedi pasio ers iddynt fod yng nghwmni ei gilydd.

'Roedd y ffordd yn llawn carafannau ac ymwelwyr ac mi wnaeth gymryd hydoedd, ond, ydan, rydan ni i gyd wedi cyrraedd yn ddiogel a beth amdanat ti?'

Rhoddodd grynodeb byr iddi o ddigwyddiadau y prynhawn heb sôn am y geiniog Gwyddeleg – gorffennodd gyda ail ddweud sylwadau Twm Ifans.

'Y truan,' dywedodd Elisabeth o'i chalon, 'Mi fydd yn teimlo'n euog rwan gan nad oedd wedi trio ei hachub.' Sylwai Morgan sut yr oedd ei hacen Gogleddol wedi cryfhau yn yr ychydig amser ers iddi adael Bwll Gwyn, arwydd pendant ei bod wedi bod yn cyfathrebu gyda bobl o'r Gogledd – neu Gogland fel yr oedd e'n ei alw pan byddai'n tynnu ei choes.

'Mae'r garafán yn grêt, a'r lleoliad yn gyfleus iawn i'r toiledau ac i'r maes. Llwyth o bobl yma – mae Ffloss wedi gwneud ffrindiau'n barod – criw ohonynt yn chwarae'n hapus yn yr haul.' Roedd hithau hefyd i'w chlywed yn hapus gan wneud Morgan i feddwl efallai bod potelaid neu ddwy o win wedi cael ei hagor yn barod.

'Rwan te, mae Morwenna a fi yn mynd i gyngerdd nos yfory felly fyddai ddim yn dy ffonio tan nos Fawrth – Oce?'

'Iawn, del,' atebodd gan ffugio'r acen.

'Dos i'r haul, Alun Morgan,' a chwarddodd y ddau ei ffarwel.

Rhedodd Morgan ei fys ar hyd y graith ar ei wyneb. Tynnodd y geiniog Gwyddeleg allan o'i boced. Pam oedd hon mewn ystafell wely yn Y Berllan? Shwt oedd hi wedi cyrraedd yno yn y lle cyntaf ac hithau yn geiniog newydd – edrychodd ar y dyddiad arni?

Digwydd cwmpo i'r llawr a disgyn rhwng y carped ar wal? Na, roedd hon wedi ei gosod yn daclus ac yn bwrpasol! Wedi cael ei gwasgu rhwng y carped ar wal. Ei gwasgu er mwyn ei chuddio, ond ei chuddio wrth bwy; neu ei chuddio gan ddwylo anhysbys er mwyn rhoi neges?

Neges arall 'run fath â'r minlliw? Na, nid neges o gwbwl. Rhybudd!

Rhegodd Morgan yn uchel. Rhedai golygfeydd dychrynllyd trwy ei feddwl. Y cwch pysgota oedd wedi hwylio o'r Iwerddon i Gwmtydu; y loced fach ar y traeth yr un â'r enw Gwyddeleg arno, Y Tywysog Charles ar ei ffordd i Aberystwyth ....

Estynnodd ei law am y ffôn. Nid rhwydwaith y Llywodraeth fedrai ddatrys y broblem yma, gwyddai fod rhwydwaith is-fyd Llundain yn eang ac yn lawer mwy ddibynadwy. Ffoniodd ei hen gymar J-J yn hytrach na'r Gwasanaeth Cudd.

'Dim llawer, gyf,' oedd ateb J-J y bore wedyn ar ôl treulio'r nos yn chwilio am atebion i gwestiynau Morgan, 'Mae 'na nifer fawr o Seans yn yr Iwerddon fel ti'n gwbod, nifer helaeth yn perthyn i'r IRA a phob un ohonynt yn gwneud ei gorau glas i danseilio ymdrechion ein bechgyn ni draw 'na. Felly dydi nhw ddim yn ffefrynnau gyda'r Is-fyd draw 'ma. Ar ôl holi a galw rhai o'r ffafrau mewn dwi wedi dod a'r rhestr lawr i ddau Sean ond ...'

'Ond?'

'Mae Sean O' Brien, sy'n briod â Aisling, i ffwrdd o'i gartref. Maent yn meddwl ei fod yng Ngwlad-yr-Haf yn cuddio cyn ei fod yn dychwelyd i'r Iwerddon. Mae e â rhywbeth i wneud â gwerthu cyffuriau ac felly o ddiddordeb mawr i'r is-fyd.'

A'r llall?' gofynnodd Morgan.

'Sean Nulty, gŵr i Sinead, tad i ferch fach o'r enw Aisling.'

Rhedodd ias oeraidd lawr cefn Morgan. Rhedai geiriau Ann Rhys ar draws ei gof, gwelai rhywun oedd yn ddigon ifanc, yn gyhyrog, rhywun oedd yn gochyn, rhywun oedd yn Wyddel. Gwelai'r loced fechan yn ei feddwl – loced plentyn 'Bu farw Sinead mewn damwain car,' aeth J-J yn ei flaen., 'Ar ôl hynny cafodd e ddihangfa yn y de lle mae wedi dod yn arbenigwr ar baratoi bomiau. Ond yn ôl y sôn mae'n ddigon pell o Gymru ar hyn o bryd gan ei fod wedi gadael ei gartref i fynd i weithio gyda cwmni olew ym Môr y Gogledd ond hyd yn hyn 'does na'm cadarnhad o hyn.'

'Dyna fe, dyna'r boi,' penderfynodd Morgan, 'Anghofia am Fôr y Gogledd, rwy'n siŵr ei fod e draw 'ma, neu wedi bod draw 'ma yn ddiweddar ac mae e lan i rywbeth, creda di fi. Dwed wrthai wyt ti'n dal a chysylltiad agos â'r teulu brenhinol?'

'Ydw, pam?'

Ail adroddodd Morgan ei sgwrs gyda "37" wrtho gan egluro'r syniad am ymweliad anffurfiol y Tywysog i aduniad o'r myfyrwyr yn Aberystwyth.

'Dwi ddim yn ei weld e'n gwneud 'na fy hunan ond....' rhannodd y ddau eu meddyliau a chytunodd y ddau mae'r cam nesaf byddai i J-J ddefnyddio ei ddylanwad er mwyn osgoi unrhyw anghydfod.

Mawredd, meddyliai Morgan, sôn am rhwydwaith.

Unwaith eto rhedodd ei fys lawr ar hyd y graith ond methai wneud synnwyr o'i feddyliau. Penderfynodd cael un gair bach arall gyda'r Gwasanaeth Cudd.

'Er mwyn Duw, 58, sawl gwaith mae'n rhaid i mi ddweud, does 'na neb o'r IRA yn gweithredu yng Nghymru ar hyn o bryd rwyt ti â'r asiant arall yng Nghymru wedi cadarnhau hynny.'

Bu bron i Morgan ddal y ffôn hyd braich i ffwrdd o'i glust wrth i "37" fynd yn ei flaen. 'Rwy'n deall yn iawn fod gen ti amheuon ynglŷn a'r Sean yma ond mae Sean Nulty yn byw yn dawel bach yn y wlad yn agos i Donegal ac yn galaru am ei wraig, Sinead – ac yn ôl yr adroddiadau rwyf wedi derbyn mae e'n dal yno. Peth arall byddwn i'n dweud, 58, rwyt ti ddim eisiau Sean Nulty yn agos i Gymru. Wyt ti'n gwbod beth yw ei ffug enw e? The Blaster, ie, The Blaster ac wyt ti'n gwbod pam? Gan fod y diawl 'ma yn poeni dim bod nifer fawr yn cael ei lladd neu niweidio yn ddifrifol pan mae un o'i fomiau e'n ffrwydro; nid anelu am un person mae'r bastard yma, a creda di fi mae Sean Nulty yn feistr ar ei grefft. Ac rwyt ti'n dweud wrtha i dy fod ti'n meddwl bod yr uffern diawl 'ma yng Nghymru gan dy fod ti wedi dod o hyd i blydi ceiniog Gwyddeleg yn rhyw le bach anghysbell yn nhwll tyn y byd?'

Tawelodd y dymer ddrwg yn raddol erbyn i'r Oruchwyliwr ail gydio yn y ddadl un ochrog, 'Felly does dim achos i ti boeni, 58, mae pob dim yn ddiogel yn ein dwylo ni lan 'ma. Cymer ofal.'

Ar adegau fel yma byddai presenoldeb Elisabeth yn ddigon i godi ei galon. Ond doedd hi ddim ar gael. Drwy'r ffenestr fawr gwelai'r glaw yn hyrddio ar draws y traeth, dangosai'r môr yn llwyd tywyll a'r ewyn yn wyn brwnt ar y wyneb. Beth arall oedd i ddisgwyl, roedd yr Eisteddfod wedi dechrau!

* * *

Er ei bod wedi tywallt glaw drwy'r bore, doedd heb amharu ar mwynhad y dair gwraig a'r plentyn yn yr Eisteddfod. Er nad oedd llawer o ddiddordeb gan Elisabeth i fynd i weld y cystadlu ar y bore Llun fe aeth draw tua'r pafiliwn yn gwmni i Morwenna a Siwsan. Penderfynu aros gyda'i ffrindiau newydd wnaeth Anwen gan ddysgu sut i chwarae Monopoli – gem addas i bedwar plentyn, a gem roedd Anya, yr hynaf o'r pedwar, yn deall yn iawn.

Roedd na'm sôn yn unman o amgylch y maes fod Tom Jones yn mynd i ymweld â'r ŵyl ond roedd sibrwd efallai byddai Richard Burton ac Elisabeth Taylor yn galw mewn yn ogystal a Peter O' Toole, Tywysog Cymru, Barry John, a Gareth Edwards a sawl seren arall, rhywbryd yn ystod yr wythnos. Ond sibrydion yn unig oeddent, roedd wedi clywed eu math nifer o weithiau o'r blaen – roedd yn dal i ddisgwyl i Elvis Presley i droi lan ym Mhwll Gwyn. Ta waeth, roedd yn mwynhau'r cyfle o fod gyda Morwenna ac Anwen, yn enwedig Anwen gan mae nid plentyn bach ydoedd mwyach.

Pan ddychwelodd y dair i'r garafán ar amser cinio roedd Anwen yn dal ynghlwm yn y Monopoli ond rhedodd allan i ofyn a fedrai ei ffrindiau newydd ddod draw ati hi y noson hynny. Roedd Morwenna braidd yn amheus gan ei bod hi a'i mam yn mynd i gyngerdd ond, ar y gair, dywedodd Siwsan y byddai'n fwy na pharod i warchod y pedwar. Gwyddai Elisabeth ei bod yn dwli ar blant a pha mor annheg roedd ei bywyd wedi bod gan nad oedd wedi medru beichiogi un ei hun.

'Na-a-ain,' tynnodd Anwen ei braich, 'Oedd Dadcu yn arfer byw yn Mayfair pan oedd e'n gweithio yn Llundain?'

'Na, dwi ddim yn meddwl 'ny,' gwenodd arni. 'Pam?'

'Mae gyda fi westai ar Mayfair a Park Lane, ond does neb byth yn stopio a galw yno.'

43

Codododd John Jones o'i wely cyn i'r cloc larwm ganu ar fore dydd Mawrth ac roedd hwnnw wedi ei osod i ganu yn gynnar iawn. Ymolchodd a gwisgodd ddillad oedd yn addas i'r trip pysgota roedd Gwynfor a Morgan wedi trefnu i'r tri ohonynt. Paratôdd bowlen o uwd i'w frecwast gan deimlo y byddai'n hir cyn y pryd nesaf. Teimlai byddai'r uwd yn iach iddo a dychmygai balchder Siwsan gan ei fod yn edrych ar ôl ei iechyd wrth iddo ymestyn am y siwgwr brown â'r hufen dwbl roedd wedi prynu i'w hun. Ar ôl gorffen meddyliodd am baratoi bowlen arall ond sylwodd fod yr amser wedi hedfan heibio ac yr oedd nawr mewn perygl o fod yn hwyr.

'Diawl mae'n ddrwg 'da fi mod i'n hwyr,' gwaeddodd wrth gyrraedd y cwch ar ôl parcio'i gar tu fas i Awel Deg a rhedeg yr holl ffordd lawr i'r traeth. Roedd yn ymladd am ei wynt a'i wyneb yn goch ddu.

'Cymer di dy amser, bachan,' dywedodd Morgan, 'Does ddim hast, oes e, Gwynfor?'

'Na, na,' atebodd y dyn ifanc, 'Bydd y macrell yn dal 'na pan wnewn ni gyrraedd,' gwenodd yn llydan a thaflu chwinciad i gyfeiriad Morgan.

Ond erbyn i'r cwch hwylio ar draws Bae Ceredigion i'r man lle, yn ôl Gwynfor, roedd y macrell yn "pingo" tyfodd teimladau annifyr yng nghorf John Jones. Methai'n lân sefyll ar ei draed wrth i'r cwch rowlio dros y tonnau, teimlai ei goesau yn wan ond yn waeth na dim cododd cyfog arno wrth i'w frecwast bwyso fel plwm yn ei stumog.

Yn y cyfamser roedd Gwynfor a Morgan yn llwytho'r cwch gyda'u dalfa o bysgod o bob math. Gwyliau Morgan cyflwr ei ffrind, roedd y gwrid oedd wedi bod mor amlwg yn gynharach wedi mynd yn llwyr gan adael gwawr llwydaidd afiach yn ei le, edrychai'r llygaid yn ddagreuol ac yn goch, roedd yn amlwg fod ei hen ffrind yn dioddef.

'Dwi wedi cael digon nawr, Gwynfor, os oes digon o bysgod gyda ti waeth i ni droi tua'r lan,' awgrymodd.

'Iawn,' atebodd Gwynfor. Diolchodd John Jones i'r Nef fod rhywun wedi clywed ei weddïau.

Erbyn iddynt gyrraedd y lan ym Mhwll Gwyn roedd y môr fel llyn heb unrhyw don yn agos. 'Beth wyt ti'n mynd i wneud â'r llwyth yma?' gofynnodd John Jones ar ôl gweld faint o bysgod oedd yn y bocsis pren.

'Fe fydd Mam yn rhoi lifft i fi lawr i Aberteifi, mae na ddau foi sy'n disgwyl amdanyn nhw,' atebodd Gwynfor.

'Dwed ti wrth dy fam ei bod yn hen bryd dy fod ti'n dysgu gyrru car.' Gobeithiai Morgan na fyddai yn awgrymu y dylai ef neu Elisabeth dysgu'r llanc, ond synnwyd pan cynigodd John Jones ei hun i'w ddysgu, 'Unrhyw bryd ti ishe, 'machgen i,' ategodd cyn diolch iddo am y pysgod a'r trip.

Teimlai'n lawer mwy cyffyrddus unwaith bod ei draed wedi disgyn ar dir sych unwaith eto, 'Gei di gadw fy mhysgod i, Morgan, i ddweud y gwir dwi ddim yn un amdanynt – lawer gwell da fi bacwn a wy 'di ffrio. Yn enwedig gan bod Siwsan ddim yma i'w glanhau a'i baratoi – byddwn i ddim yn gwbod ble i ddechrau,' dywedodd wrth i'r ddau gerdded i fyny tuag at Awel Deg.

'Lan i ti, John, wyt ti wedi clywed wrthi?'

'Do, do. mae reit cyffrous am heddiw – wyt ti'n gwbod pwy sy'n dod i'r Eisteddfod heddi i weld y coroni?'

'Paid a dweud Tom Jones,' gwenodd Morgan arno.

'Nage, nage, diawch dwi ddim yn ei weld e yn hedfan yn ôl i Hwlffordd o Las Vegas, wyt ti?' Daliodd ei wynt am eiliad cyn mynd ymlaen, 'Na, na, mae'r Tywysog Charles ei hunan yn mynd i fod 'na – yn y pafiliwn i weld y coroni yn ôl pob sôn.'

'Ti'n meddwl 'ny?' er y gwyddai Morgan yn well cadwodd yn dawel. Un o wendidau John Jones oedd ei fod yn rhy barod i dorri cyfrinach a gwrando ar glonc ar brydiau.

'Yn bendant, dywedodd Siwsan wrtha i neithiwr. Roedd hi'n gwarchod Anwen fach a'i ffrindiau newydd. Nawr te, beth oedd ei henwau nhw hefyd?' Meddyliodd am eiliad gan gymryd y cyfle i ddal ei wynt eto, 'O, ie, Anya, Ollie, a Gwyddeles fach,' daeth seibiant byr, 'Aisling, dyna fe, dyna oedd ei henw. Enw bach rhyfedd o'n te' fe – Aisling.'

Ar y gair cwmpodd y darnau i'w lle. Gwelai Morgan yr holl beth yn ei gyfanrwydd. Wrth gwrs, shwt galle fe wedi bod mor blydi twp. Hwlffordd; Yr Eisteddfod Genedlaethol; y coroni; y Tywysog – nid Aberystwyth o gwbwl!

Ac yno roedd Elisabeth, Morwenna, ac Anwen heb sôn am y miloedd o Gymry eraill – i gyd wedi mynd i fwynhau'r ŵyl.

Ac yno byddai Y Blaster, Sean Nulty oedd yn hollol anymwybodol bod ei brif darget ar ei ffordd adre ac yn ddigon pell o Hwlffordd. Byddai'r cynllun erchyll heb newid.

Sylwodd John fod Morgan wedi rhewi'n stond. Safai wrth ddrws ffrynt Awel Deg, edrychai'n syn arno, y wên gyfeillgar wedi diflannu a'r llygaid tywyll, meddal wedi troi yn galed ac yn oer.

Rhegodd Morgan. Aeth yn syth i'r ffôn.

'No. I'm sorry 58, this is 41 here, 37 isn't available. We've had a *bit of an incident at the Houses of Parliament, can't give you details I'm afraid. How can I help you, old boy?'*

Eglurodd Morgan wrtho am ei ofidion ynglŷn â Sean Nulty, The Blaster, a'r teimlad ei fod yn mynd i osod bom ar faes yr Eisteddfod er mwyn lladd y Tywysog.

'No need for you to worry anymore, mate,' dywedodd y Sais, *'HRH has cancelled his visit as of last night, no idea why, so the problem has resolved itself.'*

'Not if Sean Nulty still thinks he's coming and decides to detonate his bomb and kill or maime several thousand Welsh people, you idiot,' tro Morgan i golli ei dymer oedd hi nawr wrth iddo deimlo rhwystredigaeth gyda'r dyn di-enw ar yr ochr arall.

'There's no need to take that attitude, 58,' dywedodd hwnnw, *'Leave it with me – I'll call you back,'* a gyda hynny aeth y ffôn yn ddistaw.

Rhegodd Morgan yn uchel eto, cydiodd ym mraich ei gyfaill, 'Dere, John, rhaid i ni fynd, mae 'na fom yn yr Eisteddfod.'

Doedd 'na neb yn Awel Deg i ateb y ffôn y tro nesaf wnaeth ganu.

44

Doedd dim syniad gan Morgan p' un oedd y ffordd gyflymaf o Bwll Gwyn i Hwlffordd. Roedd wedi gobeithio byddai John Jones yn ei arwain yno yn ei gar bach glas ond roedd na'm cymhariaeth rhwng cyflymdra Rover V8 Morgan â Ford Escort ei gyfaill. Teimlai nad oedd John wedi ystyried difrifwch y broblem yn iawn. Ond yr oedd.

Er i'r Escort ei arwain ar hyd y ffordd o Awel Deg i'r brif ffordd, roedd y Rover wedi ei basio ymhell cyn croesffordd Gogerddan a'i adael yn y pellter. Synhwyrai Morgan mae'r ffordd orau byddai dros Y Preseli ac ymlaen rhywsut tua'r gorllewin er doedd ddim cof ganddo o fynd y ffordd yna erioed o'r blaen.

Gyrrau yn wyllt ar hyd y ffyrdd, rhai ohonynt yn syth ac yn llydan ac eraill yn droellid ac yn gul ond, trwy lwc, nifer fach iawn o gerbydau eraill oedd o amgylch o ystyried ei bod yn ddiwrnod heulog braf o Haf. Ond doedd hyn ddim yn croesi meddwl Morgan. Gwyddai fod yna fom rhywle ar faes yr Eisteddfod, ond doedd ganddo'r un syniad ymhle.

Teimlai lwmp yn ei wddw; teimlai ei geg yn sych; teimlai dagrau yn cronni yn ei lygaid. 'Elisabeth,' gwaeddodd, er doedd 'na neb yno i'w glywed. 'Paid aros yna; Cer o 'na; cer a cer a phawb arall gyda ti.' Ond daeth na'r un ateb o'r gofod.

Cyrhaeddodd gyrion Hwlffordd, gwelai'r arwyddion yn ei orfodi i arafu – anwybyddodd nhw i gyd wrth chwilio am arwyddion i faes yr Eisteddfod. Ddim ymhell nawr. Trïodd gofio beth oedd Elisabeth wedi dweud wrtho am leoliad ei carafán. Oedd, roedd hi'n mhell o'r ffôn ond yn gyfleus i'r pafiliwn. Gwelodd arwyddion – Maes Carafannau a Phebyll – PWYLL.

Gwelodd ei char bach coch. Anelodd tuag ato. Sychodd ei lygaid yn gyflym a neidiodd allan o'i gar – ond doedd na neb yn y garafán – na neb o'i hamgylch chwaith.

* * *

Teimlai Elisabeth yn annifyr rhywsut er na wyddai pam. Roedd wedi treulio'r bore yn cerdded yma ac acw ar hyd maes yr Eisteddfod wrth edrych ar amryw stondinau. Myfyrwraig ym Mangor ydoedd y tro diwethaf aeth i'r Eisteddfod Genedlaethol – hithau yn fam ddibriod ac yn byw yn Rachub ger Bethesda gyda'i rhieni – mawredd ble oedd yr amser wedi mynd, dwedwch?

Cerddai Siwsan gyda hi yn gwmni y tro yma, hithau yn barod i wario arian ar bob stondin. Yr unig beth prynodd Elisabeth oedd dau baned o de mewn cwpan rhad a chrempog seimllyd. Teimlai efallai fod hynny wedi creu yr annifyrrwch yn ei chorff ond roedd ei ffrind wedi cael 'run peth a theimlai hi'n iawn.

Diwrnod pwysig yn amserlen yr Ŵyl heddiw, Seremoni y Coroni byddai'n cymryd lle yn y pafiliwn am ddau o'r gloch ac, yn ôl pob sôn, roedd Tywysog Cymru ei hun yn ymweld â'r ŵyl – ac roedd hynny yn eithriad. Cynyddai'r protestwyr yn barod wrth y pafiliwn ac hefyd wrth y fynedfa i'r maes. Gwelai eu baneri a'i placardiau yn chwifio o amgylch y lle, gwelai'r niferoedd o ymwelwyr yn cynyddu wrth i'r bore fynd yn ei flaen gyda channoedd os nad miloedd yn llenwi'r maes yn barod. Diolchodd i'r Nef nad oedd Alun yma, byddai'r nifer o bobl yn uffern ar y ddaear iddo.

Yn sydyn, ac heb reswm, teimlai ei bresenoldeb wrth ei hochr. Gwnaeth y teimlad rhoi gwên ar ei gwyneb a gwneud iddi droi i'w groesawi ond, na, doedd ddim yno – ac eto roedd hi'n siŵr ei bod wedi ei deimlo yn cyffwrdd ar ei braich. Clywai ei lais yn galw arni yn y pellter. Gwnaeth edrych yn fanwl o'i hamgylch ond na, doedd 'na ddim sôn amdano yn un man – nag unrhyw un edrychai'n debyg iddo, chwaith. Gwenodd yn dawel eto wrth ei ddychmygu yn mwynhau ei hunan ar gwch Gwynfor.

'Oes rhywbeth yn bod?' gofynnodd Siwsan.

'Mmm? Na, na, fe ges i bwl bach o bendro, na 'i gyd,' atebodd ac aeth y ddwy ymlaen i weld y nwyddau ar y stondin nesaf.

★ ★ ★

'Dadcu! Dadcu!'

Cerddai Morgan yn wallgo ar hyd y llwybr o'r garafán tuag at y Maes. Edrychai yn wyllt i bob cyfeiriad gan chwilio am unrhyw wyneb cyfarwydd, ond er y nifer o'i amgylch doedd yr un wyneb yn adnabyddus.

'Dadcu! Dadcu!'

Clywodd yr alwad, adnabyddodd y llais ar unwaith. Trodd yn ei unfan i weld Anwen yn rhedeg tuag ato a thu cefn iddi roedd yna dri plentyn arall yn edrych yn syn arno. Erbyn i'w wyres gofleidio ag e roedd Morwenna hefyd wedi troi lan.

'Dad, beth y'ch chi yn gwneud 'ma? Ydy Mam yn eich disgwyl?'

'Mae'n gymhleth,' atebodd heb eisiau sôn am y perygl o

flaen y plant, 'Ble mae dy fam?' Pwyll pia hi, teimlai, doedd ddim am godi arswyd yn ormodol.

'Yn agos i'r pafiliwn dwi'n gobeithio, rydym ni i gyd yn mynd lawr i weld Prins Charles a'r orsedd ac ati – ydych chi'n dod?'

Ymunodd Morgan â'r parti bach gyda Anwen yn mynnu cydio yn ei law.

'Gwranda, Morwenna, dyw e ddim yn dod 'ma heddi',' trodd at ei ferch.

'Shwt y'ch chi'n gwbod?' edrychai Morwenna yn syn arno, gwelodd yr olwg yn ei lygaid, gwyddai fod na broblem, gwyddai'n well na holi ymhellach ar hyn o bryd. Trodd ei sylw tuag at y dorf oedd yn casglu tu allan i'r Pafiliwn, 'Wel, mi fydd 'na lwyth o bobol yn siomedig os na fydd e 'ma.'

'Ac eraill yn ddigon balch,' edrychai Morgan ar y protestwyr erbyn hyn. Cyn y fedrai rhoi eglurhad am absenoldeb y Tywysog, clywodd lais Elisabeth yn galw arno. Trodd a'i gweld yn sefyll ymysg y dorf yn edrych yn anghredadwy arno.

'Rydym ni'n mynd i chwarae Monopoli ar ôl gweld y Prins, Dadcu,' torrodd Anwen ar draws ei feddyliau wrth iddi dynnu ei fraich a neidio i fyny ac i lawr, 'Wyt ti am ddod i chwarae gyda ni?'

Plygodd lawr i fod wyneb yn wyneb â hi, 'Gwranda, Ffloss, dyw'r Prins ddim yn teimlo'n dda ac mae'n methu dod 'ma heddiw.'

'O! Na,' dangosodd Anwen ei siom, 'Wyt ti'n adnabod y Prins te, Dadcu?'

Cyn iddo gael y cyfle i ateb roedd Elisabeth wedi cerdded draw tuag atynt.

'Beth ti'n gwneud fan hyn, Alun?' gofynnodd â'i meddwl yn chwildro. Gwelodd y gofid yn treiddio ei lygaid, gwyddai bod rhywbeth difrifol ar ei feddwl, 'Be' sy'n bod?' gofynnodd.

'Gwranda, 'nghariad i, paid a gofyn pam am nawr, ond cer a'r plant 'ma 'nôl i'r garafán, cadwa nhw yn ddiogel ac yn ddigon pell o fan hyn.'

'Pam, Dad?' gofynnodd Morwenna, ond cyn iddo ddechrau rhoi eglurhad,

'Daddy, daddy,' seibiant bach cyn, 'It's my daddy...daddy,' torrodd llais ar eu traws, llais merch fach oedd yn llawn cyffro hapus, llais ag acen y Gwyddel yn dew ar ei thafod, roedd Aisling wedi gweld ei thad.

Trodd Morgan yn araf i weld pwy oedd wedi dal ei sylw.

45

O'r diwedd gwawriodd y diwrnod mawr. Gwyddai Sean yn iawn pwy oedd y targed; gwyddai'n iawn sut y byddai'n taro'r diawl; gwyddai'n iawn ymhle a phryd – doedd na'm byd yn mynd i amharu ar y cynllun mwyach. Gwyddai hefyd byddai sawl un arall – pobl cyffredin a chyfeillgar, yn cael eu lladd neu eu niweidio yn ddifrifol, ond dyna fe, dyna fel oedd pethau mewn rhyfel, y diniwed oedd wastad yn talu'r gost – fel wnaeth ei wraig annwyl ef. Ond doedd y targed ddim yn ddiniwed –nid llai nag aelod o Deulu Brenhinol Prydain Fawr, yn ogystal â etifedd y goron, a'i fraint ef, Sean Nulty, byddai gweithredu'r drosedd.

Ymddangosai yn hollol ddigyffro ac yn llawn hyder wrth gerdded o amgylch y maes. Gorweddai'r teclyn byddai'n creu y difrod uffernol yn ddiogel yn yr ysgrepan dros ei ysgwyddau â'r taniadur ym mhoced ei anorac. Wedi gweithio ar Faes yr Eisteddfod dros yr wythnosau diwethaf gwyddai'n union ble byddai'n gosod y fom er mwyn sicrhau llwyddiant y prosiect. Aeth i'r drafferth i baratoi man bach arbennig lle fedrai fynd mewn i'r pafiliwn heb neb yn ei weld ac wedyn cripian draw o dan y llwyfan mawr, gosod y bom ar y funud olaf gan adael digon o amser iddo ddianc o'r lle ac o'r maes.

Byddai'r seremoni, beth bynnag oedd e, doedd Sean ddim yn un i werthfawrogi y celfyddydau, yn dechrau yn brydlon am ddau o'r gloch. Pryd hynny byddai drysau'r pafiliwn yn cael eu cloi fel na bod neb yn medru dod mewn na mynd allan – neb i amharu ar y seremoni, neb i amharu ar y cynllun. Byddai'r targed yn ei le ar y llwyfan ymysg y bobl bach rhyfedd oedd yn gwisgo dillad hir amryw liw. Edmygai Sean y ffordd drwyadl roedd ei feistri wedi cynllunio'r holl beth. Byddai'r bom yn ei lle. Byddai yntau yn gadael y Maes ac yn ei gar cyn gwasgu'r bwtwn gwyrdd i greu'r ffrwydrad difrifol. Erbyn bod unrhyw un yn sylweddoli byddai ar ei ffordd i'r Berllan i gyfarfod â'r ddau arall ac ar ei ffordd adref.

Cerddai'n hamddenol tuag at y pafiliwn, gwelai'r dorf yn cynyddu yn agos i'r brif fynedfa. Gwenodd wrth weld faint ohonynt oedd yn amlwg yn wrthwynebol i'r gŵr gwadd er nad oedd unrhyw sôn amdano hyd yn hyn. Edrychodd ar ei wats – dal digon o amser iddo gyrraedd cyn y seremoni. Edrychai Sean fel un o'r criw cynnal a chadw wrth iddo gerdded o amgylch gyda'i fathodyn swyddogol rownd ei wddw. Oedd, roedd pob dim yn mynd yn ôl y cynllun heb unrhyw broblem.

'*Daddy! Daddy!*' clywodd y llais cyfarwydd, '*It's my daddy... daddy,*!'

Adnabu'r llais ar unwaith, clywai ef yn glir, clywai'r cyffro ynddo, clywai'r hapusrwydd – ond roedd hyn yn amhosib. Aisling? Ei ferch fach – yma? Ond sut...?

Edrychodd o amgylch y dorf. Clywodd ei llais yn ei alw eto. Gwelodd hi yn chwifio ei breichiau tuag ato, ac yn gwenu'n llydan arno.

Gwelodd, hefyd, y dyn tal oedd yn sefyll yn agos iddi; gwelodd ef yn troi yn araf tuag ato.

Y gwallt coch, y corff cyhyrog, y wyneb cyfeillgar, agored – yn union fel y disgrifiwyd Ann Rhys y dyn roedd wedi gweld yn gweithio yn Y Berllan. Barnodd Morgan ei hunan mewn eiliad. Roedd Sean Nulty wedi bod ar ei stepen drws yr holl amser – dylai ef fod wedi sylweddoli hynny.

Dechreuodd gamu yn gyflym tuag ato cyn i'r Gwyddel droi a charlamu i ffwrdd. Rhedodd Morgan yn gyflym ar ei ôl tra roedd Aisling yn gweiddi ar ôl ei thad ac yn methu deall pam yr oedd yn rhedeg oddi wrthi.

Ni wyddai a oedd y bom wedi ei phlannu a'i peidio – ond roedd y bag yn dal o amgylch yr ysgwyddai. Byddai'n lawer haws iddo rhedeg hebddi os nad … os nad – ie, wrth gwrs dyna lle roedd y bom. Felly doedd y Gwyddel heb gael y cyfle i'w gosod yn y man priodol, roedd yn dal ganddo. Diolchodd i'r Nef, os oedd yn gywir, byddai 'na ddim ffrwydrad yma heddiw. Tipyn bach yn rhy gynnar i deimlo fod pob dim yn ddiogel.

Rhedai Sean am ei fywyd tuag at y maes parcio gyda Morgan ar ei sodle. Yn rhyfedd wnaeth neb feddwl am stopio 'run ohonynt er fod nifer yn eu gwylio yn ffoi. Neidiodd Sean dros ben y ffens bren a rhedai o amgylch y darn hynna o'r Maes, ceisiodd Morgan yr un naid ond daliodd ei droed ar y darn uchaf a chwmpodd yn un darn ar y llawr. Daeth Sean yn bwyllog tuag ato gan sefyll uwch ei ben,

'Ydych chi'n sylweddoli beth y'ch chi wedi gwneud?' gofynnodd yn haerllug.

Gwyddai Morgan pa mor fregus oedd ei fywyd ar yr eiliad honno. Os oedd gwn gan Sean, byddai wedi bod yn ddigon hawdd iddo saethu Morgan petai eisiau ac i ddianc o'r lle.

'Ydw, dwi wedi safio bywyd Aisling, dy ferch fach,' atebodd Morgan gan ddal ei lygad. Gwyddau yn reddfol na fyddai Sean yn gosod ei ddyfais yn agos iddi hi. Cododd i fyny yn araf ar ei draed.

'Dim ond un person oedd y targed, dim ond un,' roedd yn

amlwg fod y Gwyddel yn gynddeiriog yn ei rhwystredigaeth.

'A doedd e ddim yn dod yma heddiw.'

'Beth ti'n feddwl?'

'Mi wnaeth newid ei feddwl a troi 'nôl neithiwr ond yn bendant mi fydde ti wedi lladd dy ferch fach,' edrychodd Morgan i fyw ei lygaid..

'Be...be?' teimlai Sean ar goll wrth iddo sylweddoli cywirdeb y geiriau clywai.

'Aisling? Dy ferch fach, y loced aur a'i henw arno? Oeddet ti'n barod i'w lladd hi, i'w aberthu hithau dros yr achos – yn union fel ei mam. Ai dyna oedd dy fwriad, Sean Nulty?'

Taflodd Sean ei ddwrn at Morgan a'i daro'n galed ar ei ên. Cwmpodd yn galed ar ei gefn. Gwelodd Sean yn rhedeg i ffwrdd unwaith eto, i ffwrdd oddi wrtho ef, i ffwrdd oddi wrth yr Eisteddfod. Cododd ar ei draed a'i weld yn dringo mewn i gar melyn a gyrru ar frys allan o'r maes parcio. Rhywsut teimlai ei fod yn gwbod i ble roedd yn dianc ond roedd ei gar e pen arall i'r Maes. Aeth tua'r ffens a'r tro yma wnaeth ddringo drosti. Rhoddodd ei droed ar y darn gwaelod ac wrth dynnu ei hun i fyny sylwodd ar focs bach du yn gorwedd ar lawr. Plygodd a'i chodi gan sylweddoli yn syth bod ganddo taniwr y bom yn ei law, rhaid ei bod wedi cwmpo allan o boced Sean wrth iddo neidio dros y ffens. Rhoddodd y bocs yn ddiogel yn ei boced heb wasgu unrhyw fwtwn a rhedodd am ei gar.

46

Gwyddai Sean bod yn rhaid iddo ddychwelyd i'r Berllan er mwyn cyfarfod â'r ddau Wyddel arall, yn ôl y cynllun dyna'r unig ffordd fedrai ddychwelyd yn ddiogel i'w gartref yn yr Iwerddon ac i fod yno cyn bod Aisling ac Anette yn cyrraedd yno. Ond beth yn y byd oedd y ddwy yn gwneud yn yr Eisteddfod yn y lle cyntaf? Cofiai am Anette yn sôn am leoliad pasbort Aisling ac roedd rhyw gof ganddo ei bod wedi sôn am Ogledd Cymru yn hytrach na'r Gorllewin.

Methai gael ei feddwl yn syth wrth iddo geisio gofio'r ffordd yn ôl i'r Berllan. Yr unig dro roedd wedi gwneud y siwrne roedd wedi bod yn dilyn y car mawr du heb unrhyw syniad i ble roedd yn mynd. Gwyddai'r ffordd o Hwlffordd i Arberth yn iawn, roedd wedi ei thrafaelio yn ddyddiol; cofiai'r ffordd ymlaen trwy Hen Dy Gwyn tuag at Caerfyrddin. Er iddo farnu ei hunan am beidio talu fwy o sylw ar y bore Sul hynny, teimlai ei hyder yn tyfu wrth i'r milltiroedd fynd heibio. Cadwai lygad barcud ar y ffordd tu cefn iddo rhag ofn ... er yr oedd yn siŵr ei bod yn rhy gynnar i unrhyw un ei ddilyn hyd yn hyn. Ond eto.....

Na, na, byddai'r dyn tal yn gwbod mae Gwyddel ydoedd felly byddai'n meddwl ei fod ar ei ffordd i ddal y fferri yn Abergwaun ac yn mynd yno cyn gynted a fedrai – os medrai. Gwenodd wrth ei hun am ddychmygu'r rhwystredigaeth byddai'r camgymeriad yn creu.

Ond eto....

A pwy uffern oedd y dyn tal a sut yn y byd oedd e wedi troi lan ar Faes yr Eisteddfod, fel y gwnaeth e, ar yr union ddydd roedd y ffrwydrad fod i ddigwydd ac ar yr union pryd yr oedd e yn mynd i osod y bom? Ond eto...

Sut oedd hwn yn gwybod fod yr aelod or Teulu Brenhinol wedi penderfynu dileu ei ymweliad â'r ŵyl?

Oedd rhywun wedi ei fradychu, tybiodd?

Doedd e, Sean, heb ddweud wrth neb am unrhyw gynllun; doedd e, Sean, heb greu unrhyw argraff ei fod yn paratoi bom – roedd wedi gwneud y gwaith yn ddilys ac yn dawel bach. Ond eto.....

Mwy na hynny doedd neb arall yn gwbod am y cynllun heblaw am aelodau eraill o'r IRA a rheiny ar frig y symudiad. Na, byddai'r un ohonynt wedi torri'r cytundeb. Gwyddent yn iawn beth fyddai'r gosb – marwolaeth creulon ar ôl poenydiad didrugaredd. Rhedai wahanol enwau a'i hwynebau ar draws ei feddwl. Pwy allai elwa o dorri'r gyfrinach? Gwelai wyneb Brenda yn glir o'i flaen. Teimlai o hyd mai hi oedd wedi dwyn loced fach Aisling a'i chuddio rhywle er ei bod wedi gwadu hyn dro ar ôl tro. Oedd Aisling ei hunan wedi clywed rhywbeth na ddylai wrth chwarae yn yr ardd tu allan i'r sied? Oedd hi wedi ei rannu gyda Anette, neu gofyn beth oedd y geiriau yn meddwl – ac hynny yn gwbwl ddiniwed? Oedd Anette wedi sôn am hyn wrth yr Awdurdodau?

Na, na roedd hyn yn amhosib; ond oedd, roedd y dyn tal yn iawn. Mi fyddai wedi bod yn gyfrifol am ladd Aisling neu, o leiaf, ei niweidio yn ddifrifol – ei ferch fach ei hunan. Sylweddolodd Sean pa mor agos roedd hyn wedi bod. Shwt yn y byd byddai'n galler byw gyda'i hunan a'i hwynebu yn y dyfodol pe byddai hyn wedi digwydd. Sylweddolodd Sean bod arno ddyled fawr i'r dyn â'r graith ar ei foch. Sylweddolodd ei bod yn angenrheidiol iddo gael gwared o'r bom neu ei chuddio rhywle diogel lle byddai neb yn medru dod o hyd iddi. O leiaf, wedyn, byddai ar gael erbyn y tro nesaf.

Dychwelodd wyneb Brenda i'w feddyliau, gwelodd yr euogrwydd yn ei llygaid. Gwyddai unwaith y byddai'n cyrraedd Y Berllan, byddai'n ddyletswydd arno i ddysgu gwers i'r fenyw afiach. Y Berllan! Mawredd!

Mor glwm oedd Sean i'w feddyliau bu bron iddo yrru heibio i Bont Henllan heb sylweddoli. Sglefriodd wrth frecio'n sydyn, trodd i'r dde dros y bont ac ymlaen. Gwyddai'n iawn lle'r ydoedd nawr; teimlai'n ddiogel nawr. Ond eto....

Gyrrodd lawr lôn Y Berllan yn araf ac heibio i'r tŷ a phob dim i weld yn ddigon tawel. Gwyddai'n iawn lle fedrai guddio ei gar. Gyrrodd yn araf i'r man tua hanner ffordd rhwng y tŷ a'r hen felin a thu cefn i'r berllan lle roedd wedi dod ar draws adfeilion yr hen sgubor yn ei ddyddiau cynnar yno. Byddai'r car yn gwbl guddiedig ac allan o olwg unrhyw un byddai'n digwydd galw draw. Gadawodd ei fagiau yn y car a cherddodd i'r tŷ.

Ond siom! Roedd y drysau i gyd ar glo. Doedd ganddo 'run allwedd mwyach, roedd wedi ei rhoi yn ôl i'r dynion eraill cyn ymadael. Aeth i chwilio yn y cwt am yr allwedd sbâr ond doedd na 'run o dan y garreg lwyd. Roedd y ffenestri i gyd wedi ei cloi. Doedd na'm sôn am neb – rhyfedd!

Cerddodd yn ôl i'w gar gan gysuro ei hun bod Brenda wedi mynd i siopa mwy na thebyg ac fe fyddai'n ôl cyn hir gan ei bod hi bron yn amser te. Edrychodd o'i amgylch am le addas i guddio'r bom. Roedd yn rhaid i'r lleoliad fod yn un diogel ac, ar y 'run pryd, i fod yn ddigon cyfrinachol a chyfleus. Cofiodd am y taniwr wrth osod ei fag yn daclus. Gwthiodd ei law i'w boced i'w thynnu allan ond doedd y taniwr ddim yno. Ble ddiawl? Chwiliodd y car amdano ond methodd ddod o hyd i'r peiriant bach. Edrychodd o amgylch rhag ofn ei bod wedi cwmpo allan o'i boced. Rhegodd yn uchel. Wrth gwrs, roedd yn rhaid bod y teclyn wedi cwmpo allan pan wnaeth neidio dros y ffens wrth ddianc. Doedd dim byd fedrai wneud am hynny nawr, Yn bendant doedd e ddim yn mynd i ddychwelyd i Hwlffordd i chwilio. Cysurodd ei hunan bod y bom yn ddigon diogel lle yr oedd hi a'r taniwr yn rhy bell i ffwrdd i fod yn effeithiol. Eisteddodd yn dawel yn ei gar ac yn araf bach cwympodd i gysgu – a chysgu'n drwm.

47

Doedd Ann Rhys erioed wedi bod yn un am yr Eisteddfod er ei bod yn ddigon parod i wrando ar seremoni'r coroni ar radio ei char tra'n gyrru ar hyd ffyrdd adnabyddus. Clywai'r llais nodedig yn gweiddi 'A oes heddwch?' a'r gynulleidfa yn un llais yn ateb, 'Heddwch'. Teimlai ar ben ei digon ar y prynhawn heulog braf. Â'i hyder yn uchel teimlai dylai fynd i weld fod pob dim yn iawn yn Y Berllan unwaith eto.

Daeth at Bont Henllan, a'i chroesi; heibio i'r hen "camp Henllan" ar y dde; ymlaen heibio i'r hen orsaf a'r bont haearn gan gymryd y tro nesaf i'r dde yn hytrach na throi i'r chwith ac anelu am Llandyfrïog, ac Adpar. Oedd, roedd y siwrne yma yn gwbwl reddfol iddi wrth i atyniad Y Berllan ei gorchfygu. Cyn iddi sylweddoli beth oedd yn gwneud, parciodd ei char ar y clôs.

Edrychai Y Berllan yn wag ac yn unig wrth iddi gerdded tuag at y tŷ. Trwy lwc roedd wedi cofio dod a'r allweddi newydd gyda hi. Cofiai synnu pan ddywedodd Morgan wrthi am newid y cloeon ar y drysau rhag ofn byddai rhywun yn ceisio torri mewn. Doedd erioed wedi croesi ei meddwl ond gwelai'r synnwyr erbyn hyn. Er y gwyddai bod y lle yn wag, roedd hi'n dal yn amheus wrth agor y drws – fel pe bai yr hen ysbrydion yn disgwyl amdani, a hithau ar ben ei hunan y tro yma.

Yn bwyllog ac yn wyliadwrus aeth o un ystafell i'r nesaf.

Clywai bob smic o sŵn, dychmygai'r llygod bach, y llyg chwedl ei mam, yn crafu tu cefn i'r bordau wal. Cofiai ei Mamgu yn egluro iddi mae chwarae cwato roeddent yn gwneud yn gwmws fel plant bach. Cododd ei chalon wrth gofio'r cysur.

Deffrodd Sean ar goll yn llwyr. Yn araf bach cofiodd ble'r ydoedd. Mae'n siŵr, synhwyrodd, byddai Brenda wedi dychwelyd erbyn hyn. Byddai hithau, hefyd, wedi cael rhybudd o'i ddychweliad i'r lle wrth y ddau arall, mae'n siŵr. Dringodd allan o'r car i fynd i chwilio'r tŷ amdani.

Teimlai'n hollol ddiogel nes iddo weld y car bach oedd wedi ei barcio ar y clôs. Nid y car yma roedd wedi disgwyl, ond y car mawr du. Oedd Brenda wedi dod o hyd i gar, tybed? Oedd hi'n galler gyrru? Sylwodd bod drws y tŷ yn gilagored. Estynnodd ei law i sicrhau fod ei wn yn dal yn y wregys y tu cefn iddo ac aeth i mewn yn ddistaw bach.

Wrth iddi fynd o un ystafell lofft i'r llall, sylwodd Ann shwt oedd y dodrefn rhad yn newid delwedd yr ystafelloedd gwely yn llwyr. Er hynny clywai chwerthiniad ei Mamgu a'i Thadcu wrth iddynt wrando ar ei modryb, chwaer ei Mamgu, yn canu ar dop ei llais. Treiddiai hapusrwydd yr atgofion trwy ei meddwl a'r cyfan yn atseinio dros y gwagle. Cofiai mynd i'w gwely yn ofnus ar nosweithiau oer y gaeaf a'i mam yn gorwedd wrth ei hochr yn gwmni.

Doedd Ann erioed wedi teimlo' i hyn yn ddel. Pan oedd ond yn blentyn bach roedd pawb wedi dweud pa mor debyg i'w thad, yn hytrach na'i mam, ydoedd, roedd yn dal ac yn denau ac yn ddi-siâp. Wrth dyfu i fyny roedd yn ymwybodol bod ei thaldra yn ei gwneud i edrych lawer yn hŷn na'i ffrindiau a theimlai fod bywyd ddim yn deg.

Felly y teimlai wrth sefyll o flaen y drych mawr. Edrychodd ar ei hunan yn ofalus. Efallai mai'r ffordd roedd yr haul yn ei tharo drwy'r ffenestri mawrion, neu efallai mai'r cellwair a rhedai drwy ei meddwl ydoedd, ond teimlai Ann ei bod, wedi'r cyfan, yn fenyw digon deniadol. Er waethaf yr hyn roedd wedi teimlo gydol ei bywyd, doedd hi ddim yn ddi-siâp o gwbwl. Oedd, roedd hi'n dal ond roedd y coesau hirion, siapus, ond yn ei gwneud i edrych yn fwy deniadol nawr; ac oedd, roedd ei bronnau yn swmpus, ei chanol yn gul, a'i gwallt wedi ei droi yn ffasiynol a dim ond y mymryn lleiaf o golur ar ei hwyneb.

Daliodd yr adlewyrchiad ei dychymyg ac heb wybod pam gwthiodd ei llaw tu mewn i'w ffrog gan dechrau mwytho ei bron yn dyner. Roedd wedi darllen am fenywod yn gwneud hyn i'w hunain o bryd i'w gilydd ond doedd erioed wedi cael yr awydd na'r cyfle i arbrofi hyd nawr – yn enwedig gan fod neb arall o amgylch. Teimlai bleser annisgwyl, caeodd ei llygaid ac agor bytynau ei ffrog i gael gwell gafael ar ei hun. Collodd ei hunan yn y teimladau gwresog, rhywiol.

Chwiliai Sean am Brenda lawr grisiau gan synnu bod yr ystafelloedd wedi eu gwagi o ddodrefn. Yn sydyn clywodd syniai rhyfedd yn dod o'r llofft. Dechreuodd ddringo i fyny yn bwyllog. Tynnodd ei wn allan o'i wregys a cherddodd i gyfeiriad yr ochneidio. Oedd Brenda wedi cynnal partner newydd i'w gwely, tybiai?

Syfrdanwyd pan welodd yr olygfa o'i flaen. Nid Brenda ond rhyw wraig arall, rhywun edrychai lawer mwy deniadol. Roedd yn siŵr ei fod wedi ei gweld o'r blaen rhywle ond methai gofio ymhle. Safai'r wraig o flaen y drych mawr â'i llygaid ar gau. Roedd blaen ei ffrog goch ar agor ac hithau yn mwytho ei bronnau ac yn ochneidio.

Gwenodd Sean gan deimlo ei chwant yn codi. Aeth tuag ati gan rhwymo ei freichiau o amgylch ei brest. 'Dere di 'mlaen, cariad, gad i mi wneud hwnna i ti,' sibrydodd yn ei chlust.

Agorodd Ann ei llygaid mewn braw. Teimlai'r breichiau yn ei chwmpasu ac hithau heb glywed neb. Gwelai'r wyneb yn y drych. Gwelai'r gwallt coch. Gwelai'r wên lydan cyfeillgar. Clywai'r chwant yn y llais. Teimlodd ei hunan yn cael ei thynnu tuag at y gwely gan freichiau cryf, breichiau na fedrai ei wrthsefyll.

* * *

Heb unrhyw amheuaeth yn meddwl Morgan Y Berllan byddai noddfa Sean ond cafodd siom wrth gyrraedd yno a gweld car Ann Rhys wedi ei barcio ar y clôs. Parciodd yntau ymhellach i ffwrdd, dringodd allan yn dawel ac yn ofalus. Gwyddai yn reddfol os nad oedd ei elyn yma yn barod byddai'n cyrraedd ar unrhyw eiliad. Aeth tuag at y tŷ yn araf, teimlai bod y lle yn rhy dawel, rhywsut. Gwelodd fod un o'r drysau ar agor. Clywodd y sgrech. Cadarnhad bod Sean yma'n barod. Twyll pia hi, meddyliodd.

'Reit, ddynion,' gwaeddodd yn uchel gan stampio'i draed yn uchel i greu yr argraff ei fod mewn cwmni, 'Yr Heddlu sy' ma,' gwaeddodd, gan esgus bod eraill yn siarad ag e, 'Dewch lawr a dangoswch eich hunain.'

Cerddodd yn bwyllog i fyny i'r llofft mewn pryd i weld Sean yn baglu allan drwy ffenestr agored yr ystafell wely.

'Damo,' gwaeddodd cyn troi a gweld Ann yn tynnu ei dillad amdani.

'Wyt ti'n iawn?' gofynnodd. Amneidiodd hithau ei phen i ddweud ei bod. 'Wnaeth e ddim ....?'

'Naddo,' atebodd yn swil, 'Cerwch ar ei ôl ond byddwch yn

ofalus mae ganddo wn,' rhybuddiodd cyn sylwi ar y gwn yn ei law yntau. 'Oes na fwy...?' edrychodd arno.

'Dim ond fi,' atebodd, 'Aros di fan hyn.'

Gyda hynny brysiodd allan gan adael Ann i orffen gwisgo.

Yn sydyn clywodd Morgan injan car yn cael ei thanio o gyfeiriad yr hen felyn. Gwyddai os oedd Sean yn gobeithio dianc yn ei gar doedd na'm lle iddo yrru heibio y ddau gar oedd yno. Cerddodd yn gyflym tuag at y sŵn. Tawodd yr injan yn sydyn a clywodd ddrws car yn cau yn glep,

'Sean,' gwaeddodd heb neb yn ateb. 'Sean Nulty,' unwaith eto. 'Sean waeth i ti rhoi'r gorau iddi, mae ar ben arnat ti, machgen i,' ond dim ond distawrwydd llethol ym mhob cyfeiriad.

'Fe fydd yr heddlu yma mewn munud fach felly paid a bod yn wirion.'

Daeth ergyd o rhywle a chlywodd y bwled yn taro yn erbyn coeden cyfagos.

'Ble mae'r bom, Sean? Dere 'mlaen bydd yn synhwyrol,' sylweddolodd Morgan ei fod yn agosáu at y felyn.

'Gwranda, does neb wedi ei ladd hyd yn hyn, does neb wedi ei anafu, rho'r gorau iddi, ti'n gwbod mai dyna'r peth synhwyrol i'w wneud.'

Ergyd arall oedd yr ateb – yn agosach y tro 'ma.

'Gadwch i fi ffoi ac fe wnâi'n siŵr daw ddim niwed i chi na'r fenyw,' atebodd Sean.

'Ond does na'r un modd y fedru di ddianc,' awgrymodd Morgan.

'Peidiwch bod mor ffyddiog, gyfaill,' daeth llais arall o'r tu cefn iddo, clywodd Morgan y geiriau, teimlai metel oer y gwn yn cyffwrdd ei wegil.

'Mae'n ddrwg gennyf ein bod ni'n hwyr, Sean, ond fe

wnaethom ni achub y fenyw fach 'ma o'r tŷ,' chwarddodd y ddau ymwelydd newydd.

'Hon yw'r un ti'n cnucho nawr, ie fe? Gorfod i Brian fan hyn cael gwared o'r llall ar ôl i ti fod 'na! Ond ta waeth, fe gawn ni hwyl gan hon hefyd mewn munud fach.'

Daeth Sean i'r golwg, safai o'u blaenau yn wên o glust i glust. 'Ydych chi wedi dod i'm talu, te, Ronan?' gofynnodd.

'Tebyg iawn ac i dy gynnal adre,' atebodd Ronan yn ysgafn.

'Ble ydych chi wedi cuddio'r arian te, bois, mi wnes i edrych yn y tŷ?'

'Paid a phoeni, mae'n ddigon agos, Sean, ond wyddost ti doedd na'm sôn ar y newyddion am unrhyw ffrwydrad yn un man, na chwaith bod y diawl Prins wedi ei ladd – aflwyddiannus te, Sean?'

'Y tro 'ma, efallai, ond fe fydd 'na gyfle arall,' atebodd Sean yn hyderus.

'Ti'n meddwl 'ny?' a gyda hynny teimlodd Morgan y gwn yn cael ei dynnu i ffwrdd o'i ben.

'Dyma'r tâl am fethiant, Sean,' a thaniodd y Gwyddel y gwn yn syth at goesau Sean. Holltwyd y tawelwch gan y ddwy ergyd a'r sgrechfeydd.

Sgrechiodd Sean mewn poen gan gwmpo i'r llawr yn un darn, sgrechiodd Ann mewn ofn, rhyfeddodd Morgan ar sydynrwydd yr ymosodiad.

'Edrych ar eu holau nhw, Brian, tra 'mod i yn hôl yr arian. Cer trwy ei pocedi, a gwna'n siŵr fod na ddim arfau ganddynt,' gorchmynnodd Ronan gan gamu dros Sean oedd yn gwingiad mewn poen erchyll ar y llawr a'i waed yn pyllu o amgylch y llanast i'w bengliniau.

Gwenodd Brian yn faleisus wrth gamu tuag at Ann yn gyntaf, 'A beth wyt ti'n cuddio o dan dy ddillad neis, neis, fy nghariad fach i,' dywedodd wrth rhedeg ei law i fyny ei choes. Trodd Ann a'i gicio'n galed ar ei goes. Rhegodd yntau a'i tharo ar draws ei hwyneb, cwympodd hithau ar lawr. Symudodd Morgan i'w hamddiffyn ond trodd Brian ei wn tuag ato,

'Paid ti a mentro gwneud dim byd, ffrind' gwaeddodd ond o leiaf roedd Morgan wedi tynnu'r sylw i ffwrdd wrth Ann. Doedd na'r un ffordd y byddai'n gadael i'r ddau frawychwr cael eu gafael arni.

Gwthiodd Brian y gwn yn galed mewn i ystlys Morgan, rhedodd ei law dros ei gorff, roedd eisoes wedi cymryd ei wn oddi wrtho. Swmpai pob poced nes iddo ddod o hyd i'r taniwr rhyfedd. Edrychodd arno am ychydig, roedd yn amlwg na wyddai beth ydoedd. 'Beth yw hwn?' edrychodd ar Morgan.

'Dim byd i ti,' atebodd yntau gan geisio rhoi'r argraff nad ydoedd o bwys.

'Ronan,' gwaeddodd Brian wrth gario'r blwch plastig tuag at y felin, 'Ronan, dwi wedi dod o hyd i rhywbeth.'

Cerddodd heibio i Sean, 'Paid a gwasgu'r bytynau yna ta beth wnei di,' rhybuddiodd hwnnw y gorau fedrai.

'Pam?' edrychodd lawr ar Sean, edrychodd eto ar y taniwr, 'Beth os wna'i wasgu'r bwtwn yma, tybed?'

Gwnaeth dim byd ddigwydd ond gwelodd Morgan y dychryn ar wyneb Sean wrth iddo straffaglu i sefyll neu o leiaf i lusgo ei hunan o'r ffordd. Daeth yn amlwg fod y bom wedi ei chuddio yn ddigon agos. Yn waeth na hynny, gwyddai'r ddau bod Brian yn mynd i danio'r bom cyn hir. Gwyddai bod yn rhaid iddo ddianc o'r lle ar y cyfle cyntaf a mynd ag Ann gyda ef.

'Neu hwn?' dywedodd Brian wrth i Sean lusgo ei hunan heibio iddo.

Unwaith eto doedd na ddim ymateb i'r gwasgiad. Efallai

fod y bom yn ddiffygiol, ond na, gwyddai Morgan fod Sean yn ormod o grefftwr i hynny. Na, sylweddolodd mewn chwinciad, byddai wedi cynnwys ataliad i'r tanio er mwyn rhoi amser iddo fedru dianc pan oedd angen.

Gwyliodd Brian yn pendroni ac yn gwasgu'r botynau gan gerdded ar draws y rhodfa fechan a arweiniai mewn i'r felyn. Trodd, cododd Ann yn un darn o'r llawr a rhedodd mor gyflym a fedrai am loches – i ffwrdd o'r Gwyddelod; i ffwrdd o'r hen felyn; i ffwrdd o'r bom.

Clywodd lais Ronan yn gweiddi, 'NA....PAID....!....PA.....'

48

Clywai Morwenna ac Elisabeth sŵn y ffrwydrad yn glir wrth iddynt groesi Bont Henllan. Erbyn cyrraedd brig y rhiw medrent weld y colofn o fwg du yn codi yn y pellter ar yr ochr draw i Henllan –o gyfeiriad Y Berllan.

'Alun,' sibrydodd ei mam.

Gwyddai Morwenna yn ei chalon y byddai'n rhy hwyr i achub ei thad. Ar ôl i John Jones egluro yn gynharach pam yr oedd y ddau wedi dod i'r Eisteddfod yn y lle cyntaf, ac ar ôl i Morgan ddiflannu ar frys heb ddweud gair, gwyddai hithau, yn reddfol, fod cysylltiad rhwng y llofruddiaeth yn Y Berllan â'r bom.

'Rwy'n mynd ar ei ôl e,' dywedodd yn syml, 'Mam, dwi ishe agoriadau 'ch car, os gwelwch yn dda,' gan ymestyn ei llaw tuag at Elisabeth.

'Dim ond ar un amod,' dechreuodd ei Mam.

'Nac ydych,' atebodd ei merch wrth ddarllen ei meddwl.

'Rwy'n mynd ar ben fy hunan, te,' ystyfnigrwydd cariad.

Gwyddai Morwenna yn well nag amau y tro ma, a rhedodd y ddwy i'r car bach coch ar ôl i Siwsan gytuno yn gyflym i edrych ar ôl y plant. Teimlai John Jones ar goll, roedd am fod yn gymorth iddynt ond methai feddwl beth i'w wneud am y gorau. Gorchmynnodd Morwenna ef i fynd i swyddfa yr Heddlu lleol, egluro beth oedd wedi digwydd ac iddynt gysylltu a Heddlu Caerfyrddin, neu Aberystwyth, neu, yn well na hynny i gyd i gysylltu a J-J yn Sgotland Iard – dyna pwy byddai wastad yn gwbod beth i'w wneud am y gorau.

Nid un gyflym yw'r ffordd traws gwlad o Hwlffordd i Henllan – ac roedd Morwenna ar frys. Bu bron iddi golli ei gafael sawl gwaith wrth gymryd rhai darnau yn rhy gyflym. Gorfodir hi i basio dau dractor mewn mannau peryglus, y ddau yn symud mor araf a'r ddau yn cario llwythau anferth o wair. Bron fedrai glywed y ffermwyr yn rhegi ar ei hôl. Ond cadwodd y car ar y ffordd er waetha' pob dim – roedd wedi cael ei dysgu gan y gorau a nawr roedd yntau mewn perygl am ei fywyd.

'Rydym yn dod, Alun,' bloeddiodd Elisabeth wrth ei hochr, yr emosiwn yn cael y gorau ohoni ac yn drech na'i hunan ddisgyblaeth. Gwelodd Morwenna y dagrau yn llifo lawr gruddiau ei mam cyn sylweddoli ei bod hithau hefyd yn crio. Ond er yr holl ymdrech, gwyddai'r ddwy eu bod wedi cymryd yn rhy hir i gyrraedd – roeddent yn rhy hwyr, doedd na ddim mwy fedrent wneud. Wrth fynd drwy Henllan, stopiodd Morwenna y car tu allan i'r ciosg coch ar y sgwâr, rhedodd ato gan deialo rhif arbennig ei meistr yn Heddlu Caerfyrddin gan rhoi crynodeb iddo o'r digwyddiadau cyn rhoi gorchmynion iddo o'r hyn roedd angen ei wneud. Hyn i gyd heb dynnu anadl bron a chyn iddo ef gael cyfle i ddweud wrthi ei fod wedi cael gorchmynion tebyg gan Comander y Flying Squad yn Llundain, rhywun o'r enw J-J, ac fod pob dim y fedrai wneud yn cael ei wneud.

Anghofiai byth o'r olygfa oedd yn ei disgwyl wrth gyrraedd hen felyn wlân Y Berllan.

Gorweddai ei thad a'i freichiau ar led, ei wyneb yn y mwd o amgylch, a'i ben a'i gefn yn drwch o waed coch. Lliw y gwaed yn edrych yn waeth yn erbyn y crys golau o tanodd.

'Dad,' cwmpodd ar ei phengliniau yn agos iddo, roedd ei nerth wedi mynd yn llwyr o'i chorff.

Cerddodd Elisabeth heibio iddi fel pe bai mewn breuddwyd. Edrychodd trwy ei dagrau ar ei gŵr. Methai dderbyn beth oedd yn weld. Sut oedd hyn yn bosib? Ei gŵr, ei chymar, ei henaid a'i bywyd dros y blynyddoedd yn gorwedd yn gelain o'i blaen.

'Alun,' dywedodd yn dawel, 'Alun, fy nghariad i,' plygodd lawr wrth ei ochr gan ymestyn ei phen ymlaen i rhoi cusan tyner ar ei dalcen.

Teimlai wres ei gorff – dim ond eiliadau yn hwyr roeddent.

Rhoddodd ei llaw ar ei ysgwydd gadarn.

Teimlai symudiad – y symudiad lleiaf – ond yn bendant, roedd yna symudiad.

Roedd yna fywyd. Oedd, roedd yna fywyd.

'Mae'n fyw!' gwaeddodd yn wyllt, 'Morwenna! Morwenna! Mae e'n fyw!' Ni wyddai beth i'w wneud.

'Morwenna,' gwaeddodd eto, 'Mae dy dad yn fyw,' â'i llais rhywle rhwng chwerthin a chrio – a'r dagrau yn llifo lawr ei hwyneb.

Clywodd y ddwy y seirenau yn clochdar ar hyd y ffyrdd o amgylch wrth i gerbydau y gwasanaethau brys dasgu tuag at Y Berllan o bob cyfeiriad. Ond doedd Elisabeth ddim yn mynd i adael i neb ddod yn agos i'w gŵr. Felly aeth Morwenna i esgus ymchwilio'r difrod o'i hamgylch ond eisiau'r cyfle i grio dagrau ei gollyngdod ydoedd mewn gwirionedd.

Pallai Elisabeth symud o ochr Alun. Rhedodd ei bys ar hyd y graith ar ei foch, mwythodd ei wallt. 'Alun bach,' dywedodd yn dawel, 'Sawl un sy' wedi trio dy ladd di, dwed?' plygodd 'mlaen i rhoi cusan arall ar ei foch.

'Mmm, ti sy' na, Bwts?'

Rhewodd Elisabeth yn ei hunfan; y gair; yr enw bach annwyl 'na; yr enw bach cyfrinachol rhyngddynt: oedd, roedd wedi ei glywed, yn bendant roedd wedi ei glywed yn iawn ac nid mewn breuddwyd. Cododd ei phen rhyw fymryn bach, gwelodd symudiad bychan yn ei aeliau,

'Ti,' sibrydodd eto wrth geisio symud ei fraich.

'Paid, Alun, aros lle wyt ti,' rhybuddiodd, 'Rwyt ti wedi dy anafu yn ofnadwy.'

Clywodd griddfan arall yn agos iddo, gwelodd law, gwelodd fraich, 'Beth yn y byd....?'

Cododd Morgan i fyny yn araf gan ddatguddio Ann Rhys yn gorwedd yn lletchwith o dan ei gorff yntau. Llifai ychydig waed ar hyd ei thalcen ond heblaw am hynny a chlais ar ei boch roedd i weld yn ddianaf er yn ofnus. Edrychodd o'i hamgylch, golwg wyllt yn ei llygaid nes gweld wyneb cyfarwydd Elisabeth.

'Rwy'n iawn,' sibrydodd wrth i'r atgofion hunllefus lifo yn ôl trwy ei meddwl, 'Rwy'n iawn,' dywedodd eto, mwy i gadarnhau'r ffaith i'w hunan nag i neb arall, er doedd hi na Morgan yn medru clywed yr un gair roedd Elisabeth yn dweud wrthynt. Cododd y ddau i fyny yn sigledig. Rhwymodd yntau ei freichiau o amgylch Elisabeth a'i gwasgu'n dynn.

'Ond beth am dy gefn di, fy nghariad?'

'Mm? Beth?' Arwyddodd Elisabeth iddo droi er mwyn iddi ymchwilio ei gefn gwaedlyd. Sut yn y byd oedd e'n medru goroesi'r boen? Roedd y gwaed wedi sychu ar draws ei gefn yn llwyr, ac ar draws cefn ei goesau, a'i freichiau. Cydiodd Elisabeth yn ei grys carpiog a'i ddangos iddo.

Dechreuodd Morgan chwerthin, a chwerthin yn uchel. Ymunodd y ddau arall wrth iddynt sylweddoli mae dim ond lliw coch ydoedd, lliw oedd wedi cael ei wasgaru wrth i'r hen grochanau mawrion tu allan i'r felin cael eu ffrwydro'n deilchion a'u difrodi, dyna oedd "y gwaed".

Cerddai Morwenna draw i weld beth oedd achos yr holl chwerthin a rhwymo ei breichiau o amgylch ei thad ac Ann. Dechreuodd egluro iddo ei bod wedi edrych ar y difrod i'r hen felyn cyn iddi sylweddoli bod y ddau yn hollol fyddar. Cymerodd ei fraich a'i arwain tua'r felyn. Gwyliau Elisabeth y ddau yn cerdded gyda'i gilydd, ochr yn ochr, law yn llaw – y trysorau mwyaf yn ei bywyd. Trodd ei sylw at Ann a'i harwain yn araf i fyny at yr ambiwlans gerllaw.

Heb unrhyw amheuaeth roedd y bom wedi gweithio. Adfail llwyr oedd yr hen felyn, un wal yn unig oedd yn dal i sefyll fel pe bai honno wedi mynnu gwrthsefyll yr ymosodiad. Ymdrechion caled y gweithwyr gynt, i gyd nawr yn gymysgfa o haearn, a cherrig, a llwch ac yn ei mysg darnau o gnawd, esgyrn a gwaed dau Wyddel.

Cerddodd y ddau ymlaen tuag at yr argae dŵr. Gorweddai corff Sean ar led ar draws ochr y rhod rhydlyd. Fel edrychai'r ddau arno llifodd fwy o ddŵr lawr tuag ati ac wrth i'r rhod droi yn araf codwyd un o'i freichiau gan greu'r argraff ei fod yn ffarwelio arnynt wrth iddo adael eu cwmni a'r byd.

'Dyna ddiwedd arno, Dad,' dywedodd Morwenna ac yn rhyfedd dychwelodd ei glyw yn sydyn, roedd Morgan yn ei chlywed. Gwasgodd ei llaw yn dyner.

'Dere mlaen, dere i weld dy fam,' gwenodd arni a dychwelodd y ddau at Elisabeth.

Byddai saith mlynedd arall yn mynd heibio cyn i derfysgwyr Iwerddon lwyddo i ladd aelod o Deulu Brenhinol Prydain Fawr – ac hynny yn ddigon pell o Gymru.

49

Gwelodd Ann Rhys y car tywyll yn tynnu i fyny a pharcio tu allan i'w chartref ar yr union eiliad gwnaeth ei mam alw arni o'r gegin gefn.

'Dim ond ishe dweud 'mod i'n mynd yn ôl i'm gwely, dyna 'i gyd,' dywedodd yn dawel wrth weld yr olwg rhwystredig ar wyneb ei merch.

'Iawn, Mam, fyddwch chi ishe rhywbeth nes ymlaen?' gofynnodd wrth i gloch drws y ffrynt ganu yn uchel.

'O! Pwy sy' 'na nawr yn fy nychryn i fel hyn. Ych a fi, y plant 'na ydyn nhw – mae nhw'n canu'r gloch a rhedeg bant. Fyddan nhw ddim yn hapus nes 'y mod i yn fy nedd, dwi'n dweud wrthyt. Ych a fi!' a gyda hynny fu bron iddi redeg i fyny'r grisiau o'r ffordd. Gwelai Ann amlinell dywyll drwy'r gwydr barugog yn dangos mai nid plentyn oedd wedi canu'r gloch.

'Prynhawn da, Miss Rhys,' cyfarchodd D I Ron Powell hi wrth iddi agor y drws.

Syfrdanwyd yn llwyr, doedd erioed wedi croesi ei meddwl byddai'r heddwas yma yn galw i'w gweld yn ei chartref – ac hynny ar brynhawn dydd Sul, 'Oes 'na rywbeth o'i le?' gofynnodd yn frawychus.

'Na, na,' gwenodd arni, 'Digwydd pasio oeddwn i, a chofiais eich cyfeiriad yma yn Rhydlewis ac wnes i feddwl.....' un gwan oedd y celwydd a theimlai Ron y geiriau a'i hyder yn diflannu yn llwyr ar yr un pryd.

'Dewch i mewn am eiliad,' cymerodd Ann drueni drosto.

Cyn gynted y gwnaeth dderbyn ei chynnig o disied o de, clywodd rhywun yn taro'r llawr i fyny'r llofft yn galed. Edrychodd yn bryderus arni, 'Peidiwch a phoeni, Mam sydd yno ishe gwbod pwy sy' wedi galw,' ac aeth allan o'r ystafell.

Cymerodd Powell y cyfle i ail drefnu ei feddyliau ac felly roedd yn barod â'i stori erbyn iddi ddychwelyd, 'Dim ond galw i weld a ydych wedi gwella'n iawn ar ôl eich anafiadau yn Y Berllan oeddwn i ac i ddweud ein bod yn cau achos y llofruddiaeth wnaethoch chi ddarganfod ar ôl yr hyn glywoch chi gan y Gwyddelod,' ac hyn i gyd heb iddo gymryd anadl – a chyn cymryd llwnc helaeth o'i de a llosgi ei dafod.

'Diolch yn fawr, Mister Powell, ac ydw dwi'n hollol iach nawr.'

'O, dewch nawr, galwch fi'n Ron, Ann, rydym yn adnabod ein gilydd yn ddigon hir erbyn hyn.'

Sylwodd Ann ar ei wyneb yn gwrido'n goch ddu ar ôl rhoi'r awgrym. 'Mae'n siŵr ein bod ni wedi dod i adnabod ein gilydd yn ddigon da yn ddiweddar, o'n ydym ni, te,' cytunodd. Teimlai fod 'na rhywbeth reit annwyl amdano er ei fod yn boddi mewn swildod. Roedd ei galon yn y man iawn fel byddai ei Mamgu yn ddweud.

'Pam na awn ni mas am bryd o fwyd rhywbryd neu gilydd,' methai Ron Powell edrych arni wrth rhoi'r syniad. Cydiodd Ann yn ei law a bron iddo ollwng ei afael ar ei gwpan,

'Pryd byddech chi'n hoffi mynd, Ron?' daliodd ei lygad.

Collwyd y swildod, diflannodd y gwrid, daliodd ei llygad a dechreuodd chwerthin, 'O dwi ddim yn siŵr,' dywedodd yn euog, 'Dwi heb feddwl mor bell a hynny!'

Chwarddodd y ddau yn uchel, tra fod y fam yn methu'n lân deall beth yn y byd oedd yn mynd mlaen lawr grisiau.

* * *

Rhoi cais mewn am fabwysiadu Aisling oedd un o'r pethau cyntaf gwnaeth Anette ar ôl cyrraedd adref. Gwyddai byddai'r amser yn dod yn fuan pan byddai'n rhaid iddi ddweud wrth y ferch fach bod ei thad wedi ei ladd. Cofiai ddarllen disgrifiad am y digwyddiad rhyfedd yn y papur lleol cyn iddi adael Hwlffordd ar ddiwedd yr wythnos. Teimlai ei bod wedi dod i ben a'i pherswadio o'r diwedd mai camgymeriad llwyr ydoedd ei bod wedi ei weld e ar faes yr Eisteddfod.

'Byddai dy dad erioed wedi rhedeg i ffwrdd oddi wrthyt fel 'na,' dywedodd wthi dro ar ôl tro.

'Ond 'fe oedd e,' mynnai Aisling yn gyson.

'Rhywun oedd yn edrych yn debyg iawn iddo.....'

'Nage ddim, a dwi'n methu deall pam.....' nes ei bod yn beichio crio eto.

Ar y bore Gwener canlynol ac ar ôl noson o ddadlau a chysuro, 'Dwi am fynd adre. Bydd Daddy adre erbyn hyn. Dwi ddim yn hoffi'r hen le 'ma. Dwi ddim ym hoffi aros mewn carafán. Dwi ddim yn hoffi Ollie, nac Anya, nac Anwen. Dwi ishe gweld Daddy.'

Doedd Anette erioed wedi cael y fath drafferth ganddi. Methai hithau ddeall pam roedd Sean wedi rhedeg bant; methai ddeall pam yr oedd ar faes yr Eisteddfod yn y lle cyntaf – ond wedyn gwelodd yr eitem yn y papur lleol.

3 DEAD IN MYSTERIOUS
EXPLOSION AT DISUSED MILL

Doedd Anette ddim yn dwp gwyddai, cyn darllen amdano, bod y digwyddiad â rhywbeth i wneud â Sean. Gwyddai yn ogystal pwy fedrai rhoi'r gwybodaeth cywir iddi unwaith y byddai wedi dychwelyd i'r Iwerddon.

'Dim syniad beth ydych yn sôn am, fy merch i,' oedd ymateb un o'r dynion yn y tŷ tafarn yn y pentref.

'Sean Nulty? Erioed wedi clywed yr enw o'r blaen,' oedd ymateb eraill wrth crafu ei pennau. Ei hanwybyddu yn llwyr wnaeth y gweddill nes iddi sefyll ar ganol y llawr ar ei ffordd allan o'r dafarn. Cydiodd mewn gwydr mawr gwag a'i daflu ar lawr nes ei fod yn torri yn deilchion er mwyn gael sylw. Syfrdanwyd pob un ond mi wnaeth ddal y sylw,

'Nawr, gwrandwch chi 'ma, chi ddynion, chi y milwyr dewr ac arweinwyr parchus yr Iwerddon Annibynnol, mae 'na ferch fach draw yn y tŷ 'cw, merch fach sy' wedi colli ei mam pan oedd ond yn bedair oed, o'ch achos chi; nawr, mae ei thad wedi ei ladd yn ymladd dros eich achos chi a does na'r un ohonoch yn barod i gydnabod ei fodolaeth heb sôn am ei waith a'i ddewrder. Os mai dyma enghraifft o'ch Iwerddon Newydd, wel, stwffiwch e, a cerwch i'r diawl pob un ohonoch, ac os nad y'ch chi yn barod i wneud rhywbeth dros y ferch fach yma, wel fe wna i'n siŵr y byddwch yn edifar. Dwi'n gwbod yn iawn beth i wneud.'

Er, mewn gwirionedd, doedd ganddi'm syniad beth fedrai wneud, gadawodd y dafarn gan ddisgwyl cael ei dilyn. Gwyddai'n iawn sut yr oedd aelodau o'r IRA yn delio gyda gwragedd fyddai'n eu herlid neu yn eu bygwth. Ond daeth neb ar ei hôl, ac erbyn iddi gyrraedd adre roedd Aisling yn cysgu yn sownd yn ei gwely bach.

Chwarae yn yr ardd fel arfer oedd y plentyn pan stopiodd y car mawr du o flaen y tŷ. Cofiai gweld ei thad yn siarad gyda ymwelwyr mewn car tebyg. Rhedodd ato gan ddringo mewn i'r cefn ar ôl i'r dyn yn y got hir ddu lledr ofyn iddi a oedd hi eisiau mynd i weld ei thad. Aeth dyn arall i hel Anette o'r tŷ gyda esgus gwahanol, er un roedd yn hollol gredadwy. Ymunodd y ddwy â'i gilydd ar y set gefn lledr. Gyrrodd y car ymaith yn araf.

Does neb wedi gweld na chlywed unrhyw sôn am Anette Moore nag Aisling Nulty ers hynny.

★ ★ ★

'Mae'r tywydd yma'n anhygoel,' cododd Elisabeth i bwyso ar ei braich a chysgodi ei llygaid o'r haul, 'Pwy fasa'n meddwl?'

'Gwna fawr ohono fe,' daliai Morgan i orwedd ar ei gefn â'i lygaid ar gau wrth iddo mwytho ei choes yn dyner. Gorweddai'r ddau ar Garreg y Fuwch gan fwynhau brynhawn Sul heulog Haf bach Mihangel ar ddiwedd mis Medi. Erbyn hyn roedd yr ymwelwyr wedi gadael gan ddychwelyd y lle i'w gofal. Felly fach iawn o bobol oedd o amgylch ar y traeth. Siwtiai hyn Morgan i'r dim, petai ond yn medru, byddai'n gwneud y traeth yn hollol breifat.

'Mae'r lle yn wag,' sibrydodd Elisabeth.

'Heblaw am y cregyn, cregyn mân y môr, fel byddai'r hen gapten yn eu galw. Wyt ti'n ei gofio e'n sôn amdanynt?' gofynnodd Morgan.

'Dweud be'?'

'Rwy'n ei glywed e nawr. "Ti'n gweld 'y machgen i,'" dechreuodd Morgan ddynwared llais ei hen gyfaill, "Mae'r cregyn bach 'ma yn debyg iawn i'r ymwelwyr; mae 'na filoedd ohono nhw, mae nhw i gyd yn wahanol, mae nhw wastad 'ma a does neb yn talu dim sylw iddynt os nag oes rhywbeth arbennig yn digwydd. Un peth sy'n ein gwahanu – ar ôl i bawb fynd bant mae cregyn mân y môr yn dal i aros ar ôl".' Roedd ganddo sawl syniad bach rhyfedd fel 'na.' Arhosodd yn dawel wrth gofio amdano. 'Rwy'n galler clywed llais Ffloss o fan hyn,' chwarddodd yn sydyn.

'Wyt, mae Gwynfor newydd ddychwelyd o'r trip pysgota ac mae hi wrthi yn ei helpi e a Bronwen i dynnu'r cwch i'r lan.'

'Llwyth o bysgod ffres, gobeithio, a rhywbeth neis, neis i de,' canodd yn ysgafn wrth i'w wraig bwnio'n dyner ar ei fraich.

'Mae Gwynfor yn gwneud tipyn gyda Bronwen y dyddiau 'ma,' awgrymodd.

'O'r mawredd, Alun, wyt ti heb sylwi cyn hyn?' cododd ei llais mewn anghrediniaeth.

'Ar beth?' agorodd Morgan ei lygaid.

'Rwyt ti'n galw dy hunan yn dditectif mawr, ac rwyt ti heb sylwi bod Gwynfor a Bronwen yn ffansïo eu gilydd ers talwm,' ceryddodd Elisabeth ei gŵr.

'Cofiwch chi nawr, Missis Morgan' edrychodd Morgan yn sifil ar ei wraig llygad ar lygad, 'Pobol eraill sy'n fy ngalw i yn dditectif mawr,' dywedodd gan siglo ei ben yn rhyfedd, 'Digwydd cytuno a nhw ydw i, 'na i gyd.'

Cofleidiodd y ddau yn chwareus wrth i Anwen weiddi arnynt a chwifio cwlwm o bysgod yn eu cyfeiriad cyn mynd i helpi Twm Ifans i ddringo allan o'r cwch.

'Mae e mor hapus yn ei chwmni, wyddost ti?' cyfeiriai Elisabeth at y berthynas oedd wedi datblygu rhwng y ferch fach a'r hen ddyn, 'Rwy'n siŵr ei fod yn meddwl mai Bronwen yn ifanc yw hi. Mae ei gof e wedi mynd yn llwyr nawr, dyna roedd hi'n ddweud, dyw e'm yn cofio dim o'r ugain mlynedd diwethaf.'

'Diolch byth am hynny,' cytunodd Morgan, 'Ond beth mae Sal a Da yn meddwl am berthynas ei mab?'

'Maent yn ei dderbyn. Mae Sal yn gwbod am hanes Bronwen ond mae'n derbyn ei bod wedi cael ei gorfodi i wneud y pethau wnaeth. Ond, be sy'n bwysig yw, mae'n gwbod ei bod wedi cael ei bywyd yn ôl unwaith 'to.'

'Ie, ond ...' dechreuodd Morgan.

'Paid a'i ddweud e. Mae Sal yn sylweddoli fod gwahaniaeth mawr yn eu hoedran, ond mae hynny'n beth da, medda hi, achos mae angen rhywun yn hŷn ar Gwynfor i edrych ar ei ôl yn iawn.'

'Popeth yn iawn, te,' tawelodd Morgan.

'Ac mae John Jones yn gwneud joben iawn o'i ddysgu i yrru, medda hi, ac mae'n cymryd y prawf ar ganol mis nesaf – yn Aberteifi.'

'Ac fe wneith John Jones yn siŵr y bydd yn pasio ar y tro cyntaf, geu di weld,' gwenodd Morgan gan hanner ryfeddu pa mor dda roedd pethau yn troi allan ar ôl hunllef yr Haf.

* * *

Diwrnod i'r mamau oedd hi yn Dan-y Graig gyda'r dair mam yn eistedd yn y lolfa ffrynt cyn mynd i fyny'r grisiau i'r meithrinfa wresog roedd Omri ac Eirian wedi gorffen paratoi rhyw wythnos cyn i'r babi newydd gyrraedd.

Babi hwyr cafodd ei eni i'r ddau – bron tair wythnos yn hwyr mewn gwirionedd. Cyrraedd ar y funud olaf wnaeth Arianell fach heb achosi poen yn ormodol ar ei mam tra fod y tad, er yn bresennol, yn methu gwneud dim tra llifai'r dagrau lawr ei ruddiau.

'Chwarae teg mae e wedi gweithio'n galed ar y lle 'ma,'

dywedodd ei fam wrth i'r dair eistedd yn gyffyrddus yn yr hen Rwm Fflags er mai'r babi oedd yn dal eu sylw.

'Heb os,' cytunodd y fam arall, 'Mae'r lawnt newydd yn tyfu'n ardderchog yn yr ardd.'

'Mae e wastad wedi bod yn weithiwr caled, Missis Thomas,' gwenodd Missis Mathews, 'Union 'run fath a'i dad,' ategodd.

'Pryd i chi 'ch dwy yn mynd i alw eich gilydd wrth eich enwau cyntaf yn hytrach na Missis hyn a Missis yna?' ceryddodd Eirian y ddwy.

'Wrth gwrs, Mamgu Llandeilo a Mamgu Llandysul fyddwn ni nawr mae'n siŵr,' awgrymodd un.

'Wyddoch chi, dylwn i fod wedi priodi rhywun o'r Gogledd, o leiaf wedyn byddai un yn Famgu a'r llall yn Nain,' dywedodd Eirian mewn digri.

'O, paid siarad y fath lwtsh,' a chwarddodd y dair wrth i Arianell wneud symudiad bach sydyn yn nghôl ei mam.

'Roeddech chi wastad yn arfer teimlo yn oer iawn yn yr ystafell 'ma serch hynny, ond oeddech chi, Eirian?' awgrymodd Mamgu Llandeilo.

'Wel, wedi i'r goeden 'na fynd mae'r haul yn cael cyfle i wresogi'r lle yn iawn heb daflu unrhyw gysgod dros y tŷ,' cytunodd Mamgu Llandysul.

Gweni arnynt gwnaeth Eirian, rhoddodd gusan tyner ar dalcen Arianell, teimlai'r naws gwresog, cyffyrddus yn treiddio ei chorff, edrychodd ar y llawr – a chofiodd. Gwnaeth adduned i anfon neges draw at Alun Morgan ym Mhwll Gwyn i ddweud wrtho nad oedd y cysgod du wrth y lle tân i'w weld mwyach nag unrhyw sŵn rhaff yn gwichian i'w glywed chwaith.

Y DIWEDD

Nofelau Cymraeg eraill gan yr un awdur:

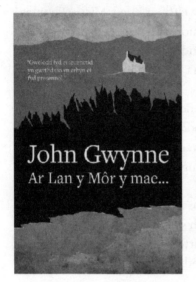
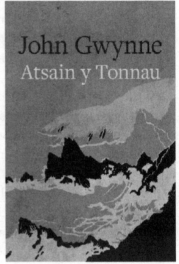

Mae rhain ar gael drwy gysylltu efo:

jig_369@hotmail.com

neu ffoniwch 07831 111369